Kindl

With love

rour Gin

L. Bernstein

president Tel.

12. 11. 1993

Jossel Birstein
Gesicht in den Wolken

Jossel Birstein
Gesicht
in den Wolken
Roman

Aus dem Hebräischen
von Mirjam Pressler

Arche

Copyright für die deutsche Ausgabe:
© 1993 by Arche Verlag AG, Raabe + Vitali, Zürich
Alle Rechte vorbehalten
Die hebräische Originalausgabe erschien 1991
u. d. T. *Panim ba-anan*
bei Siman Kriah/Hakibbutz, Tel Aviv
© 1991 Jossel Birstein
Umschlagentwurf: Max Bartholl
Satz: Uhl + Massopust, Aalen
Druck und Bindung: Wilhelm Röck, Weinsberg
Gedruckt auf Fortuna Werkdruck Standard
holzfrei, chlorfrei, pH-neutral, alterungsbeständig
Steinbeis Temming Papier GmbH, Glückstadt
Printed in Germany
ISBN 3-7160-2156-3

*Für Menachem Perry, den Lektor und Freund –
in Zuneigung*

Jossel Birstein

Ich begann diesen Roman im Sommer 1988 während meines Aufenthalts als Fellow des Virginia Center for the Creative Arts in Sweet Briar, Mt. San Angelo, und ich beendete ihn im Januar 1990, als ich ein zweites Mal als Writer in Residence dort eingeladen war. Mein besonderer Dank gilt Professor William Smart, Direktor des Virginia Center for the Creative Arts.

Erster Teil

1

Fast ein ganzes Jahr lang notierte ich Einzelheiten aus dem Leben Noach Naftali Tirschbeins. Er war schon alt, als er aus Cleveland, USA, nach Jerusalem kam, um einen Roman über die Liebe seines Lebens zu schreiben. Ich half ihm beim Ordnen der Briefe, Zeitungsausschnitte, Handschriften und der vielen Unterlagen, die er mitgebracht hatte – Schachteln, die ein ganzes Zimmer der Dachwohnung füllten, die er in Me'a Sche'arim gemietet hatte.

Ich begleitete ihn auch auf seinen Reisen, wenn er nach Verwandten eines Mannes suchte, der ihm die Verwaltung seines Vermögens anvertraut hatte, bevor er kinderlos starb. Auf unseren gemeinsamen Fahrten durch das Land, bei unseren Treffen mit angeblichen und echten Erben und beim Übertragen seiner Notizen in Reinschrift wurde mir langsam klar, daß ich von seinem Leben gepackt worden war. Man könnte fast sagen, ich war zu seinem Schatten geworden.

Das erste Mal begegneten wir uns auf der Elieser-Ben-Jehuda-Straße, mitten in Jerusalem. Er lehnte dösend an der Hauswand zwischen zwei Geschäften, und sein Hut, schwarz und breitkrempig, lag mit der Öffnung nach oben zu seinen Füßen. Ich warf im Vorbeigehen ein Geldstück hinein, und er packte mich am Arm, öffnete seine von dicken Brillengläsern stark vergrößerten Augen und sagte, ich hätte mich geirrt.

Tatsächlich sah er überhaupt nicht aus wie ein Bettler, obwohl man hier, in der Fußgängerzone, nicht genau unterscheiden konnte, wer bettelte und wer nicht. Gut gekleidete Menschen streckten die Hand nach einer milden Gabe aus. Nur ein paar Schritte entfernt, gegenüber vom Café Atara, hatte ich gerade einem großen, breitschultrigen Chassid, der sich vor und zurück wiegte und den gleichen Hut trug wie Tirschbein, eine Münze gegeben. Über seinem strahlend weißen Hemd trug er einen weiten Tallit, dessen vordere Ziziot halb unter seinem Bauch und seinem Gürtel steckten. In der ausgestreckten Hand hielt er ein offenes Gebetbuch, mit der anderen Hand bedeckte er seine Augen. Die Münzen sammelte er auf einem breiten Tuch mit großen, gestickten Buchstaben, das vor seinen Füßen ausgebreitet lag, einem Tuch, mit dem man am Schabbatabend die Chalot zum Kiddusch bedeckt.

Tirschbein hob seinen Hut auf und sagte, ich solle mir wegen dieses Irrtums keine Sorgen machen. Er sei eingedöst, aber nicht deshalb, weil er keinen Sitzplatz gehabt habe. Denn natürlich fehlte es nicht an Stühlen draußen vor den Cafeterias, und auch auf den Steinbänken, die die Stadtverwaltung rund um die Bäume hatte bauen lassen, gab es Sitzplätze. Tirschbein hatte einen Grund, dazustehen und vor sich hin zu träumen. Nicht immer, so sagte er, dürfe sich der Mensch das Bequemste im Leben aussuchen. Etwas Unbehagen von Zeit zu Zeit schade nichts. Er selbst zum Beispiel habe sich seit vielen Jahren angewöhnt, persönliche Fasttage einzuhalten, manchmal einen Tag, manchmal zwei hintereinander. Und wenn er eine angenehme Nachricht erhalte, versuche er, an etwas Trauriges zu denken. Vor Jahren, in New York, auf dem Höhepunkt seiner Liebesaffäre mit einer französischen Tänzerin, habe er sich in einem Moment großen Glücks ein

Paar zu enge Schuhe gekauft. Die Tänzerin habe er nicht wiedergesehen, aber die Schuhe habe er weiterhin getragen, bis seine Zehen anschwollen. Seit damals fange bei dem geringsten Ärger einer seiner Füße an zu zittern, bis heute.

Tirschbein gab mir meine Münze zurück, noch warm von seiner Hand, und fragte, ob er mich zu einer Tasse Kaffee einladen dürfe. Wir machten uns auf die Suche nach einer kleinen, ruhigen, gemütlichen Cafeteria, und während wir die Fußgängerzone Richtung King-George-Straße hinaufgingen, machten wir uns gegenseitig auf sorgfältig gekleidete Leute aufmerksam, die um eine milde Gabe bettelten. Ein junges Mädchen mit Gitarre hörte auf zu spielen und zündete sich eine lange, braune Zigarette an. Sie trug ein Männerjackett und arabische Pluderhosen. An all ihren Fingern blitzten Ringe, und die Münzen sammelte sie in ihrem offenen Gitarrenkasten. Etwas weiter, auf der anderen Straßenseite, neben einem Spielwarengeschäft, stand ein hochgewachsener, dünner Büßer; eine Kipa auf dem Kopf und die Haare zu einem Pferdeschwanz gebunden, rezitierte er mit amerikanischem Akzent verheißungsvolle Verse des Propheten Jesajah über den Frieden unter den Völkern. Die Spenden sammelte er in einem dickwandigen Bierglas. Er hielt das Bierglas am Henkel und begleitete seine Rezitationen durch rhythmisches Schütteln der Münzen. Ein Schauspieler in grünen Hosen und mit einem grünen Schal um den Hals stand auf einem zusammenklappbaren Schemel, deklamierte ein jiddisches Gedicht und begleitete seinen Vortrag mit Bewegungen seiner langen Hände. Ich wollte gerade zu dem Leinenkoffer hinüber, der vor ihm stand, um die warme Münze, die ich noch immer in der Hand hielt, hineinzuwerfen, aber Tirschbein hielt mich zurück und bat, wir sollten uns doch beeilen und uns in Sicherheit bringen, bevor uns der Schauspieler in den grünen Hosen bemerke.

»Man muß ihn meiden wie eine ansteckende Krankheit«, sagte er.

Wir gingen schnell zu dem Zeitungsverkäufer, der auf dem Bürgersteig saß, auf einem mit einem Sack bedeckten Karton, die ausgestreckten Beine eng aneinander gepreßt. Um ihn herum standen im Halbkreis die kleinen und großen Stapel von Zeitungen und Illustrierten. Der Verkäufer hob den Blick zu Tirschbein und begann, von jedem Stapel ein Exemplar zu nehmen.

»Wie immer?« fragte er.

»Heute nicht.« Tirschbein deutete auf mich, legte die andere Hand aufs Herz und sagte, heute habe er keinen Bedarf an Zeitungen. Es genüge ihm, mich getroffen zu haben, dieses Treffen habe ihm den Tag gerettet. Der Zeitungsverkäufer warf mir einen schnellen Blick zu und legte die Zeitungen zurück auf ihren Platz. Mit der freien Hand griff er hinter sich und nahm ein angebissenes Beigele, das auf einem Zeitungsstapel lag. Er öffnete seinen großen, dunklen, zahnlosen Mund, schob das Beigele hinein und kaute.

Tirschbein zog ein Tagebuch aus der Tasche und blätterte beim Gehen darin herum. Als wir uns draußen vor einer kleinen Cafeteria an einen Tisch gesetzt hatten, begann er zu schreiben, mit großen Buchstaben, die eine ganze Seite füllten:

»Das Dösen. Die Münze. Ich ein Bettler? Die Beleidigung.«

Später begegnete ich diesen Worten wieder, abgeschrieben auf ein Stück Papier, das ich aus einem Karton voller Postkarten, dicker und dünner Hefte und einzelner Blätter zog, dessen Deckel die Aufschrift »Schicksal« trug. Ich mußte den Inhalt dieses Kartons katalogisieren, die Aufzeichnungen nach Themen und Zeitperioden ordnen. Darunter fand ich auch Notizen über die Liebesaffäre mit der französischen Tänzerin, flüchtige Einfälle, Sätze, einzelne Wörter über die Ereignisse, die er zu einem Buch zusammenfassen wollte: »Ihr Fingernagel an meinem Nacken, weit unter meinem Kragen. Den Schauer nicht vergessen, der mir über das Rückgrat lief. Den Schauer in den Roman aufnehmen. Auch den Spaziergang auf dem Friedhof in Paris: den Besuch von Baudelaires Grab.«

In diesem Karton fand ich auch Hinweise auf den Verstorbenen, der Tirschbein die Verwaltung seines Vermögens übertragen hatte. Auf einer Karte stand das Datum, an dem Tirschbein das Geld unter seinem Namen bei einer Bank in Cleveland eingezahlt hatte. Parallel dazu notierte er am selben Tag in seinem Tagebuch, daß diese Angelegenheit ihn teuer zu stehen kommen werde. Er schalt sich selbst einen Esel, einen unverbesserlichen Dummkopf. »Tirschbeinju« nannte er sich spöttisch und fragte sich, ob der Verstorbene ihn nicht getäuscht hatte. »Vergiß nicht, ich habe dich gewarnt«, schrieb er in sein Tagebuch.

Tirschbein steckte das Tagebuch wieder in die Tasche und musterte mißtrauisch die Leute, die an den Tischen um uns herum saßen, ob uns der Schauspieler in Grün auch nicht gefolgt sei. Ein Glück, daß er ihn rechtzeitig entdeckt hatte, so habe er gerade noch verhindert, daß sich die Nachricht von seinem Aufenthalt in Jerusalem herumspricht, sagte er zu mir. Das müsse ein Geheimnis bleiben. Er legte seinen Hut auf den Tisch, und erst jetzt bemerkte ich, daß wir genau zu dem Platz zurückgekehrt waren, wo er vorher gestanden und vor sich hingedöst hatte. Genau gegenüber befand sich eine Bank, vor deren einem Schaufenster neben dem Eingang einige der Passanten stehengeblieben waren, um die neuesten Berichte der Tel Aviver Börse zu lesen. Vorhin, erinnerte er sich, habe er in der Menge einen Behinderten in einem Rollstuhl gesehen. Jetzt standen dort ein Soldat auf Krücken, eine Frau mit einem tiefen Rückenausschnitt, und neben ihr reckte ein Chassid seinen weißen Hals, während er mit der Hand eine seiner langen, blonden Schläfenlokken drehte.

Als die Kellnerin, die uns Kaffee gebracht hatte, sich entfernte, sprach Tirschbein mit sich selbst, aber so, daß auch ich es hören konnte; er fragte, ob dafür Millionen Juden in Polen umgekommen seien, damit die Überlebenden weiter hinter dem Goldenen Kalb herrennen? Geldgierige Menschen zu sehen mache ihn traurig. Eine alte Traurigkeit, sagte er mit einem Lächeln und erzählte, daß in ihrem Haus in Biała Podlaska, einer kleinen Stadt in Polen, in der er geboren und aufgewachsen war (der Vater ein Kubriner Chassid, die Mutter eine erschöpfte Bäckerin, wie er sagte), immer ein viereckiges Stück Wand ungestrichen war, als Erinnerung an die Zerstörung des Tempels. Auch hier, in Jerusalem, habe er im Haus eines orthodoxen Juden ein Stück Karton an einer Wand hängen sehen, auf dem ein Bibelspruch über die Zerstörung stand.

Ein ähnliches Stück Karton habe er, Tirschbein, in einer Ecke seines Herzens hängen, als Zeichen der Trauer über all die Menschen, die ihm begegneten. Wie sorglos sie aussahen, wie leichtsinnig. Hatten sie schon alles vergessen? In diese Gedanken sei er versunken gewesen, sagte er, als er vorhin an der Wand stehend eingedöst und ihm sein Hut aus der Hand gefallen und mit der Öffnung nach oben auf dem Gehsteig liegengeblieben war.

»Mit was beschäftigt sich denn hier das Volk, im Land der Juden?« fragte er und senkte den Kopf. Er starrte in seine Tasse, als betrachte er sein Spiegelbild im Kaffee. Er hatte ein grobes Gesicht mit einer fleischigen Nase und dicken Lippen. Borstige Haare wuchsen ihm aus den Nasenlöchern. Sein linkes Auge füllte fast das ganze Brillenglas aus.

»Und du, Tirschbein«, fragte er sich, »was machst du hier im Land Israel?«

Er blies in die Tasse, um sein Spiegelbild zu verscheuchen, und nachdem er ein paar Schlucke getrunken hatte, sagte er, er habe, was mich betreffe, eine Idee. Es gelang ihm nicht, mir diese Idee darzulegen, denn er hob den Blick, sah die Menschen, die sich vor der Bank versammelt hatten, und erschrak. Der Soldat auf den Krücken war schon nicht mehr da, auch die Frau mit dem tiefen Rückenausschnitt war verschwunden. Der blonde Chassid reckte noch immer den Hals und drehte an einer Schläfenlocke. Neben ihm standen zwei alte Damen, die aussahen wie Zwillinge, jede von ihnen mit einem geschmückten Hündchen auf dem Arm. Auch die Hündchen sahen aus wie Zwillinge. Neben diesen Menschen stand, erhoben, der Schauspieler mit der grünen Hose auf seinem Schemel und deklamierte ein jiddisches Gedicht.

»Man verfolgt mich«, flüsterte Tirschbein und forderte mich auf, ich solle mich doch bücken und sehen, wie sein linkes Bein unter dem Tisch zitterte. Ich wartete aber doch, bis sich ein plötzlicher Aufruhr in unserer Nachbarschaft gelegt hatte. Eine Gruppe junger Leute zog vorbei, Trommeln schlagend und Trompeten blasend, und sie trugen Spruchbänder mit der Aufschrift: »Stoppt die Okkupation!« Als der Lärm aufgehört hatte, bückte ich mich, um Tirschbeins zitterndes Bein zu sehen, und als ich mich wieder aufrichtete, stand der Schauspieler mit den grünen Hosen und dem grünen Schal neben uns.

2

Tirschbein nahm einen großen Schluck Kaffee, stand von seinem Platz auf, rückte seine Krawatte gerade, und beide umarmten sich wie alte Freunde.

»Issler«, rief Tirschbein, »Itzikl Issler.«

Beide drückten ihr Erstaunen über die unerwartete Begegnung aus, ausgerechnet hier in Jerusalem. Das letzte Mal hatten sie sich auf Tirschbeins Veranlassung hin in Cleveland getroffen. Er hatte die örtliche jüdische Gemeinde überredet, Issler zu einer Lesung einzuladen. Davor hatten sie sich in New York getroffen. Sie erwähnten die Namen verschiedener Städte und Länder, wo sie einander zufällig über den Weg gelaufen waren. Zum ersten Mal hatten sie sich in Biała Podlaska getroffen, Tirschbeins Heimatstädtchen, an

einem Abend, der dem Vortrag politischer Lyrik gewidmet war, und Tirschbein selbst hatte Issler dem
Publikum vorgestellt. Sie erinnerten sich an einen Vorfall an jenem Abend, waren sich jedoch uneins wegen
der Einzelheiten und fingen an, darüber zu streiten,
wer das bessere Gedächtnis habe. Beide stimmten aber
darin überein, daß es das Publikum, das damals gekommen war, um Issler zu hören, nicht mehr gebe. Issler
hatte solch ein Publikum auf der ganzen Welt gesucht,
aber nicht gefunden, noch nicht einmal hier, in Israel.
Er schob Tirschbein von sich weg und betrachtete ihn
prüfend.

»Du hast dich kein bißchen verändert«, sagte er.

Nach Tirschbeins Meinung hatte sich auch Issler
nicht verändert. Er war dünn und knochig, und seine
langen, weichen Koteletten füllten die eingefallenen
Wangen. Hinter seiner Mütze mit dem glänzenden
Schirm fielen ihm dünne weiße Strähnen bis auf die
Schultern. Sein Gesicht war geschminkt. Beide umarmten sich wieder, klopften einander zum Zeichen der
Freundschaft auf den Rücken, und bevor sie sich setzten, zog Issler einen Briefumschlag aus der Tasche und
legte ihn auf den Tisch. In dem Umschlag befinde sich
ein Zeitungsausschnitt, verkündete er, zu dem er
Tirschbein das eine oder andere fragen müsse. Vorher
aber wollte er wissen, ob Tirschbein ihn schon bemerkt
hatte, als er auf dem Schemel stand und jiddische Gedichte deklamierte. Er selbst, sagte er, achte nicht auf
das Publikum vor ihm, wenn er rezitiere, auch nicht im
Theater. Jetzt sei zwar hellichter Tag, und die Sonne
scheine, aber wenn er auf den Schemel steige und
spiele, bilde er sich immer ein, daß die Bühne beleuch-

tet und der Zuschauerraum dunkel sei. Er bestellte bei der Bedienung eine Tasse Kaffee und fügte hinzu, daß auch dies aus und vorbei sei, das künstlerische jiddische Wort habe keine beleuchteten Bühnen und keine abgedunkelten Säle mehr. Allein bei dem Gedanken daran kämen ihm die Tränen. Tirschbein nahm ein Schlückchen von seinem Kaffee und nickte zustimmend mit dem Kopf. Ihm gehe es genauso. Issler hatte inzwischen den Klappschemel aus dem roten Koffer gezogen und ihn auf seinen Knien aufgeklappt.

»Schau dir das an, und du kannst weinen«, sagte er. Dieser Schemel war das letzte Überbleibsel, das letzte Requisit des jiddischen Theaters überall auf der Welt. Er war aus einer Mischung aus Stahl und Aluminium angefertigt, war leicht und stabil und einfach zu transportieren. Er nahm ihn immer mit, wenn er das Haus verließ, meist in dem roten Koffer, damit er, wenn er plötzlich auf eine Menschenansammlung traf, an Ort und Stelle beginnen konnte, Worte der Kunst zu Gehör zu bringen. Damit man hier im Land erfahre, daß nicht alle Hoffnung für das Jiddische verloren sei. Die Bedienung brachte seinen Kaffee. Er stellte die Tasse mit dem Unterteller auf den Briefumschlag, um ja nicht zu vergessen, den Artikel mit Tirschbein zu besprechen. Denn was darin stünde, beziehe sich direkt auf die Versuche, den Ruhm jiddischer Literatur zu mehren. Er habe Glück, daß er Tirschbein nicht irgendwo in Amerika suchen müsse, sondern daß dieser ihm in Jerusalem einfach so über den Weg gelaufen sei.

Er nahm den Schemel von seinem Schoß und begann, einzelne Münzen auf den Tisch zu legen, die er aus dem roten Koffer nahm. Tirschbein solle nur sehen, wie traurig die Situation des Jiddischen hier im Land sei. Elf kleine Münzen hätten ihm die Passanten für die wunderbaren Gedichte gegeben, die er deklamiert hatte. Sie reichten noch nicht einmal, um seinen Kaffee zu bezahlen. Da sehe man den wirklichen Wert des Jiddischen an einem angenehmen Frühlingstag in der Elieser-Ben-Jehuda-Straße im Zentrum Jerusalems! Die Gitarrespielerin in dem Männerjackett habe mehr bekommen, sagte er. Auf seinem Weg zu uns sei er stehengeblieben und habe ihr Geld gezählt. Die Banknoten in ihrem offenen Gitarrenkasten habe er nicht berücksichtigt, die habe sie selbst hineingelegt, um das Publikum zu Gaben zu animieren. Doch auch ohne die Banknoten sei die Summe neiderweckend. Und bei dem Chassid mit dem Gebetbuch hätten die Münzen die ganze Schrift auf seinem feiertäglichen Tuch bedeckt. Ganz zu schweigen von dem Büßer; Issler deutete mit einer Handbewegung an, daß dessen Bierkrug mehr als zur Hälfte gefüllt worden sei – und wofür? Für die freudigen Verse des Propheten? Issler legte seine Münzen nebeneinander, spreizte die Finger seiner Hand und maß den Abstand zwischen den beiden äußeren Münzen. »Noch nicht mal eine Spanne breit«, sagte er. Und tatsächlich, sein Daumen ragte über das Geld hinaus. Ich hielt noch immer die Münze in der Hand, die Tirschbein mir zurückgegeben hatte und die dem Schauspieler zu geben er mich gehindert hatte. Jetzt legte ich sie neben die Reihe, um sie etwas zu verlängern.

»Wer ist das?« fragte Issler.

Tirschbein nahm wortlos die Münze, die ich hingelegt hatte, und dann erzählte er von unserem Treffen und von der Idee, die ihm gekommen sei, nämlich sich meiner zu bedienen, um Ordnung in sein Archiv zu bringen, welches er zu einem wichtigen Zweck aus Cleveland mitgebracht habe. Meinen Namen wußte er zu diesem Zeitpunkt noch nicht. Obwohl er nicht fromm sei, sagte Tirschbein, glaube er an eine persönliche Vorsehung. Es gebe Ereignisse, die ihre Schatten weit in die Zukunft würfen.

Issler zog den Briefumschlag unter seiner Tasse Kaffee hervor, von dem er kaum etwas getrunken hatte, und betonte, ganz ohne Zweifel schwebe auch über ihm eine persönliche Vorsehung. Sein Treffen mit Tirschbein sei eine Fügung des Himmels. Denn vorhin neben der Bank, auf dem Schemel, habe er ein Gedicht Tirschbeins rezitiert, das Gedicht über den jüdischen Garten mit dem Refrain:

> Ist das unser Garten?
> Natürlich ist er's, unser Garten.

Dieses Gedicht, sagte Issler, bringe er bei jeder Aufführung. Es sei ihm all die Jahre frisch und lebendig in Erinnerung geblieben, ebenso wie die Beleidigung, die ihm Tirschbein vor vielen Jahren zugefügt habe. Damals in Biała Podlaska, habe er da nicht mitten in der zweiten Hälfte der Aufführung den Saal verlassen? Seither sei viel Wasser jenen Fluß hinuntergelaufen, Issler suchte nach dem Namen des Flusses, doch er fiel ihm nicht ein. Egal. So oder so, auch die Beleidigung sei lebendig geblieben, und beides werde er nie vergessen: die Beleidigung und das Gedicht. Doch er sei nicht gekommen, um mit Tirschbein zu streiten, sondern um ihn an einem wichtigen Projekt zu beteiligen, und Tirschbein sei der richtige Mann, die Sache zu unterstützen.

Nun wandte er sich an mich und pries Tirschbeins Tugenden in den höchsten Tönen. Zuvor jedoch zog er ein Fläschchen mit einer Flüssigkeit aus seinem Koffer, träufelte ein wenig davon auf einige der Papierservietten, die auf dem Tisch lagen, und wischte sich die Schminke aus dem Gesicht. »Man muß eine Grenze zwischen dem Theater und dem Leben ziehen«, sagte er. In den Dutzenden von Jahren, die Tirschbein in Amerika lebe, sei ihm sein Ruf als Dichter und als Gerechter vorausgeeilt, erzählte er, zwei Eigenschaften, die sich normalerweise nicht paarten. Dichter seien – im allgemeinen – böse, und Gerechte schrieben niemals Gedichte. Doch in Tirschbein seien beide Tugenden friedlich miteinander vereint. Zu Tirschbein komme man nicht einfach zu Besuch, zu ihm komme man gepilgert.

»Du selbst bist Zeuge, daß ich die Wahrheit spreche«, sagte er zu Tirschbein.

Tirschbein leckte sich einen Krümel von der Lippe, schluckte ein Stückchen trockenes Brot hinunter und sagte, Lobreden machten ihn traurig. Dennoch blieb er mit halb offenem Mund sitzen, als verschlinge er die Lobreden Isslers. Er gab das Lob zurück. Es blieb ihm nichts anderes übrig, als auch ihn einen großen Künstler zu nennen.

»Ein großer Künstler der Bühne«, sagte er.

»Du kannst mich Kollege nennen«, meinte Issler und bekannte, daß er vor einiger Zeit aufgehört habe, Theater zu spielen. Er habe angefangen zu schreiben. Moderne Theaterstücke. Damit es, wenn das jiddische Theater wieder zum Leben erwache, etwas gebe, was man auf die Bühne bringen könne. Er denke da an drei

Bände: acht Theaterstücke, zwei Einakter und einen Band mit Monologen. Eines Tages würden auch Monologe wieder modern. Er habe vor, seine Stücke in Amerika zu publizieren, und dafür brauche er einen Mann mit Erfahrung. Und war es nicht Tirschbein, der sein ganzes Leben lang Schriftsteller darin unterstützt hatte, ihre Werke zu veröffentlichen?

»Warum hast du es so eilig?« fragte Tirschbein. »Drei Bände auf einmal?«

Issler trank eine halbe Tasse Kaffee auf einen Zug und sagte, er müsse mit einem einzigen Satz, mit beiden Beinen, in die jiddische Literatur springen. Sein ganzes Leben sei er Junggeselle gewesen, und nach seinem Tod bliebe keine treue Witwe zurück, die sich um die Verewigung seines Werks kümmere.

»Wo sind deine Manuskripte?« fragte Tirschbein.

»Bei mir zu Hause, in einer Schublade«, antwortete Issler. »Alle meine Manuskripte liegen in einer Schublade und warten darauf, gedruckt zu werden.« Er trank den Rest seines Kaffees, und wegen des Lärms von einem Notarztwagen auf der Jaffastraße beugte er sich über den Tisch, um jedes von Tirschbeins Worten zu hören.

»Und was ist mit der finanziellen Seite?« sagte Tirschbein fast schreiend. »Woher nimmst du das Geld, um deine Sachen zu veröffentlichen? Das wird ein Vermögen kosten.«

Darauf hatte Issler gewartet. Nun war der Briefumschlag an der Reihe. Er zog den Zeitungsausschnitt heraus und sagte, daß hier, in dieser Anzeige, die Antwort enthalten sei. Er reichte mir den Ausschnitt, nachdem Tirschbein einen Blick darauf geworfen hatte, damit auch ich wisse, was darauf geschrieben stand. Es war eine Anzeige über einen gewissen Schlomo Bitman, der in Zfat verstorben war und ein großes Vermögen hinterlassen hatte, und jetzt suchte man nach Verwandten. Eventuelle Verwandte sollten sich unter der Adresse P.O.B. 1219, Jerusalem, melden.

Issler wartete auf eine Reaktion, doch Tirschbein schwieg, und deshalb erzählte er selbst, daß Schlomo Bitman sein Nachbar in Zfat gewesen sei; an einem Wintermorgen habe er tot in seinem Bett gelegen, und die Beerdigung habe am selben Abend bei Regen und Sturm stattgefunden. Über dem Berg Kana'an habe es gedonnert und geblitzt. Es sei unmöglich gewesen, ein Wort zu verstehen, und der Kaddisch am offenen Grab sei vom Wind verschluckt worden. Niemand hätte vermutet, daß Bitman reich war, aber nun fragte man sich: Wem hat Bitman die Verwaltung seines Vermögens übertragen? Man müsse herausfinden, wer sich hinter der geheimnisvollen Postfachnummer verberge. Dieses unerwartete Zusammentreffen mit Tirschbein verkürze die Suche. Issler hatte in Bitmans Haus nach dessen Tod Briefe von Tirschbein gefunden. Er hatte seinen Augen nicht getraut, als er vorhin Tirschbein entdeckte, der kaum zwanzig Schritte von der Bank entfernt saß und gemütlich Kaffee trank. Er hatte sich gefragt: Was macht er, der große Dichter Noach Naftali Tirschbein, hier in Israel?

Tirschbein lugte mit einem Auge über sein Brillenglas und sagte, so seltsam es klinge, genau dasselbe habe er sich vorhin auch gefragt. Er deutete auf mich. »Dieser Fremde da ist Zeuge.«

Issler packte den Klappschemel und das Fläschchen

mit der Flüssigkeit in den Koffer. Den Zeitungsausschnitt schob er wieder in den Umschlag, und dann sagte er, er wisse die Antwort. Er wisse, was der berühmte Dichter Noach Naftali Tirschbein in Israel mache. Er beugte sich zu Tirschbein hinüber und sagte ihm ins Gesicht:

»Du bist gekommen, um hier von Geld zu leben, das nicht dir gehört.« Er schwieg einige Sekunden, dann fügte er hinzu: »Vom Geld eines Toten.«

Er nahm seinen Koffer und ging. Wir folgten ihm mit den Augen, und als seine grünen Hosen und sein roter Koffer in der Menge verschwunden waren, standen wir vom Tisch auf, und ich begleitete Tirschbein zu seinem Haus. Wieder blieben wir bei dem Zeitungsverkäufer stehen, und Tirschbein wechselte einen Gruß mit ihm.

»Wie üblich?« fragte der Verkäufer.

»Wie üblich«, antwortete Tirschbein. Er klemmte sich die Zeitungen unter den Arm und sagte, meine Münze würde er als Glücksbringer behalten. Und was Bitmans Hinterlassenschaft angehe – es sei wichtig, so schnell wie möglich einen Verwandten zu finden und die Erbschaft loszuwerden.

3 Eines Tages dann, als wir von der Wohnung eines alten Witwers kamen, der behauptete, seine selige Frau sei eine Verwandte von Schlomo Bitman gewesen, öffnete Tirschbein zum ersten Mal die Tür jenes Zimmers, dessen Wände ringsherum mit den Kisten und

Kartons seines Archivs vollstanden, zwei oder drei übereinander. Er deutete auf einen fleckigen Karton in einer Ecke und bat mich, daraus die Mappe mit seinen Testamenten zu holen. Er wolle sie durchsehen, um seine Nerven zu beruhigen. Und dann fiel ihm ein, daß es gut wäre, wenn ich das auch täte. In einer ruhigen Stunde solle ich sie durchlesen, damit ich eine Vorstellung von der französischen Tänzerin bekomme, die sein Leben derart durcheinandergebracht hatte. Er nannte sie nur mit ihren Initialen, D. D. Wegen seines Alters ging es schon über seine Kräfte, sich zu bücken und etwas Schweres zu heben, deshalb blieb ihm nichts anderes übrig, als in der Türöffnung zu stehen, die Arme unter dem Bauch verschränkt, und mir mit besorgtem Gesicht und zusammengepreßten Lippen zuzuschauen.

Etwas über D. D. Ich hatte schon einige Hinweise auf sie in seinem Archiv gefunden. Inzwischen war es sechs Monate her, daß ich ihn in der Ben-Jehuda getroffen hatte, und seither war ich jeden Tag für einige Stunden zu ihm gekommen, um seine Korrespondenz zu ordnen und zu katalogisieren. Tirschbein hatte D. D. in Paris kennengelernt, mit ihr einige Monate in verschiedenen Hotels verbracht und dann in seinem Tagebuch vermerkt, daß er dreimal jede Nacht mit ihr gesündigt habe. Er versprach ihr, diese Sünden zu verdoppeln, wenn sie sich wiedersähen. Das alles war in den dreißiger Jahren gewesen, etwa vier Jahre vor Ausbruch des Zweiten Weltkriegs. Tirschbein kehrte zu seiner Frau zurück, die in Polen geblieben war, und D. D., auf dem Weg zu ihrem Ehemann in Brasilien, fuhr zunächst nach New York, um dort zu tanzen.

In einem Brief, den er damals aus Polen an sie schickte – in jiddisch, allerdings mit lateinischen Buchstaben, da sie das hebräische Alphabet nicht lesen konnte –, bat er sie, nicht zu ihrem Mann zurückzukehren, sondern darauf zu warten, daß er zu ihr nach New York komme. Im selben Brief, dessen Abschrift er aufgehoben hatte, gab er offen zu, daß sie gemeinsam kein Leben des Überflusses führen könnten, wie sie es von ihrem Mann, einem Industriellen in Rio de Janeiro, gewohnt sei. Sie würden sich mit wenig begnügen müssen, doch er würde, durch ihre Inspiration, große Werke schreiben. Am Schluß seines Briefes nannte er sie: »Meine Schwester! Meine Schwester!«

Die Tänzerin antwortete ihm, sie erinnere sich gut an die Berührung seiner männlichen Hände und sehne sich nach der Traurigkeit seiner Augen. Sie wolle nicht warten, bis er genügend Geld für die Überfahrt gespart hätte, und schlug vor, ihm die erforderliche Summe zu schicken, damit er sofort und ohne Verzögerung zu ihr kommen könne.

Aber schon als junger Mann hatte er sich strenge Prinzipien auferlegt, was seine Lebensführung betraf. Er wollte nie auf Kosten anderer leben und nie anderen zur Last fallen. Und nun sollte er die Hand ausstrecken? Wie würde er in ihren Augen dastehen, wenn er nach New York kam? Wie würde er vor sich selbst dastehen? Er werde schon einen Weg finden, aus eigener Kraft zu ihr zu kommen, schrieb er ihr, sie müsse nur auf ihn warten, auch wenn es etwas länger dauere. Es sei denn, sie leihe ihm das Geld und er zahle es ihr sofort zurück, wenn er in Amerika angekommen sei und angefangen habe zu verdienen. Bestimmt könne er seine Artikel in Zeitungen veröffentlichen. Seine Beschreibungen von Paris seien bei den jiddischen Lesern Polens auf großes Interesse gestoßen. Sie solle ihm das Darlehen schicken, schrieb Tirschbein und begann sofort, sich auf die Reise vorzubereiten. Er schickte ihr sogar ein Päckchen Manuskripte zur Aufbewahrung und bat sie, sie wie ihren Augapfel zu hüten und auf keinen Fall in fremde Hände zu geben, denn in ihnen liege seine Zukunft, ihre gemeinsame Zukunft. Auf dem Umschlag stand: »Salz meines Lebens.«

In seinen Tagebuchaufzeichnungen aus jenen Tagen beschrieb Tirschbein, welche Ausrede er sich ausgedacht hatte, damit ihn seine Frau allein die Reise nach Polen über den Ozean antreten ließ. Diesmal hatte er nicht vor, zurückzukommen. Das Tagebuch war ein schmales Notizheft mit dickem Einband, dessen Blätter mit winzigen Buchstaben auf beiden Seiten bis zum Rand so vollgeschrieben waren, daß die Wörter sich förmlich ineinander verbissen. Ich hatte mich an seine Schrift schon gewöhnt und strich in diesem Tagebuch und anderen aus späteren Perioden die Details an, die zu seinem geplanten Roman über seine Liebesaffäre mit D. D. gehörten.

Der Vorwand für seine Frau war, daß er den Auftrag übernommen hätte, im Fernen Osten, bei den jüdischen Gemeinden Chinas und der angrenzenden Länder, Spenden für jüdische Schulen in Polen zu sammeln. Doch diese Ausrede bedrückte ihn, denn ein weiterer seiner Grundsätze war, immer die Wahrheit zu sagen, und nun log er. Er nahm Geld von D. D. und belog seine Frau, und wegen beidem quälte ihn sein Gewissen. In einem Brief, den er an sich selbst gerichtet hatte, auf einem aus einem Heft herausgerissenen Blatt, versprach er sich, daß dies das letzte Mal sein würde, daß er – für welchen Zweck auch immer – seinen Prinzipien untreu werde und die Wahrheit verbiege. Er gab seine Arbeit auf, knüpfte Verbindungen zu einigen Tages- und Wochenzeitungen überall in der Welt und kaufte sich ein Wörterbuch »Jiddisch–Englisch«.

»Ich habe aufgehört, mit meiner Frau zu schlafen«, schrieb er der Tänzerin und bat sie, ihm das Geld bald zu schicken. Doch D. D. hatte kein eigenes Geld. Sie war von dem abhängig, was ihr Mann ihr jeden Monat aus Brasilien schickte, und zur Zeit hatte sie auch keinerlei Aussicht auf ein Engagement in New York. Freunde hatten ihr ihre Hilfe versprochen. Sie benutzte außerdem die Adressen jiddischer Schriftsteller, die Tirschbein ihr noch in Paris gegeben hatte. Sie luden sie zu Festen und literarischen Abenden ein. Es waren Männer, deren Blicke ihr begehrlich folgten. Untereinander nannten sie sie »die schöne Zigeunerin«. Einer von ihnen, Leib Dubschin, hatte sie ein paarmal zu einer Aufführung des jiddischen Theaters eingeladen. Er habe ihr auch eine intime Beziehung angeboten, schrieb sie. Aber sie habe ihn zurückgewiesen und ihr Herz auch ähnlichen Bemerkungen anderer Schriftsteller verschlossen. Doch wie lange sie bei ihrer Weigerung bleiben könne, wenn sie so wenig Liebe und so wenig Geld zu ihrer Verfügung habe, wisse sie nicht. Ein Jahr oder länger auf Tirschbeins Ankunft warten, das könne sie nicht, und deshalb habe sie beschlossen, ihrem Mann zu schreiben, sie sei krank und müsse sich einer Operation unterziehen. Dafür würde sie von einem Arzt ein Attest besorgen, und das Geld, das ihr Mann für die Operation schicken werde, reiche aus, um Tirschbeins Reise nach New York zu bezahlen.

Auf diesen Brief, den er mit der Nummer achtzehn versehen hatte, stieß ich in dem Paket mit Dokumenten, die sich auf Tirschbeins Reise nach China bezogen, von wo aus er nach New York weiterreisen wollte. An D. D.'s Brief war die Abschrift von Tirschbeins Antwort geheftet, und als ich die dünne Nadel herauszog, blieb ein feiner Roststreifen auf dem Papier zurück.

Tirschbein fragte sie in seinem Brief, ob sie wirklich ernsthaft meine, ein jiddischer Schriftsteller bediene sich Tricks, um Liebe zu bekommen. Allein dieser Gedanke wecke in ihm, Tirschbein, andere, freundschaftliche Gefühle ihrem Mann gegenüber. Bis jetzt habe er in seinen Augen überhaupt nicht existiert. Ein Geldsack mit einer dicken Zigarre zwischen den Lippen, der sich auf seinen dicken Bauch trommelt und mit seinem Reichtum angibt. Doch nun, nachdem er ihren Brief gelesen habe, sei ihm der Gedanke gekommen, daß sie beide, er aus Polen und sie aus New York, ihrem Mann die Wahrheit sagen sollten. In einem gemeinsamen Brief sollten sie ihm alles erzählen und nichts hinter seinem Rücken tun. Er solle von der Liebe seiner Frau zu einem jiddischen Dichter erfahren. Vielleicht würde er es verstehen, es sei doch so menschlich. Er selbst, Tirschbein, verstehe ihre Situation in New York und sei froh, daß ihr die jiddischen Schriftsteller beistanden. Wenn Leib Dubschin wieder mit Andeutungen komme und sie das Gefühl habe, ihm nicht widerstehen zu können, so möge sie ihm ihre Gunst schenken. Leib Dubschin ist ein großer Dichter, schrieb Tirschbein an die Tänzerin, der größte der jiddischen Dichter Amerikas.

Diesen Brief, zwar in jiddisch geschrieben, hatte Tirschbein mit einer Schreibmaschine in lateinischen Buchstaben abgetippt, um ihr das Lesen zu erleichtern. Trotzdem blieb ein kleiner Zweifel bei ihm zurück. Verstand sie wirklich, daß seine große Liebe zu ihr frei von Eifersucht war? Hatte er dieses verächtliche Gefühl nicht längst aus seinem Herzen gerissen? Nun, da er vor einer solchen Versuchung stand, würde er nicht versagen. Er wiederholte in dem Brief, wenn sie wolle, könne sie dem wunderbaren Dichter Leib Dubschin ihre Gunst schenken. Aber sie solle nur eine Nacht mit ihm schlafen.

»Und verschulde dich nicht«, fügte er hinzu, »begnüge dich mit wenigem.« Er selbst zum Beispiel brauche nur sehr wenig. Er lebe sparsam und glaube nicht, daß ihm das schade. Manchmal leide er, aber das halte er für einen Gewinn. Denn nur durch Qualen komme man zur wahren Kunst. Sie beide zusammen würden es schaffen. Hätte sie etwa vergessen, was er ihr in Paris gesagt hatte, in ihrer ersten Liebesnacht, daß er nie im Leben seinem Nächsten etwas Schlechtes antun würde, um sich selbst zu nutzen? Daran solle sie immer denken. Auch er erinnere sich an alle Einzelheiten jener Nacht. An das Porträt des letzten französischen Königs an der Hotelwand, hinter dem zersprungenen Glas. Auch an das Gedicht, das er ihr damals vorgelesen habe. Erinnere sie sich noch an die Zeile:

Was ist ein Dichter? Das Gewissen der Welt.

Er erinnerte sich an den Schauer, der ihr über den Rücken lief, als er das Gedicht zu Ende gelesen hatte. Sie bückte sich, zog ihm die Schuhe und die Strümpfe aus und küßte seine nackten Füße. Sie selbst war schon barfuß.

> Ich liebe deine großen, schönen Augen,
> ich liebe deine Füße, schön und gesund,

fügte Tirschbein hinzu, in Form eines Gedichts, und fuhr dann fort:

> Doch kranke Frauen hasse ich.

Er hasse auch erfundene Krankheiten, schrieb er, und D. D. solle besser nicht lügen und versuchen, auch nur einen Pfennig auf diese Art aus ihrem Mann herauszuholen.

»Was ist überhaupt Geld?« fragte er. Blitzendes Metall, sonst nichts. Und was bedeuten diese Blechstücke bei der letzten Abrechnung? Er würde schon einen Weg finden, zu ihr zu kommen. Inzwischen solle sie ihm bald auf seinen Brief antworten. Sie hätten doch, als sie abreisten, er nach Polen und sie nach New York, abgemacht, daß sie jeden Brief numerieren und mit einem Datum versehen wollten, damit sie wüßten, wie lange die einzelnen Briefe unterwegs waren und daß keiner verloren gegangen sei. Habe sie nicht selbst betont, daß man sich auf die Poststempel nicht verlassen könne, weil sie alle unleserlich seien? Noch in Paris habe er ihr gesagt, daß er datierte Briefe sogar dreimal lese, während er undatierte sofort nach ihrer Ankunft vergesse. Er habe sie angefleht, die Numerierung nicht zu vergessen. Warum achte sie so wenig darauf? Zwei

Briefe hatte sie mit der Nummer achtzehn bezeichnet, wie konnte es zweimal die Achtzehn geben?

Den zweiten Brief mit der Nummer achtzehn bekam ich erst später in die Hände, als Tirschbein die geheime Kiste mit Briefen von ihr und von ihm öffnete. Das war ein Tag, nachdem er die Tür zum zweiten Zimmer aufgeschlossen hatte und mich bat, die Mappe mit seinen Testamenten zu suchen.

4

Als ich mit der Mappe mit den Testamenten zurückkam, stand Tirschbein in der Tür, die Hände unter dem Bauch gefaltet, und er hatte vergessen, den Mund zuzumachen. Ich gab ihm die Mappe, und er begann, darin zu blättern, betrachtete ab und zu eine Zeile, und dann trat eine Veränderung ein. Er sah plötzlich jünger aus, seine Augen hinter den Brillengläsern wurden schmal. Sein Fuß hörte auf zu zittern. Sein Rücken straffte sich, und er war einen halben Kopf größer als ich. Er ging mit raschen Schritten ins große Zimmer, blieb breitbeinig neben seinem Tisch stehen und stützte sich mit beiden Händen auf die Tischkante. Dann schob er schnell einen Haufen Bücher und Zeitungen zur Seite und breitete einige der Testamente vor sich aus, die er der Mappe entnommen hatte. Wieder stützte er sich auf die Tischkante und betrachtete prüfend die Dokumente. Sein Gesicht zeigte Zorn und zugleich auch ein feines Lächeln, doch seine Lippen waren zusammengepreßt. Auf Zehenspitzen ging er um den Tisch herum und setzte sich vor seine unförmige Remington, spannte fünf Bögen Papier ein, getrennt durch Kohlepapier, blies den Staub weg und begann, mit vier Fingern zu schreiben, zwei von jeder Hand. Er notierte einen Traum, den er sich nicht erklären konnte, und schrieb über einen verdächtigen Schmerz in seinem Rücken. Dieser Tag, schrieb er, geprägt vom Schmerz und der Erinnerung an den Traum, sei der richtige für ein neues Testament.

Tirschbein wollte nicht, daß ich hinter ihm stand und verfolgte, was er schrieb. Ich setzte mich also an das niedrige Fenster und schaute hinaus auf die Straße. Ich öffnete auch die Mappe mit den Briefen von Schlomo Bitman. Ich hatte sie schon einige Male gelesen, doch noch immer hatte ich keinen Hinweis auf das Geld gefunden, das er Tirschbein zur Verwaltung überlassen hatte. In allen Briefen erzählte Bitman von Dingen, die sich in seinem Leben ereignet hatten. Zum Beispiel hatte er einmal in Paris eine platonische Romanze mit einer Frau erlebt, einer Hure. Er berichtete viele Details. Was die Hure gesagt und was er geantwortet hatte. Oder wie in seinen Händen eine magische Kraft zur Heilung kranker Kinder gewachsen war. Er beschrieb, wie eine spezielle Tinte hergestellt wurde, die dazu diente, Rollen für Mesusot und andere Gebete zu schreiben, und die auf dem Pergament nicht verlief oder verwischte. Diese Tinte, erklärte er, extrahiere man aus einer Pflanze, die »Nüsse der Diaspora« genannt wurde und ausgerechnet in Israel wuchs. Es waren lange Briefe mit eng beschriebenen Blättern. Auf einige hatte Bitman den Kopf eines Mädchens geklebt, auf andere bunte Vögel oder andere Tiere, zu einzelnen Abschnitten winzige Blumen, alle aus bunten Illustrierten ausgeschnitten.

Auch seine Briefe aus Zfat waren lang. In ihnen erzählte er keine Geschichten, sondern er beschrieb die geheimnisvollen Kräfte der Stadt und ihrer Kabbalisten. Bitman wartete auf die Offenbarung und folgte den Spuren der Heiligen des Landes. Er wolle ein Museum eröffnen, schrieb er an Tirschbein, und es »Geheimnis« nennen. Ben-Gurion gefalle ihm nicht, und auch eine sozialistische Regierung ohne Ben-Gurion sei nicht nach seinem Geschmack. Sie beraubten das Volk, und es sei gefährlich, sein Geld bei irgendeiner Bank in Israel zu deponieren, denn am Schluß würde es von der Regierung beschlagnahmt. Auch den Schauspieler Itzik Issler erwähnte Bitman in seinen Briefen. Ein gefährlicher und nicht vertrauenswürdiger Mensch. Issler hatte nicht übertrieben, als er Tirschbein von den vielen Briefen erzählte, die er nach Bitmans Tod in dessen Wohnung gefunden hatte. Kopien hatte er übrigens kurze Zeit nach dem Zusammentreffen in der Ben-Jehuda-Straße an das Postfach 1219 geschickt, doch auch sie enthielten keinerlei Hinweis auf Geld.

Diesmal fand ich in der Mappe einen Brief auf polnisch, von einem Rechtsanwalt, der Herrn Tirschbein für die Mühe dankte, die er auf sich genommen habe, um im Prozeß gegen Bitman als Zeuge aufzutreten. Sofort nach der Urteilsverkündung habe er, der Anwalt, seinem verehrten Mandanten geraten, vor Tirschbein auf die Knie zu fallen und ihm die Füße zu küssen, denn nur Tirschbeins Aussage habe ihm lange Jahre Gefängnis erspart.

Tirschbein sprach kein Wort darüber. Schon in den ersten Tagen, als ich bei ihm war, hatte er mir geraten, keine überflüssigen Fragen zu stellen und diskret zu sein. Auch als ich ihn heimbegleitete, an dem Tag, als wir uns zum ersten Mal getroffen hatten, sprach er nicht über Bitman und dessen Vermögen, sondern über Issler. Der sei immer ein wirrer Mensch gewesen und habe sich um keinen Deut geändert. Zum Beispiel habe nicht er, Tirschbein, das Gedicht über den Garten geschrieben, das Issler rezitiert habe, sondern Moische Leib Halperin. Und was die Beleidigung angehe, die Issler ihm vorgeworfen hatte, so könne er nur sagen, daß er keine Ahnung habe, um was es dabei ging. Es sei denn, die Beleidigung habe nicht in Biała Podlaska stattgefunden, sondern in Cleveland, bei einer Veranstaltung, die wegen eines Schneesturms ausgefallen war. Einen oder zwei Tage später habe Tirschbein Issler zu einem Spaziergang auf dem jüdischen Friedhof eingeladen, und sie seien in eine kleine Beerdigung geraten. Als Issler die Gruppe der Trauergäste sah, stieg er, erzählte Tirschbein, auf den Erdhaufen neben dem offenen Grab und begann, Gedichte auf jiddisch zu deklamieren. Hätte man ihn gelassen, hätte er dort die ganze Vorstellung gegeben, die wegen des Schneesturms ausgefallen war.

Tirschbein wohnte gegenüber vom Bethaus der Chassidim von Satmar, und einmal hatten wir beide die Jaffastraße überquert und waren die Straußstraße hinaufgegangen. Das war einige Tage vor Pessach gewesen; ein warmer Tag mit kalten Windböen, und die Fußgänger trugen eine Mischung von Winter- und Sommerkleidung. Je näher wir Me'a Sche'arim kamen, um so weniger Männer ohne Hüte und Frauen mit eigenen Haaren sahen wir. Es gab immer mehr Bärte und Schläfenlocken, Juden in Kaftanen und Frauen mit Perücken. Das nahe Fest war schon zu spüren: an einem mit Mazzot hochbeladenen Wagen etwa, oder an einem Jeschiwa-Studenten, mit hochgekrempelten Ärmeln und einem kleinen Tallit über dem Hemd, der vor seiner Haustür mit einer Bürste den Ofen vom Gesäuerten säuberte. Hausierer stellten auf ihren Ständen auf der Straße alle möglichen fürs Pessachfest benötigten Gegenstände aus. Über die Malchai-Israel-Straße war ein Stoffplakat gespannt, das den Verkauf koscherer Mazzen verkündete. Auch koscherer Fisch wurde verkauft. Das stand mit roten Buchstaben auf einem blauen Plakat, das am Anfang der Me'a-Sche'a-rim-Straße an die Wand geklebt war.

Auch jetzt, als ich durch das niedrige Fenster hinausschaute, während Tirschbein sich noch mit der Abfassung seines neuen Testaments abmühte, bemerkte ich schon die ersten Anzeichen für die großen Feiertage, die immer näher rückten. Die Zahl der Bettler auf den Straßen nahm zu. Schon auf unserem Weg zu dem alten Witwer waren wir ihnen begegnet, ebenso auf dem Rückweg. Ein eifriger Jeschiwa-Student ging mit Empfangsbescheinigungen einer Jeschiwa herum. Ein Mann mit einem langen und breiten Bart, gepflegt und in Schabbatkleidung, stand da und streckte seine zarte Hand aus. Eine dicke Frau mit einer schweren Perücke auf dem Kopf sammelte die Münzen in einer gefütterten Börse, die sie am Verschluß hielt, so daß Tirschbein, ein Mann, in Gefahr geriet, ihre Hand zu berühren, als er eine Münze in ihre Börse legte. In seiner

Kindheit, so erzählte er, habe er einen Mann gekannt, der es nicht als Schande angesehen habe, von Haustür zu Haustür zu gehen und zu betteln. Er habe mit seiner Familie ein ruhiges Leben geführt und sei von den anderen geachtet worden.

Obwohl inzwischen ein halbes Jahr seit unserem ersten Zusammentreffen vergangen war, vergaß Tirschbein nie den Irrtum, den ich begangen hatte, als ich ihn für einen Bettler gehalten hatte. Wie war es mir nur eingefallen, ihm ein Almosen zu geben? Er bewahrte die Münze in einer kleinen Dose auf, die er sich einmal in einem Antiquitätengeschäft in China gekauft hatte. In dieser Dose bewahrte er auch andere Glücksbringer, so zum Beispiel ein Stück Pergament von einer Mesusa, das ihm ein Warschauer Jude in Schanghai noch vor dem Zweiten Weltkrieg gegeben hatte. In der Dose befand sich auch ein Brief, den Tirschbein im Krieg an D. D. geschrieben hatte, die sich damals gerade in Schweden aufhielt. Ein Schiff war zerbombt worden und untergegangen, und unter den Überresten hatte man auch einen Sack mit angesengten Briefen gefunden, so auch diesen Brief mit seinem Absender auf der Rückseite.

Noch etwas lag in der Dose, eine schwarze Haarlocke, in feines Papier gewickelt. Er schäme sich, über diese Locke zu sprechen, sagte er. In seiner Jugend habe er sich Leidenschaften hingegeben, die ihm heute fremd und unangenehm wären. Er sei damals auch von Begierden getrieben worden, die er im nachhinein nicht mehr verstehe. Wenn das Leben lange genug dauere, sagte er, vertrockneten viele Dinge wie Zweige an einem alten Baum. Manchmal nenne man das Reife, doch das sei ein Fehler. Seiner Meinung nach sei das der Tod. Schon öfter habe er sich vom Tod eingehüllt gefühlt wie ein Baum im Herbst. Irgendwann, wenn er seine Scham überwunden habe, würde er mir das Geheimnis der schwarzen Locke erklären. Doch Tirschbein selbst offenbarte mir dieses Geheimnis nie. Ich entdeckte es in einem Brief, den er an Leib Dubschin geschrieben hatte, den Dichter, den es nach D. D. verlangte...

Einen Talisman hatte Tirschbein auch D. D. gegeben: achtzehn* polnische Münzen, die sie unter ihrem Hemd tragen sollte. Er warnte sie, diese Münzen nie zu verlieren, denn dann würde er, egal, wo er sich befände, krank werden. Als D. D. in New York war und er in Schanghai, wurde er tatsächlich krank und hatte eine Woche lang hohes Fieber. Damals schrieb er ihr: »Ich zweifle nicht daran, daß du den Talisman weggeworfen hast.«

Als er sein neues Testament beendet hatte, saß ich noch immer am Fenster und blätterte in den Briefen von Schlomo Bitman. Zwischen den Briefen fand ich eine Eisenbahnfahrkarte von Tirschbein, von Warschau nach Krakau, als er zu Bitmans Prozeß gefahren war, um als Zeuge auszusagen. Auf der Rückseite der Karte war mit Tinte Datum und Zweck der Fahrt vermerkt. Ich schloß die Mappe und lauschte den Stimmen, die von draußen hereindrangen. Im Bethaus übte ein Vorbeter auf seinem Schofar und blies abwechselnd lange und kurze Töne.

»Testament Nr. 28« stand mit großen Buchstaben

* s. Glossar

oben rechts auf der ersten Seite, und in etwas kleinerer Schrift folgte das Datum. Ein ähnlicher Schriftzug fand sich auch auf den siebenundzwanzig früheren Testamenten, die er im Lauf seines Lebens geschrieben hatte.

»Irgendwann werden sie noch zu einem Buch«, sagte er. Einen Durchschlag des Testaments fügte ich dem Material für das Buch seiner Liebesgeschichte mit D. D. zu, das Original legte Tirschbein in die Mappe mit den Testamenten. »Meine Testamente«, sagte er, »so wird das Buch heißen.« Inzwischen machte er die früheren Testamente ungültig, wie man es üblicherweise tut, wenn man ein neues geschrieben hat.

Tirschbein hatte kein Vermögen, das er hätte vererben können, und deshalb fing sein Testament mit einer Bitte um Verzeihung an alle jene an, denen er einmal weh getan oder die er einmal beleidigt hatte. Auch jene, die ihn beleidigt hatten, bat er um Verzeihung. Er beschuldigte seine Frau nicht länger, die er in Polen zurückgelassen hatte und zu der er nie zurückgekehrt war. Er nahm ihr die Qualen nicht mehr übel, die sie ihm, noch dazu grundlos, zugefügt hatte. Grundlos hatte sie ihn verfolgt. Auch andere hatten ihn zu Unrecht verfolgt. Sogar jetzt, während er das Testament schreibe, tauche vor seinen Augen ein grüner Schal auf.

Der grüne Schal und die grünen Hosen, erklärte mir Tirschbein, seien kein Spleen Isslers, sondern sein richtiger Name sei »Grintuch«. Außerdem habe sich Issler auf einer seiner vielen Reisen einer Sekte angeschlossen, die an die gelbe Farbe glaube. Sie gingen nur in gelber Kleidung herum, und auf den Aufschlägen ihrer Mäntel trugen sie gelbe Blumen. Sie waren überzeugt davon, daß die Seelen der Menschen durch die gelbe Farbe geläutert würden. Auch ihre Unterwäsche war aus gelbem Stoff, und wenn sie zufällig an einem gelben Gebäude vorbeikamen, gingen sie hinein und hielten sich eine Weile in ihm auf. Als sich Issler von dieser Sekte befreite, wählte er die grüne Farbe, das Gegenteil von Gelb.

In den Monaten, die seit dem Zusammentreffen vergangen waren, hatte Issler nicht aufgehört, Briefe und Karten an das Postfach zu schicken, und einmal erschien er sogar an Tirschbeins Tür, begleitet von einem Mann mit einer dunklen Brille.

»Teufel« nannte Tirschbein in seinem Testament seine Verfolger. Sie waren für ihn Schatten aus einer Welt, die für immer vergangen war. Und sogar diese Schatten bat er um Verzeihung.

Nachdem auch er allen verziehen hatte, kam er in dem Testament auf seine Beerdigung zu sprechen und bat, man möge seine Leiche verbrennen. Bei einer Bank in Cleveland habe er die dafür notwendige Summe deponiert, sie werde sogar reichen, seine Überführung dorthin zu bezahlen, falls er in Israel starb, wo Einäscherung gesetzlich verboten war. Die Asche solle auf seinen Wunsch in einer kleinen Urne – klein genug, um leicht von einem Platz zum anderen transportiert zu werden – irgendwo auf einem Regal in einem Haus, in dem Menschen leben, aufbewahrt werden. Er wolle nicht, daß seine Asche für immer in einem dunklen Raum eingeschlossen würde. In seinem ganzen Leben sei er in der Welt herumgefahren, deshalb wolle er auch, daß seine Asche nicht an einem Platz bleibe.

»Gebt meiner Asche ein bißchen Freiheit!«

Vom Thema Asche wechselte Tirschbein zum Thema Liebe. Er küßte voller Ergebenheit die Hände der Frauen, die ihn geliebt hatten. Sie hätten ihm die Schönheit ihrer Seelen und die Süße ihrer Körper geschenkt. Auch da erwähnte er keine Namen. Die Neugierigen verwies er auf seine Romane, seine Novellen und Gedichte. In ihnen würden sie Details im Überfluß finden. Vor allem erwähnte er in seinem Testament D. D., die Tänzerin, und daß sie beide bereits in ihrer ersten Liebesnacht eine göttliche Ekstase erlebt hatten. In den Jahren danach hatte er sie überall in der Welt gesucht. Noch bevor sie sich getrennt hatten, er, um nach Polen, und sie, um nach New York zu fahren, wollte er, daß sie mit ihm nach Polen käme, in seine Heimatstadt Biała Podlaska.

Von Biała Podlaska hatte er erst letzte Nacht geträumt. Es war dieser Traum, den er aufschrieb, bevor er sich an die Neufassung seines Testaments gemacht hatte, und dessen Bedeutung ihm unklar blieb. In jenem Traum, den er nun auch in seinem Testament beschrieb, spazierte er mit D. D. über den jüdischen Friedhof von New York. Sie blieben neben dem Grabstein von Scholem Alechem stehen. Als er sich bückte, um die in den Stein gemeißelte Inschrift zu lesen, wurde ihm klar, daß dies das Grabgewölbe des Rabbi von Biała Podlaska war, auf dem alten Friedhof seines Heimatstädtchens. Im Traum küßte er den mit grünem Moos bewachsenen Stein und bedeutete D. D., es ihm nachzutun, sich ebenfalls zu bücken und mit den Lippen den alten Stein zu berühren. Auch die anderen Grabsteine waren mit grünem Moos bewachsen.

»Wer entfernt das Moos, und wer fegt den Staub weg?« fragte D. D., und Tirschbein deutete auf sich und sagte: »Ich werde ihre Ställe reinigen.«

Als er schon wach im Bett lag, mit offenen Augen, sah er das Bild immer noch deutlich vor sich. Er versuchte sich zu erinnern, ob er im Traum wohl beide geküßt hatte, die Tänzerin und den Stein. Er empfand eine zarte Liebe zu beiden, zu dem toten Stein und dem lebendigen Gesicht D. D.'s. Tod und Liebe, schrieb er und unterstrich die Worte, Tod und Liebe gingen in meinem Leben Hand in Hand. Wie schön D. D. auf dem Friedhof war, mit einem grünen, breitrandigen Hut auf dem Kopf. Der Hut warf Schatten auf ihr Gesicht, und die vom Wind getriebenen Wolken warfen dunkle, bewegliche Schatten auf den alten Friedhof. Tirschbein bemerkte erstaunt das Auftauchen von zwei schönen Frauen neben einem der Gräber. Sie waren schlank und wohlgestaltet, und als er ihre leicht gebeugten Rücken sah, packte ihn Furcht.

»Wartet auf mich«, rief er im Traum, und als er erwachte, hörte er noch seine rufende Stimme.

Tirschbein schrieb in seinem Testament, zur gleichen Zeit, als er wach im Bett lag, habe er dumpfe Stimmen von draußen gehört. Im Hof der Chassidim von Satmar wurden Slichot gebetet, und von weitem erklang die Stimme eines Muezzin, und in einer Kirche läuteten die Glocken. Diese Klänge erhoben sich über ihn wie ein Bogen aus düsteren Farben, und er wußte, daß er etwas tun mußte. Nun unterschrieb er sein Testament mit den Worten:

»Nimm dich selbst an der Hand und schreibe die Geschichte deiner Liebe. Das Buch deines Lebens.«

5

In den sechs Monaten, die ich nun schon bei Tirschbein war, hatte er nicht an dem Buch geschrieben. Die meisten Stunden des Tages blätterte er in seinen Notizen, in den Dokumenten, und manchmal, wenn er einen freien Platz am Rand eines Papiers entdeckte, schrieb er die Anfangsbuchstaben ihrer beiden Namen hin, T. und D. Seine früheren Bücher seien ihm leichter gefallen, hatte er mir auf dem Heimweg von der Wohnung des alten Witwers erzählt, als laste das Schreiben dieses Buches, so fügte er hinzu, auf ihm wie ein Fluch. Es verfolge ihn von Ort zu Ort. Wo immer er vorhabe, etwas länger zu bleiben, schleppe er Berge von Notizen und Briefen mit, Stücke von Anfängen, Körbe voller Dokumente und alle möglichen Zettel, auf die er Gedanken notiert hatte. Doch überall werde er wieder von neuer Unruhe befallen, und er finde sich in einem Netz unnötiger Aktivitäten wieder, die nichts mit ihm zu tun hätten und ihm die kostbare Zeit raubten. Jahre seien vergangen, und er habe seinen Roman nicht geschrieben.

Auch sein Vater, erzählte er mir, habe sich jahrelang mit der Idee zu einer langen Geschichte getragen. Die meiste Zeit seines Lebens saß sein Vater, ein Chassid, bei seinem Rebbe in Kubrin, und wenn er zu den Feiertagen heimkam, spitzte er Bleistifte. An einem Schabbatausgang setzte sich sein Vater an den Tisch, öffnete ein großes Rechenbuch von der Rückseite, und auf die letzte Seite schrieb er den Titel seiner Geschichte: »Der Rekrut kommt zurück«. Und das war alles.

Sein Roman solle »Gesicht in den Wolken« heißen,

sagte Tirschbein, und deshalb sei er nach Me'a Sche'a-
rim gezogen, dessen Bewohner ihm fremd seien. Sie
würden ihn nicht stören, hatte er gehofft, hier würde
er die nötige Ruhe finden, um sein Buch zu schreiben.

Doch Tirschbein vergeudete seine Zeit mit der Suche
nach Verwandten von Schlomo Bitman. Auch jetzt,
nach dem Besuch bei dem alten Witwer und der Fertig-
stellung seines neuen Testaments, war er unruhig. Um
sich etwas zu beruhigen, goß er Tee für uns beide auf,
und wir tranken ihn, während wir am Fenster saßen. Er
reichte mir das Blatt, das uns der alte Witwer gegeben
hatte, und ich wartete, bis der Vorbeter im Hof des
Bethauses gegenüber für einen Moment mit dem Schofarblasen aufhörte, damit ich die Elegie vorlesen
könnte, die der Alte zum Tod seiner Frau geschrieben
hatte, »Eine Träne Shakespeares«.

Sein Name, so sagte er uns, war Benjamin Hartiner,
und seine Frau Zipora sei eine Verwandte von Schlomo
Bitman gewesen. Ihr Mädchenname war Zipora Biterman, und das war auch Bitmans Name, bevor er ihn
kürzte. Schade, daß Zipora nicht erlebt habe, sagte er,
daß Bitman ein Erbe hinterlassen hatte. Sie haben seinen Namen oft erwähnt. Er sei ein ganz schönes
Bürschchen gewesen und habe der Familie viele Sorgen bereitet.

Hartiner wohnte im zweiten Stock eines Hauses am
Marktplatz von Me'a Sche'arim. Nur mit Mühe fanden
wir den Eingang zu dem alten Haus. Wir gingen durch
einen dunklen Flur und stiegen Holzstufen hinauf, die
zum Teil zerbrochen waren. Über eine von ihnen mußten wir springen. Dann klopften wir dreimal an die
Tür. Schon nach dem ersten Klopfen war von innen

ein scharrendes Geräusch zu hören, als würden Gegenstände über den Boden gezogen, außerdem ein dumpfes Poltern. Auch nach dem dritten Klopfen mußten wir noch warten, bis die Tür so weit geöffnet wurde, daß wir ein ängstliches Auge sehen konnten. Hartiner selbst war großgewachsen und gebeugt. Er trug einen schweren, blauen Morgenrock, die Enden seines Gürtels, zwei Quasten, baumelten auf seiner Rückseite. Auch auf dem französischen Barett, das er auf dem Kopf trug, bewegte sich eine Quaste. Hartiner schob Tirschbein einen Stuhl hin, mir bedeutete er mit einer Handbewegung, ich solle mich auf sein unordentliches Bett setzen, dann erkundigte er sich sofort, ob uns jemand gesehen habe, als wir die Treppe heraufkamen. Dabei warf er einen Blick aus dem Fenster. Auch bevor er die Tür geöffnet hatte, hatte er ein paarmal gefragt, wer wir seien.

Tirschbein setzte sich und erzählte ihm von der dikken, schwarzgekleideten Frau mit Doppelkinn, die wir unten vor dem Lebensmittelgeschäft getroffen hatten. Auch ihr Kopftuch war schwarz, und sie kaute ein Brötchen und folgte uns mit einem feindseligen Blick. Tirschbeins Frage nach dem Eingang, den wir zunächst nicht gefunden hatten, hatte sie nicht beantwortet, und erst als aus dem Laden gefragt wurde, was da draußen los sei und was man von ihr wolle, hatte sie mit einer dünnen und schrillen Stimme geantwortet: »Einfach zwei verfaulte Juden«, dann hatte sie wieder in ihr Brötchen gebissen, und Krümel waren auf ihr nacktes Doppelkinn gefallen, das ihren ganzen Hals verdeckte.

Als Hartiner das hörte, stand er auf, band seinen Gürtel zu und schloß die Rolläden. Diese Frau, sagte er, sei die Besitzerin des Lebensmittelgeschäfts, und manchmal stifte sie Kinder an, Steine gegen sein Fenster zu werfen. Sie weigere sich, mit Männern zu sprechen, die sich rasierten, auch mit ihm, Hartiner, spreche sie nicht, obwohl er aufgehört habe, sich zu rasieren, seit seine Frau gestorben war. Schon zwei Jahre habe er sich nicht rasiert, als Zeichen der Trauer. Im abgedunkelten Zimmer sah sein schütterer Bart aus, als bestehe er aus weißen und gelblichen Flecken.

»Sie verwelkte wie eine seltene Blume«, sagte Hartiner und erzählte, daß auch seine Frau mehr als genug unter ihrer Nachbarin gelitten habe. Oft habe man sie angespuckt, wenn sie sich auf der Straße ohne Kopfbedeckung oder Perücke sehen ließ. Auch ihn habe man angepöbelt, weil er keine Kipa und keinen kleinen Gebetsschal mit Schaufäden trug.

»Warum haben Sie dann weiter hier gewohnt?« fragte Tirschbein erstaunt. Er bemerkte, daß ich vom Bett aufgestanden war und mich auf den niedrigen Korbhocker gesetzt hatte, der in einer dämmrigen Ecke stand, und bedeutete mir, daß wir nicht mehr lange bleiben würden. Schon während wir vor Hartiners verschlossenerTür gewartet hatten, war er überzeugt gewesen, daß die ganze Sache nicht stimmte. Es war nicht das erste Mal, daß wir es mit falschen Verwandten zu tun hatten. Was tun die Menschen nicht alles für Geld? Sogar anständige Leute lassen sich verführen. Und damit vergeudete er seine kostbare Zeit, stieg zerbrochene Stufen hinauf und ärgerte sich über Frauen mit Doppelkinn. Ängstlich und feige nannte er sich selbst und nahm sich vor, daß dieses Treffen nicht länger als zehn Minuten dauern sollte.

»Eine Erbschaft«, sagte Hartiner. Seine Frau habe die Wohnung von einem Onkel geerbt, der kinderlos verstorben war. Und damals habe sie Schlomo Bitman gesucht, ihren leiblichen Verwandten, um ihm seine Hälfte des Erbes zu geben, mit ihm zu teilen, wenn er auftauchen sollte, oder ihn auszuzahlen. Sie hatte sogar vorgehabt, dafür Geld zu sparen. Es war ihr nicht mehr gelungen, der Ärmsten. Sie sei gestorben, wie ihr Verwandter, und habe keinen Pfennig zurücklegen können. Ohne diese Erbschaft hätten Hartiner und seine Frau auf der Straße gesessen. Wie dankbar waren sie gewesen, daß ihnen das Schicksal ein Dach über dem Kopf beschert hatte. Anfangs war seine Frau aufgeblüht wie eine Rose, doch die Nachbarn hatten ihr das Leben schwer gemacht. In der Blüte ihrer Jahre sei sie verwelkt. Ob das wirklich so hätte sein müssen, fragte Hartiner Tirschbein. Ob das alles vom Himmel vorbestimmt gewesen sei, oder ob es die Schuld der Nachbarn wäre. War es wirklich so, das Land Israel, das sie so sehr liebte? Oder waren nur die Bewohner des Landes so? »Sie war erst zweiundsiebzig«, sagte Hartiner noch.

»Aber eine Erbschaft kann man doch verkaufen«, wandte Tirschbein ein. »Warum sind Sie hier geblieben, wenn Sie so gelitten haben?« Er hatte noch andere Fragen, die er auf einen Zettel geschrieben hatte, bevor wir seine Wohnung verließen. Grundsätzliche Fragen. Er brauchte zusätzliche Informationen, was die Verwandtschaft zwischen Bitman und Hartiners Frau anging. Er stand von seinem Stuhl auf und trat ans Fenster. Nachdem Hartiner die Rolläden geschlossen hatte, war es ziemlich dunkel im Zimmer geworden, doch er machte das Licht nicht an. Von draußen drang Licht durch die Spalten und Ritzen der Läden.

»Eine Schande geschah in Israel«, sagte Hartiner. Er nannte Tirschbein »Euer Ehren« und »Euer Gnaden«, und seine altmodische Sprache paßte gut zu dem abgedunkelten Zimmer und seiner hohen Gestalt. Eine Sprache, die sich nicht unangebracht anhörte, wie Tirschbein es später formulierte. Auch Hartiners schwerer Morgenrock an diesem warmen Tag schien angemessen, ebenso sein französisches Barett mit der Quaste. Hartiner öffnete die Tür einen Spaltbreit und bat Tirschbein, ins Treppenhaus zu schauen.

»Das gehört mir nicht«, sagte er. Als die anderen Wohnungen des Hauses an neue Besitzer verkauft worden seien, habe man ihn um das Treppenhaus betrogen. Im Grundbuchamt sei das Treppenhaus nur als Eigentum der anderen Wohnungsbesitzer eingetragen. Erst als er seine Wohnung zum Verkauf anbot, erfuhr er, daß er Eigentümer einer Wohnung ohne Treppenhaus war, und Geld für einen Rechtsanwalt, um die Sache zu klären, konnte er nicht aufbringen.

»Wer wird eine Wohnung im zweiten Stock kaufen, ohne Treppenhaus?« fragte er. Gnädigerweise erlaube man ihm, das Treppenhaus zu benutzen, ohne daß er dafür bezahlen müsse. Es habe andere Zeiten gegeben, da habe man ihm gedroht und gesagt, er müsse eben durch die Luft fliegen. Er schloß die Tür wieder. Nach dem Tod seiner Frau, als er seine um einige Jahre jüngere Schwester, die auch schon alt war, hierhergebracht hatte, nahmen die Schikanen zu. Er wollte sie bei sich aufnehmen, damit sie für ihn sorgte, denn eigene Mittel für ihren Lebensunterhalt besaß sie nicht, und er selbst war auch nicht mehr der Jüngste. Hartiner sah aus wie achtzig. Er öffnete die Tür zum anderen Zimmer und bat seine Schwester herein. Sie brauche keine Angst zu haben, er wolle sie nur seinen vornehmen Gästen vorstellen, sie würden ihr nichts tun und sie nicht aus dem Haus jagen.

»Alisa«, rief er. »Alisa!«

Aus dem zweiten Zimmer war eine undeutliche Stimme zu hören, doch Alisa kam nicht. Hartiner ließ die Tür offen und erzählte, daß seine Schwester immer im voraus merke, wann ihre Krankheit wieder auftauche. Dann bringe er sie zurück in die Anstalt, in der sie lange Zeit gelebt hatte. Nach zwei oder drei Wochen habe sie sich dann wieder beruhigt, und er hole sie zurück. Die Ärzte sagten, sie müsse ihr Leben nicht hinter verschlossenen Türen verbringen, und erlaubten ihr, nach Hause zurückzukehren. Aber eine eigene Wohnung hatte sie nicht, daher hatte er sie bei sich aufgenommen. Von Zeit zu Zeit hing an seiner Tür eine Mitteilung, daß er nicht mit einer fremden Frau zusammenleben dürfe.

»So eine ruhige Frau, die meiste Zeit schweigt sie«, sagte Hartiner und entschuldigte sich dafür, daß er uns kein heißes Getränk und keine Süßigkeiten angeboten hatte. Er hatte kein fließendes Wasser in der Wohnung. Das Wasser mußte er sich im Hof holen. Wenn er Geld hätte, würde er sich eine Leitung legen lassen. Doch der Grabstein, den er für seine Frau hatte anfertigen lassen, hatte ihn viel Geld gekostet. Er zeigte Tirschbein ein Foto des Grabes, ein marmornes Bett mit einer Decke, ebenfalls aus Marmor und mit vielen Falten. Dann deutete er auf die Wand, auf etwas, das wie ein mit einem weißen Tuch bedeckter Spiegel aussah, und sagte, außer einem teuren Gedenkstein aus Marmor habe er seiner Frau auch einen geistigen Gedenkstein errichtet. Das Tuch hatte schon unsere Blicke auf sich gezogen, als wir das Zimmer betreten hatten. Es war zwei Jahre her, daß seine Frau dieses Jammertal verlassen hatte, und noch immer trauerte er um sie. Er hatte sich während der ganzen Zeit nicht rasiert und auch das Tuch nicht von der Wand genommen. Als er es nun entfernte, war kein Spiegel dahinter, sondern eine Elegie, die er für seine Frau verfaßt und in einem Glasrahmen aufgehängt hatte. Er bat Tirschbein, sie zu lesen, doch im Zimmer war es zu dunkel. Trotzdem ging Tirschbein zur Wand, schob seine Brille auf die Stirn und trat so nahe an die Wand, daß seine Nase das Glas berührte. Als er sich umdrehte und die Brille wieder zurechtrückte, sagte er, von dem wenigen, was er habe lesen können, lasse sich sagen, daß die Worte direkt vom Herzen gekommen seien, und der Verfasser dieser Elegie könne leicht ein Schriftsteller oder Dichter sein.

Hartiner setzte sich breitbeinig auf das Bett, bückte sich, zog unter dem Bett eine Kiste mit Büchern heraus und sagte:

»Ich bin sowohl Schriftsteller als auch Dichter.«

Ich erhob mich von dem Hocker und schaute durch einen Spalt des Rolladens hinaus. Es ist Zeit, nach Hause zu gehen, dachte ich. Doch Tirschbein bedeutete mir mit einer Handbewegung, ich solle mich wieder hinsetzen. Er erinnerte sich an einen Schriftsteller namens Hartiner, von dem er überzeugt gewesen sei, daß er sich längst in der wahren Welt befände. Es stellte sich heraus, daß Hartiner in Galizien geboren war und früher auf deutsch und jiddisch geschrieben hatte, und dann, hier, auf hebräisch. Er schob die Kiste mit seinen Büchern zurück unter das Bett und sagte:

»Ein Schriftsteller, vollkommen verlassen und vergessen.«

6

»Ein glücklicher Mensch«, sagte Tirschbein über ihn, als wir das Haus verließen. Er hatte nicht den geringsten Zweifel, daß keinerlei verwandtschaftliche Beziehung zwischen Hartiners verstorbener Frau und Schlomo Bitman bestand. Hartiner und seine Frau waren in Galizien geboren, und dort hatte Bitman nie gelebt. Er war in Lomas geboren, in der Nähe von Biała Podlaska. Bei Bitmans Prozeß hatte Tirschbein Einzelheiten aus seinem Leben erfahren, an die er sich noch genau erinnerte, obwohl schon einige Jahre vergangen waren, denn immerhin sei Bitman des Mordes angeklagt gewesen. Hartiners Behauptungen waren, was die Verwandtschaft betraf, pure Phantasie.

Die Ladenbesitzerin stand noch immer draußen, als warte sie auf uns. Von Hartiner wußten wir, daß sie die Ernährerin der Familie war. Sie und ihre Schwiegertochter führten den Laden, doch da die Schwiegertochter ständig mit Gebären und der Aufzucht von Kindern beschäftigt war, führe die Alte den Laden allein. Ihr Mann und ihr Sohn lernten Tora und erfüllten ihre religiösen Pflichten. Dov-Berele, der Sohn, ein großer, kräftiger Mann mit langen, blonden Schläfenlocken, war einmal bei Hartiner aufgetaucht und hatte

die Mesusot geprüft. Das war allerdings nur eine Ausrede gewesen, in Wirklichkeit war er gekommen, um
nach irgendwelchen weltlichen Dingen zu schnüffeln.
Deshalb hatte Hartiner an jenem Tag alle seine Bücher
vom Regal genommen und in der Blechkiste unter dem
Bett versteckt. Als Tirschbein vorhin an die Tür geklopft hatte, war Hartiner gerade mit seinen Büchern
beschäftigt gewesen. Aus Angst, die Ladenbesitzerin
habe wieder einmal ihren Sohn geschickt, hatte er die
Blechkiste schnell unter das Bett geschoben, und das
hatte das scharrende Geräusch verursacht, das wir gehört hatten.

Auch Tirschbein fand kein gutes Wort für die Ladenbesitzerin. Er mochte Frauen nicht, die sich freiwillig für ihre Faulpelze von Männern abrackerten. Auf
wessen Kosten beschäftigten diese sich mit der Tora?
Auf Kosten ihrer Frauen. So ging es schon seit vielen
Generationen, und so sei es auch in seinem Elternhaus
gewesen. Sein Vater habe die meiste Zeit nichtstuend
bei seinem Rebbe verbracht, und wenn er manchmal
nach Hause gekommen sei, habe er nur die Lieder
seines Rebbe gesungen, während seine Frau am Ofen
gestanden und für andere gebacken habe. Doch sie
habe ihr Schicksal nicht wortlos hingenommen, sie
habe sich gewehrt, allerdings erfolglos. Sie hatte einen
langen Hals mit einem Kehlkopf wie ein Mann. In der
Blüte ihrer Jahre sei sie gestorben, und was habe sie
hinterlassen? Einen kalten Backofen. Nach ihrem Tod
wurde kein Brot mehr gebacken, und sein Vater blieb
nun für immer am Hof seines Rebbe. Als er starb,
hinterließ er nichts, nur die Überschrift der Geschichte, die er einmal notiert hatte. Tirschbein hatte

das Haus als Elfjähriger verlassen und war nie wieder zurückgekehrt. Er stellte sich damals vor, daß es nicht mehr lange dauern würde, bis man dieses Judentum mit der Kerze suchen müsse, denn es würde nichts von ihm übrigbleiben als das, was vom Leben seiner Eltern geblieben war: ein kalter Ofen oder der Titel einer Geschichte, die nie geschrieben wurde. Doch hier, während wir vom Markt von Me'a Sche'arim am Laden vom Mosche Schrajber vorübergingen, einem Laden für kultische Gegenstände, kamen mir Tirschbeins Überlegungen hohl vor, und auch als wir weitergingen, die Me'a-Sche'arim-Straße entlang zur Jo'elstraße, klangen seine Worte geisterhaft, und sein Zorn wirkte unpassend.

Auch wir beide, er mit seinem schwarzen, breitrandigen Hut und ich mit einer russischen Pelzmütze, paßten nicht in dieses Viertel. Ein Junge und ein Mädchen, vielleicht acht oder neun Jahre alt, trugen einen Kupferkessel. Sie stellten den Kessel auf dem Gehsteig ab und schauten uns erstaunt nach. Der Junge deutete mit dem Finger auf uns.

»Die sind keine Juden.«

Beide waren gleich groß, beide blond, seine Schläfenlocken und ihre Zöpfe waren gleich lang.

»Sie sind auch keine Araber«, sagte das Mädchen.

Als wir in Tirschbeins Wohnung angekommen waren, wiederholte er noch einmal, was er auf der Straße über den vergessenen Dichter Benjamin Hartiner gesagt hatte: »Ein glücklicher Mann.« Dann fügte er hinzu: »Eine verrückte Schwester, bösartige Nachbarn, eine Wohnung im zweiten Stock ohne Treppenhaus und trotzdem ein glücklicher Mann.«

Ich las den Titel der Elegie vor: »Eine Träne Shakespeares.« Eigentlich wußten wir bereits beide, was darin stand, denn bevor wir Hartiners Wohnung verlassen hatten, hatte er sich vor das gerahmte Blatt gestellt, die Augen geschlossen, die Hand an seinen Bart gelegt und uns laut die Vorzüge seiner seligen Frau geschildert:

»Ein unendlich großes Herz, Klugheit und Vernunft. Schönheit des Körpers und der Seele. Edle religiöse Gefühle. Feinsinniger literarischer Geschmack. Eine Frau mit eigenen Ansichten, Ideen, gutem Sprachgefühl, ohne akademische Bildung, verstehen Sie?«

Hartiner ließ seinen Bart los, hob beide Hände, öffnete die Augen und sprach seine Frau Zipora direkt an. Er sagte zu ihr, sie sei eine gute, treue Frau gewesen, habe sich mit wenig begnügt und ihr Schicksal schweigend ertragen, Wäsche für andere gewaschen, die Häuser der Reichen geputzt, nur damit ihr Mann sich geistiger Arbeit hingeben konnte. Sogar in ihren letzten Tagen, die sie im Krankenhaus »Bikur Cholim« verbrachte, habe sie sich dagegen gewehrt, daß ihr Mann, ihr treuer Freund in siebenundvierzig Jahren, nach dem sich ihre Seele sehnte und den sie vor ihrem Tod noch einmal sehen wollte, komme und sie besuche. Es regnete, und sie fürchtete, der Weg könne seiner Gesundheit schaden.

Ich hörte auf zu lesen. Wieder war von gegenüber das Schofarblasen im Hof der Chassidim von Santar zu hören. Auch Tirschbein hörte zu und sagte, nach so vielen Jahren sei der Neid in seinem Herzen erwacht. Dieser vergessene Dichter mit dem französischen Barett auf dem Kopf, ein Mann, vom Schicksal geschlagen, verfolgt von den Nachbarn, habe trotz allem ein solches Glück erlebt: Er habe eine vollkommene Frau gefunden. Gerechterweise müßte er, Tirschbein, ihm eigentlich das Erbe geben, dessen Verwaltung ihm Bitman übertragen hatte, damit der arme Mann seine dunkle Wohnung mit den fehlenden Treppen verlassen und sich eine große Wohnung in einem besseren Viertel kaufen könnte. Damit er etwas Warmes zu trinken hätte und seinen Gästen Süßigkeiten anbieten könnte. Und damit er fließendes Wasser in der Wohnung hätte.

Ein ganzes Jahr war Tirschbein in China herumgeirrt, um nach New York zu kommen, zu D. D. Bei ihr hatte er so etwas wie Glück gefunden. Sie gab sich ihm hin, vollkommen, bis zur Selbstaufgabe, wild und schrankenlos. »Nicht vergessen«, schrieb er damals in sein Tagebuch, »mit ihrer Inspiration wirst du deine Sendung in der Welt erfüllen.« Die Tänzerin würde ihr Leben für seine Kunst opfern. Ihr Lachen inspirierte ihn und weckte in ihm verborgene Quellen und wilde Kräfte. Auch im Bett lachte sie.

Mit anderen Frauen war ihm das nie passiert, auch nicht mit der Dichterin aus Brisk, mit der ihn eine jahrelange Liebesaffäre verbunden hatte. Die Dichterin aus Brisk hatte ihn mit ihren schrägen Augen verzaubert. Sie schrieb schöne Gedichte, und ihr Name, Sara Jurberg, war bekannt, und das beeindruckte ihn damals sehr. Doch immer war, nachdem sie sich geliebt hatten, alles vorbei, verweht, obwohl er sie liebte und begehrte. Sie hatten sich lange Liebesbriefe geschrieben, denn sie konnten sich nicht sehr oft sehen. Doch wenn sie sich trafen und er sie nur leicht berührte, spürte er, daß etwas in ihm erlosch, als sei seine Sehnsucht plötzlich verflogen. Einmal hatte er sie gefragt, woran es liege, daß er bei ihr in der Liebe häufig versage, auf welche Weise sie ihm seine Liebeskraft raube.

Das alles erzählte Tirschbein D. D. während ihrer Zeit in Paris. Bevor sie sich trennten, versprach er, ihr später alles über die anderen Frauen in seinem Leben zu erzählen. Vor allem würde er ihr ausführlich von Sara Jurberg erzählen. Er wollte ihr die Briefe vorlesen, die sie sich geschrieben hatten, denn die Dichterin hatte ihm seine Briefe zurückgegeben, als ihre Liebe zu Ende war. So würde D. D. einen Begriff von seinem früheren Leben bekommen, und es gäbe keine Geheimnisse zwischen ihnen. D. D. war davon begeistert, und das, was er ihr aus seinem Leben erzählt hatte, grub sich in ihr Gedächtnis ein. Schon während ihrer Fahrt nach New York schrieb sie an Tirschbein, sie mische sich nicht unter die anderen Reisenden, sondern ziehe es vor, sich in eine Ecke auf Deck zurückzuziehen, auf einem Liegestuhl zu liegen und dem Meer zu lauschen. So, schrieb sie, könne sie in Gedanken seine Stimme hören, wie er ihr von seinen intimen Erlebnissen mit anderen Frauen berichtete. Sie erinnerte sich noch an vieles andere, etwa, was er ihr von seiner Frau erzählt hatte. Er war damals von einer langen Reise zurückgekehrt, und seine Frau hatte von ihm verlangt, daß er in jener Nacht nicht in seinem Zimmer schlafe, sondern bei ihr. Tirschbein fügte sich aus Mitleid, und nach dieser Nacht schrieb er an Sara Jurberg:

»Während ich mit meiner Frau schlief, dachte ich

nur an Dich, an Dich, an Dich – meine Dichterin von Brisk.« Er schrieb auch, daß er sehr leidenschaftlich gewesen sei in dieser Nacht, und seine Frau habe nicht die geringste Ahnung gehabt, weshalb er so zärtlich gewesen war. Und was antwortete Sara Jurberg?

»Wage es nicht, an mich zu denken, wenn Du bei Deiner Frau liegst.«

D. D. lachte, als Tirschbein ihr diese Geschichte in Paris erzählte. Und sie lachte wieder, als sie sich auf dem Meer daran erinnerte. Auf dem Weg nach New York schrieb sie an Tirschbein, er habe Fröhlichkeit in ihr Leben gebracht. Sie wolle für immer seine Gefährtin sein. Andere Männer hatten sie enttäuscht und betrogen, und ihr Mann in Brasilien schwieg. Er sei groß, dünn und ein wenig gebeugt, schrieb sie, habe ein langes Gesicht mit einer noch längeren Nase und schweige immer. Einmal, in Gesellschaft, habe er plötzlich den Mund aufgemacht, doch kein Ton sei über seine Lippen gekommen. Nie habe sie gewußt, was er denke. Auch seine Geschäfte blieben ihr ein Geheimnis. Niemand wisse, wie reich er sei. Er rauche nicht, trinke nicht und verstecke noch nicht einmal sein langes Gesicht hinter einer ausgebreiteten Zeitung. Was dachte er nur, während er schwieg? »Zählst du in Gedanken dein Geld?« habe sie ihn einmal gefragt. Ohne Widerstand habe er hingenommen, daß sie Brasilien, dieses rückständige Land, verließ, um noch einmal zu versuchen, in Paris Karriere zu machen.

»New York ist meine letzte Chance«, schrieb D. D. an Tirschbein, und später, als sie dort angekommen war, betonte sie, sié verstehe nicht, warum er nicht damit einverstanden war, ihren Mann zu betrügen, der sie doch die ganzen Jahre betrogen habe. Als sie bei ihm in Rio de Janeiro war, habe sie aufgehört zu tanzen. Er habe sie unter trügerischen Versprechungen nach Rio gelockt, und nun, da sie nach Ablauf des Jahres nicht zu ihm zurückkehrte, schicke er ihr nur noch die Hälfte der monatlichen Summe. Warum sollte sie nicht eine größere Summe Geld aus ihm herausholen, um Tirschbeins Reise nach New York zu bezahlen? Sie weigerte sich, seine Reise nach China zu verstehen. Warum machte er einen Umweg über China, wenn er zu ihr nach New York kommen wollte, eine Reise, die ihn ein Jahr kosten würde?

Doch Tirschbein war sehr zufrieden damit, daß man seine Bitte angenommen hatte, ihn als Gesandten der Organisation ORT-OSE in den Fernen Osten zu schicken, um Geldmittel für jüdische Kinder in Polen aufzutreiben. In seinem Archiv, unter Bergen von Dokumenten, die unter der Bezeichnung »Meine Reise nach China« gesammelt waren, fand ich auf einem Zettel den Hinweis, es sei richtig, ein Jahr herumzufahren, bevor er nach New York käme. Er sei ja nicht der erste. Habe man es nicht schon früher so gehalten? Der Prinz, der durch die Wüsten zog, mußte viele Leiden und die verschiedensten Prüfungen bestehen, bevor er die Erwählte seines Herzens bekam. Ein Abenteuer hatte er schon unversehrt überstanden. Er hatte seine Grundsätze nicht gebrochen, die Ausrede, die er für seine Frau erfunden hatte, war zur Wahrheit geworden. Er war als Gesandter akzeptiert worden und mußte nicht betteln oder ein Darlehen annehmen. Tirschbein schrieb damals an D. D., daß er über China zu ihr komme, mit einem reinen Gewissen und neuer

Kraft. Nie habe er eine Schwester gehabt, sie solle seine Zwillingsschwester sein. Diesen Brief schloß er mit folgenden Worten: »Sexus ist so süß.«

Bevor ich Hartiners Elegie über den Tod seiner Frau Zipora zu Ende gelesen hatte, war Tirschbein, am Tisch sitzend, eingeschlafen, eine Tasse Tee in der Hand. Er atmete mit offenem Mund. Ich nahm ihm die Tasse aus der Hand und schloß das Fenster, damit ihn die Schofarklänge nicht weckten, die nun wieder vom Hof herüberdrangen. Am Schluß seiner Elegie verglich Hartiner seine Frau mit einer der tragischen Heldinnen Shakespeares. Er schrieb, in der Antike habe man die tragischen Helden zwischen die Sterne erhoben. Und seine liebe Zipora möge ihm verzeihen, wenn er sie mit einer Perle verglich, einer Träne im Auge des Genies, des Dichters ewiger Dramen. Auch sie sei eine tragische Gestalt. Unter ihren traurigen Lebensumständen habe sie in den letzten Momenten ihres Lebens nur an die Gesundheit ihres ergebenen Mannes gedacht. Zweimal rief Hartiner in seiner Elegie für seine Frau Zipora:

»Desdemona! Desdemona!«

7

In seinem Brief an die Organisation ORT-OSE in Paris, in dem er sich um die Stelle eines Gesandten für den Fernen Osten bewarb, führte Tirschbein dreizehn Paragraphen an.

Paragraph eins. »Ich bin, verehrte Herren, ein Freund der Menschheit.«

Im zweiten Paragraphen machte er ihnen seine Bedürftigkeit klar. »Ein Kind der Armut«, schrieb er.

Das Blatt mit den dreizehn Paragraphen fand ich in einem großen, braunen Umschlag, passend zur Größe des Blattes, als ich begann, die Dokumente und Briefe der Kartons zu katalogisieren, auf denen »Meine Reise nach China« stand. Das war am Tag nach unserem Besuch bei Benjamin Hartiner.

Als ich bei Tirschbein ankam, stand er schon am Tisch und suchte Traueranzeigen in den Zeitungen, die er morgens auf der Ben-Jehuda gekauft hatte. Breitbeinig, die Hände aufgestützt, stand er da, überflog die Überschriften und ärgerte sich über die Verstorbenen.

»Warum hattet ihr es so eilig zu sterben?« fragte er wiederholt.

Als er an meinen Tisch kam, um sich die Schere zu holen, weil er einen Nachruf ausschneiden wollte, bemerkte er seinen alten Bewerbungsbrief in meiner Hand. Er erinnere sich noch genau an die dreizehn Paragraphen, sagte er, und sei bereit, sie auswendig aufzusagen. Über vierzig Jahre waren seither vergangen, die Welt hatte sich völlig verändert, die Juden Polens waren vernichtet worden, aber unbedeutende Dinge waren ihm im Gedächtnis geblieben. Er schlug vor, ich solle meinen Finger auf den dritten Paragraphen legen, und er würde mir diesen und die folgenden wörtlich aufsagen. Deutsch hatte er mit Hilfe eines Leitfadens für die Kunst des Briefeschreibens zu lernen begonnen, und seine Dissertation in Philosophie hatte er an der Universität Frankfurt geschrieben. Er legte sich die linke Hand auf die Stirn und schloß die

Augen, und beide gingen wir von Paragraph zu Paragraph: ich mit dem Finger und er, indem er aus dem Gedächtnis zitierte:

3. Mein Glück wendete sich mit einem Gedicht, das ich im Alter von elf Jahren schrieb.

4. Meine moralische Integrität wurde nie angezweifelt.

5. Ich stimme dem Gehalt zu, das Sie mir angeboten haben, auch wenn es sehr wenig ist.

6. Ich hätte mich sogar mit noch weniger zufrieden gegeben.

7. Ich bin Vegetarier.

8. Ich bin Weltbürger.

9. Ich glaube an den Auftrag des jüdischen Volkes.

10. Ich glaube an den Auftrag der jiddischen Sprache.

11. Ich glaube an die Zukunft des polnischen Judentums.

Tirschbein deklamierte mit gemessener Stimme, als handle es sich um die Anfangszeilen von Gedichten. Er ließ sich jedes Wort auf der Zunge zergehen, fügte nichts hinzu und ließ nichts weg, als wäre er noch heute bereit, jeden einzelnen Punkt zu unterschreiben. Die drei Paragraphen, die mit »ich glaube« anfingen, sprach er mit besonderem Pathos, und nachdem er sie beendet hatte, blieb er mit geschlossenen Augen neben mir stehen, die linke Hand noch immer an der Stirn. Als er seine Augen öffnete, deutete er mit der Schere auf das Bild, das an der Wand seines Zimmers hing, ein Porträt Immanuel Kants, hinter zersprungenem Glas. Schon bei unserem ersten Treffen, auf dem Weg zu seiner Wohnung, hatte er gesagt:

»Er ist mein Philosoph.«

Dann fuhr er fort, mit Paragraph 12: »Ich sehne mich nach ewigem Frieden auf der ganzen Welt.«

Der letzte Paragraph handelte davon, daß die Organisation ORT-OSE noch einmal prüfen solle, wohin man ihn schicke, ob vielleicht Amerika nicht doch besser sei als China? Vielleicht fänden sie unter all ihren Vertretungen dort auch einen Platz für ihn. Er wollte einfach nicht so lange in der Fremde sein. Eisenbahnen machten ihm angst, und wenn er an Schiffe dachte, wurde er von Übelkeit gepackt. Bei seiner letzten Schiffsreise auf stürmischer See übergab er sich bei jeder hohen Welle. Doch die Organisation in Paris antwortete, sogar in Indien sei keine Stelle mehr frei. Wenn ein Platz in einem der reicheren Länder frei werde, würden sie an ihn denken und seiner Bitte entsprechen. Doch einstweilen gebe es nur in China und den benachbarten Inseln Java, Borneo und Sumatra einen Bedarf an Gesandten.

Tirschbein deckte sich mit Landkarten des Fernen Ostens ein und teilte der Direktion in Paris mit, daß die Ausgaben wesentlich geringer sein würden als ursprünglich angesetzt. Der polnische Paß, den er sich für seine Reise nach Frankreich hatte ausstellen lassen, war noch gültig, und das allein würde schon viel Geld sparen. Ein neuer Paß hätte etwa einhundertfünfzig Zloty gekostet. Als Journalist und Mitglied des PEN-Clubs, fügte er hinzu, bekomme er erhebliche Rabatte, bis zu fünfundzwanzig Prozent bei Eisenbahnen und Schiffen und in Hotels. In China brauche er keine Hotels. Er würde dort bei seinen vielen Freunden wohnen. Er hoffe, die Herren in Paris würden nicht wegen der Gerüchte über einen möglichen Krieg seine Reise verschieben, weil sie diese Situation für ungünstig hielten, um Spenden aufzutreiben. Schließlich gebe es auf der ganzen Welt kein Land, das nicht irgendwie von Krieg bedroht sei. Und wo, fuhr er fort, befindet sich eine jüdische Gemeinde, die überzeugt ist, es sei die rechte Zeit, um bei ihr um Geld zu bitten? Deshalb bitte er die verehrten Direktoren, ihre Ohren vor Gerüchten zu verschließen und sich nicht überflüssigen Bedenken hinzugeben. Wenn er erst einmal in China wäre und die Situation im Land kennenlernte, würden sich ihm Möglichkeiten auftun, die man nicht voraussehen könnte. Tirschbein empfand es als Herausforderung, China für die Organisation ORT-OSE zu erobern. In seinem Tagebuch bedauerte er, daß es ihm nicht erlaubt war, weite Reisen zu unternehmen und bei abgelegenen Gemeinden anzuklopfen, die auf der untersten Stufe jüdischer Kultur lebten. Seine Mission faßte er in einem Wort zusammen: »Schicksal.«

»Ich bin ein unglücklicher Mensch«, schrieb er damals an Sara Jurberg, die Dichterin aus Brisk, und erzählte ihr, daß er zu einer Hungertour aufbreche, die zwölf Monate dauern solle. Sie, und nur sie, könne seine Lage verstehen, denn in der Zeit ihrer Liebe habe sie ihn besser kennengelernt als irgendein anderer Mensch auf der Welt, sogar besser als seine Mutter. Dank ihrer großen, dichterischen Seele habe sie seinen Geist und seinen Körper erkannt. Deshalb möge sie für ihn beten, daß D. D. in New York, deretwegen er diese lange und gefährliche Reise unternahm, sich nicht als die Falsche herausstelle. Für D. D. würde er das Risiko eingehen, in einen möglichen Krieg in China zu geraten. Für sie mache er sich zum Sklaven der Willkür jener Herren aus Paris. In seinen Augen sei sie vollkommen, jenseits von Sexualität und Liebe. Seine Liebe zu ihr gleiche dem Glauben an Gott. Doch D. D. sei in einer rückständigen, assimilierten Umgebung geboren und aufgewachsen und daher seinem Geist fremd. Hoffentlich enttäusche sie ihn nicht, wenn er nach New York komme. Er erinnerte Sara Jurberg daran, daß auch sie in seinen Augen einmal die vollkommene Frau gewesen sei, bis die Ernüchterung eintrat. Nun, da ihre Liebe erloschen und reine Freundschaft zwischen ihnen zurückgeblieben sei, frage er sie, ob sie, in Erinnerung an ihre Liebe, eine Träne vergösse, falls er in der Fremde stürbe.

An D. D. schrieb er nach New York, er lege sein Leben und seinen Tod in ihre Hand, und bat sie, um Himmels willen nicht den Talisman zu verlieren, den er ihr vor ihrem Abschied in Paris gegeben hatte, diese achtzehn polnischen Münzen, die sie Tag und Nacht unter ihrem Hemd tragen solle, damit ihm auf seiner Reise nach China nichts Böses geschehe. Er fragte sie auch, ob sie sich an ihre letzte Nacht in Paris erinnere, als sie ihm erlaubte, alles mit ihr zu tun, was er wollte, und ihr Körper geblutet hatte vor Liebe. Er schloß seinen Brief mit zwei Zeilen eines neuen Gedichts:

Meine Seele versteckt sich in deinem Lachen,
Ich komme zu dir aus Schanghai.

Tirschbein bat mich, die dreizehn Paragraphen der Stoffsammlung zu seinem Buch »Gesicht in den Wolken« zu legen, er selbst ging mit der Schere zurück an seinen Tisch, um den Nachruf auf einen Dichter auszuschneiden, der in Südamerika gestorben war. Er schnitt regelmäßig Artikel und Nachrichten aus den Zeitungen aus, die sich auf Menschen bezogen, mit denen er korrespondierte. Sein ganzes Leben lang hatte er das gemacht, in Amerika und nun auch in Jerusalem. In unserer Welt verschwindet alles so schnell und wird vergessen, sagte er zu mir, und die Berichte, die er über lebende Menschen in Zeitungen entdecke, seien für ihn wie Reste aus gesunkenen Schiffen, die noch auf dem Meer treiben. Er betrachte es als seine Aufgabe, alles aufzuheben, um es nicht der Vergessenheit anheimfallen zu lassen. Sein Archiv nannte er: »Das große Monument meines Gedächtnisses«, und in Augenblicken der Veränderung oder der Depression: »Mein großer Müllwagen«.

Jeden Tag ordnete Tirschbein seinen Tisch, damit er Platz hatte, die neuen Zeitungen auszubreiten. Er räumte alles ab, außer den beiden Stapeln mit Büchern von Immanuel Kant, direkt unter dem Porträt des Philosophen hinter dem zersprungenen Glas. Das Glas hatte ich zerbrochen, an dem Tag, an dem wir uns kennengelernt hatten und ich ihn nach Hause begleitete.

Auch zu Hause hatte sich Tirschbein wegen des Zusammentreffens mit Itzik Issler nicht fassen können. In solchen Fällen, hatte er schon unterwegs gesagt, fände er seine Ruhe nur, wenn er Kant lese. Als wir die Jaffastraße überquerten und in die Straußstraße bogen, erzählte Tirschbein mir von der Lehre Kants: Nicht durch den klaren Verstand, sondern mit Hilfe des Gewissens, das nur dem Menschen gegeben sei, könne die Welt geheilt werden, fänden Kriege zwischen Völkern und Streit zwischen Menschen ein Ende. Das Gewissen und die Gerechtigkeit, auf diesen beiden müsse sich die neue Welt gründen. Als Beispiel erzählte Tirschbein eine Geschichte. Ein kinderloser Mann hatte Kant eine große Summe Geld übergeben und war gestorben. Niemand wußte davon, es gab auch kein Dokument, das auf den Vorfall hingewiesen hätte. Darf ich, fragte sich Kant, dieses Geld behalten? Schließlich hätte niemand einen Schaden davon, da der Verstorbene keine Erben hinterlassen hatte. Das Streben jedes Menschen war, Geld zu sammeln und seinen Besitz zu mehren, warum sollte ich daher das Geld nicht behalten? So fragte sich Kant. Doch die richtige Antwort steckte in den folgenden Fragen: Darf man das Streben nach Besitz zum Gesetz machen? Ist ein solches Gesetz gut für alle? Wäre es gerecht, wenn alle sich so verhielten? Und da muß das Gewissen sagen: Nein. Und der Mensch muß auf sein Gewissen hören.

Auch Schlomo Bitman habe ihm viel Geld anvertraut, sagte Tirschbein, und sei dann gestorben. Dürfe er mit dem ihm Anvertrauten umgehen, als sei es sein Eigentum? Issler habe ihn aufgefordert, gegen das Gesetz zu handeln. Er sprach von Freundschaft, von der Stimme des Herzens. Kant behauptete, so dürfe sich der Mensch nicht verhalten. Keine Freundschaft und keine persönlichen Gefühle dürften ihn bestimmen. Zu Hause, sagte Tirschbein, werde er, um sich zu beruhigen, ein wenig in Kants Schriften blättern.

Doch Tirschbein wartete nicht, bis er zu Hause und bei Immanuel Kant war, um ruhig zu werden. Noch bevor wir bei ihm ankamen, wandte er sich an der Ecke Straußstraße und Hanaviim nach rechts und blieb vor zwei aneinandergebauten Häusern stehen, der Synagoge des Krankenhauses »Bikur Cholim« und einer evangelischen Kirche. Er schloß die Augen und blieb etwa fünf Minuten so stehen. Es sei nicht das erste Mal gewesen, sagte er mir hinterher, daß er da gestanden und geschwiegen habe, um seinen Ärger über irgend jemanden loszuwerden. Nicht jedes Gebäude eigne sich dafür. Vor einer normalen Synagoge oder einer normalen Kirche, jede für sich ein Haus des Gebets, würde es nicht gelingen. Aber beide zusammen, hier in der Hanaviimstraße, zwei Gebetshäuser nebeneinander in schweigender Nachbarschaft, weckten in seinem Herzen, und sei es auch nur für wenige Minuten, die Ausgeglichenheit, derer er so dringend bedürfe. Eigentlich symbolisierten sie den zentralen Gedanken Kants: ewiger Frieden zwischen Völkern und Religionen.

Ich war zur Seite getreten, um Tirschbein in seinem Schweigen nicht zu stören. Busse fuhren vorbei, Autos und Lastwagen und bliesen einem warme Luft ins Gesicht. Ein Chassid mit einem schütteren Bart blieb neben Tirschbein stehen und betrachtete ihn erstaunt. Er rückte seinen schwarzen Hut über der weißen Kipa zurecht, die auf seinem Hinterkopf hervorblitzte, und bemerkte, an mich gerichtet, auf jiddisch:

»Ich habe gedacht, er betet.«

Eine alte Frau mit einer schweren Perücke und einem Spazierstock in der Hand hielt Tirschbein mit der anderen Hand einen geflochtenen Korb hin und wartete auf eine Gabe. Sie kaute etwas, und ihre vollen Lippen hörten nicht auf, sich zu bewegen. Als Tirschbein auf ihre Bitte nicht reagierte, klemmte sie den

Spazierstock zwischen ihre Beine und griff mit der nun freien Hand in den Korb, den sie ihm noch immer hinhielt, nahm ein Stück Brot heraus und schob es in den Mund. Bevor sie wegging, sagte sie zu mir und zu sich selbst:

»So sind die Zeiten heutzutage.«

Auch der Büßer von der Fußgängerzone, der Mann mit der Kipa und dem Pferdeschwanz, der Münzen in einem Bierglas gesammelt hatte, blieb im Vorbeigehen stehen, bereit, Tirschbein zu helfen, denn er schien überzeugt, daß dieser sich nicht wohlfühlte.

»Wir sind Nachbarn«, sagte er.

Beide wohnten im gleichen Haus in der Jo'elstraße, Tirschbein in der Einliegerwohnung auf dem Dach, der Büßer in einem gemieteten Zimmer im Keller. Er gab mir seine Visitenkarte und erzählte, er erinnere sich noch genau an den Tag, als ein Lastwagen vor dem Haus gehalten hatte und Träger Kisten um Kisten in die Dachwohnung schleppten. An Möbelstücken gab es nur zwei Tische und zwei, drei Stühle. Das Ganze erstaunte ihn sehr, und Tirschbein machte auf ihn den Eindruck eines außergewöhnlichen Menschen. Tirschbeins Namen erfuhr er von einem Schauspieler, der in der Ben-Jehuda jiddische Gedichte rezitierte. Beide, der Büßer und der Schauspieler, waren früher einmal Nachbarn gewesen, in Zfat, und hatten sich eine Weile mit der Kabbala beschäftigt. Als Tirschbein einmal eine Münze in sein Bierglas warf, hatte er Lust, ihn bei seinem Namen zu nennen und zu sagen: Ich kenne dich und weiß, wer du bist, Mister Tirschbein, und für mich siehst du aus wie ein Prophet unserer Zeit.

»David El'asar« stand auf seiner Visitenkarte, und

unten, in der rechten Ecke, war sein Name mit lateinischen Lettern gedruckt: David Dobson.

In seinem linken Ohrläppchen war ein Loch.

Auch als David Dobson schon gegangen war, stand Tirschbein noch immer still da. Ich überquerte die Straße und ging vor den beiden Gebäuden hin und her. An der Wand von »Bikur Cholim« stand in steinernen Buchstaben der Name der Synagoge, »Der Stern Jakobs«, auch der Name des Mannes, der die Synagoge gespendet hatte, war in die Wand gehauen. Am Tor der Kirche hing ein Plakat, auf dem mit großen lateinischen Buchstaben angekündigt wurde, daß ein Dr. Hans Heller über das Thema referiere: »War Kain ein Mörder?« Das Plakat war verblaßt und das angegebene Datum längst vergangen.

Tirschbeins fünf Minuten dauerten noch an. Als die Ampel wechselte und die Autos mir den Blick auf Tirschbein freigaben, betrachtete ich ihn, und er kam mir vor wie ein Betender, ein Repräsentant der neuen Generation, ein Prophet unserer Zeit. Hinter ihm waren zwei kleine Geschäfte zu sehen. Wieder überquerte ich die Straße, ging zu ihm zurück und betrachtete das Geschäft links neben ihm. Ein Schild gab an, daß hier Brillen verkauft wurden. Im Schaufenster stand ein glatter, hölzerner Kopf auf einer Glasscheibe, dem die Gesichtszüge fehlten, mit einer Brille ohne Gläser. Im zweiten Geschäft, das leer und verschlossen war, standen an den Wänden zerdrückte Kartons, daneben entdeckte ich Papiere, einen umgedrehten Stuhl und einen schiefen Schrank. Auf einem kleinen Tisch nahe beim Schaufenster standen zwei verstaubte, dickbauchige Flaschen. Im schmalen Hals jeder Flasche steckte eine künstliche Blume, die eine rot, die andere weiß. Zwischen beiden Flaschen entdeckte ich ein schräg an der Wand hängendes Bild, die Klagemauer, zu deren Füßen sich ein ruhiges blaues Meer erstreckte. Am Horizont war ein Fischerboot zu sehen, das auf den Wellen schaukelte, und ein Jude, bis zu den Hüften im Wasser, stand da, den Gebetsschal umgehängt, den Schel-Rosch auf die Stirn gebunden, die Augen zum Rand der Mauer erhoben. Unter dem Bild stand sein verzweifelter Aufschrei zu lesen:

»Bis wann? Bis wann?«

»Hüte und Schajtel«, sagte Tirschbein plötzlich. Er hatte hier Ruhe finden wollen, doch die Straße vergrößerte seinen Ärger. Was hatte sie von ihm gewollt, diese alte Perücke? Einmal hatte sein Vater den einzigen Spiegel zerbrochen, den sie in ihrem Haus besaßen. Ein kleiner Spiegel, mit einem dünnen versilberten Blechrahmen und einem Ständer auf der Rückseite. Seine Mutter stellte ihn manchmal schräg auf den Tisch, um sich in ihm zu betrachten. Sie setzte sich einen Papierhut auf den Kopf und trällerte ein Lied von einer Königin und ihrer Krone. Als er vorhin für einen Moment die Augen geöffnet und diese Bettlerin gesehen habe, die zu ihm gekommen sei, war es ihm vorgekommen, als sähe er seine Mutter. Nicht die Frau mit dem langen Hals und dem vorstehenden Kehlkopf, sondern eine untersetzte Jüdin mit einem Stock in der Hand und einer dunklen Perücke auf dem Kopf.

»Und was wollte dieser orthodoxe Hippie?« fragte Tirschbein, als wir an der Kreuzung Malchei-Israel und Me'a Sche'arim stehenblieben und auf Grün warteten. Ich gab ihm die Visitenkarte von David Dobson.

Tirschbein steckte sie ein und hörte gar nicht auf meine Antwort. Die Stufen zu seiner Wohnung stieg er mit großer Leichtigkeit hinauf, übersprang sogar manchmal eine Stufe. Seine Wohnung am Ende des flachen Daches hatte dünne, weißgestrichene Wände. Als er die Tür öffnete, wurde er von einer plötzlichen Müdigkeit gepackt, und er beschloß, nicht sofort in den Werken des Königsberger Philosophen zu blättern, sondern erst ein Nickerchen zu machen. Kant hatte ihn noch nie enttäuscht. Bevor er sich in seinen Schlafraum zurückzog, der durch einen Vorhang abgeteilt war, deutete er auf die beiden Bücherstapel am Rand seines Schreibtisches, neben die er den Stoß Zeitungen hingelegt hatte, und riet mir, ein Buch zu nehmen und ein wenig darin zu blättern.

Ich nahm das oberste Buch in die Hand, und bevor ich es öffnete, schaute ich mich um und entdeckte das Bild von Immanuel Kant. Er trug eine Perücke, und sein Zopf war mit einer Schleife zusammengehalten. Sein längliches Gesicht erinnerte mich ein wenig an David Dobson. Ich beugte mich über den Tisch, um das Bild, das etwas schief hing, geradezurücken. Es glitt mir aus der Hand und fiel auf den Stapel Bücher unten in der Ecke. Beim Klang des zerbrechenden Glases sprang Tirschbein mit erschrockenem Gesicht aus seinem Schlafraum. Als er das Porträt aufhob und den Sprung sah, wurde er blaß. Er betrachtete das als schlechtes Omen. Hatte er nicht von Anfang an gezögert, mich zu sich nach Hause einzuladen? Seit er hier eingezogen war, hatte ihn noch nie jemand besucht. Auch in Cleveland pflegte er die Leute nur in Cafés oder Clubs zu treffen. Und wenn jemand ganz überraschend zu ihm kam, auch nur für eine kurze Zeit, war ihm der Rest des Tages verdorben, und er fühlte sich verwirrt. Tirschbein glaubte an Ordnung. Jeder Gegenstand hatte seinen festen Platz. So mußte es sein, in der äußeren Welt und in der Seele eines Menschen. Jedes Ding in seinem Haus hatte seinen Platz, und auch seine Gefühle waren wohlgeordnet. Das hatte er von Immanuel Kant gelernt, obwohl das eigentlich nicht nötig gewesen war, denn er war von Natur aus so, er forderte von sich selbst das rechte Maß und einen festen Rahmen. In den Briefen an Sara Jurberg, die Dichterin von Brisk – in der Zeit ihrer Liebe, als sie sich täglich schrieben – fühlte er sich häufiger genötigt, sie zu ermahnen, ihrer Melancholie Grenzen zu setzen und nur maßvoll zu weinen. In D. D.'s Verhalten entdeckte er etwas unendlich Anarchisches, dem jedoch Grenzen und ein gewisses Maß nicht fehlten. Bei ungezügeltem Verhalten geriet er außer sich. Deshalb erschrak er auch so sehr, als er sah, was ich getan hatte. Ich hätte das Bild nicht zurechtrücken dürfen, und wenn ich sein Archiv ordnete, solle ich ohne seine Erlaubnis nichts berühren. Bevor er das Bild zurückhängte, setzte er sich auf den einzigen Polsterstuhl im Zimmer, zog aus der Brusttasche seines Hemdes ein Papiertaschentuch und wischte den Staub von dem zerbrochenen Glas. Dabei fiel die Visitenkarte von David Dobson heraus. Nun wollte Tirschbein wissen, was der Mann über ihn gesagt hatte.

»Ein Prophet unserer Tage«, sagte ich.

Tirschbein hängte das Porträt auf. Er war nun ruhig, das hörte ich auch an seiner Stimme, als er sagte, ich solle mir den Sprung im Glas nicht zu Herzen nehmen.

Vielleicht hätte das passieren müssen, denn für sein Gefühl habe auch die Philosophie Kants in den letzten Jahren Sprünge bekommen. Leise ging er zurück zu seinem Schlafraum, um sich hinzulegen, und ich schlug das Buch von Immanuel Kant auf. In der Einleitung ging es um eine Herberge in Holland mit dem Namen »Zum ewigen Frieden«, und über dem Herbergstor war ein Schild mit dem großen Bild eines Friedhofs.

8 Noch vor den Hohen Feiertagen traf Tirschbein Itzik Issler wieder. Ein halbes Jahr war seit ihrem Zusammentreffen in der Fußgängerzone vergangen. Diesmal war es Tirschbein, der das Treffen plante. Es sollte in derselben Cafeteria gegenüber der Bank stattfinden. Sie würden sich ruhig unterhalten, einander in die Augen schauen und am Schluß einander verzeihen. Tirschbein wollte die Sache schnell und ohne große Zeitverschwendung hinter sich bringen.

Er konnte sich nicht vorstellen, woher Issler seine Adresse wußte, hatte er ihm doch geschrieben und war sogar einmal an seiner Tür aufgetaucht, es sei denn, Dobson hatte seine Hand im Spiel, wie Tirschbein vermutete. Dieser Mann erregte Tirschbeins Mißtrauen. Wir trafen ihn auf dem Weg zur Fußgängerzone. Er stand in der Me'a-Sche'arim-Straße, an einem der Stände, die dort aufgebaut waren, und wählte Karten mit Segenswünschen für Rosch ha-Schana aus. Tirschbein erzählte mir, er habe ihn in den letzten Wochen schon öfter getroffen, und Dobson habe ihm sogar einen Band mit selbstverfaßten Gedichten überreicht, ein dünnes Büchlein, sechzehn Seiten nur, geschrieben in hebräisch. Das beherrsche er zwar nicht sehr gut, habe Dobson erklärt, aber er könne gut Gedichte in dieser Sprache schreiben. Hebräisch sei, im Unterschied zu anderen Sprachen, heilig, die Sprache seiner Seele. Er brauche nur die Bibel aufzuschlagen, vor allem die Propheten, von da und dort ein Wort herauszusuchen – und schon habe er ein vollkommenes Gedicht.

Alle seine Gedichte handelten vom bevorstehenden Ende aller Tage, und der Titel des Büchleins war »Das endgültige Nichts«. Er selbst habe zuweilen mal ein pessimistisches Gedicht geschrieben, sagte Tirschbein, doch Dobsons Pessimismus sei nicht nach seinem Geschmack. Auch nicht die Freundschaft zwischen ihm und Issler. Eines Morgens, als er sich Zeitungen kaufte, hatte er gesehen, wie die beiden heimlich die Köpfe zusammensteckten. Ganz ohne Zweifel war es dieser junge Amerikaner, auf dessen Kipa das Wort »Jerusalem« gestickt war, der Issler seine, Tirschbeins, Adresse verraten hatte. Und wer weiß, welche bösen Pläne sie gegen ihn schmiedeten.

Auch mir gegenüber empfand Tirschbein ein gewisses Mißtrauen. Er sprach zwar nicht darüber, doch an dem Tag, an dem wir uns getroffen hatten, notierte er in seinem Tagebuch, er müsse immer wieder daran denken, daß er mich und Issler am selben Tag getroffen habe. Vielleicht habe Issler mich geschickt, um Einzelheiten über Bitmans Vermögen zu erfahren. Auch die Tatsache, daß ich einverstanden war, für ein so geringes Gehalt für ihn zu arbeiten, kam ihm verdächtig vor. Von

Zeit zu Zeit erwähnte er in seinem Tagebuch seinen Argwohn gegen mich. Warum hatte ich eine Münze in seinen Hut geworfen? Einen Monat lang flackerte sein Mißtrauen gegen mich immer wieder auf, und erst nach zwei Monaten schrieb er in sein Tagebuch, daß er mir nicht mehr mißtraue, doch eine Woche später fand er mich wieder verdächtig. Er verlangte von mir, ich solle einige seiner Grundsätze übernehmen: Ich solle aufhören, Fleisch zu essen, und ich solle anfangen, an die Zukunft der jiddischen Literatur zu glauben.

Auch in anderen Straßen wurden Karten mit Segenswünschen für Rosch ha-Schana verkauft, und Plakate an Hauswänden und Mauern kündeten den Verkauf von Lulawim, Etrogim, Laub zum Bedecken und künstlichen Laubhütten an.

Issler wartete schon im Café auf uns. Auch diesmal war er in Grün: grüne Hosen, grüner Schal. Als wir uns zu ihm setzten, nahm er seinen Leinenkoffer vom Schoß und stellte ihn unter den Tisch, neben seine Beine. Er wartete, bis mir die Bedienung das Glas Bier gebracht hatte, und als er sah, daß Tirschbein eine Handbewegung machte, die besagte, er wolle einstweilen nichts, näherte er sein Gesicht dem Tirschbeins, schob die Lippen vor und fragte:

»Nun, Noach Naftali Tirschbein?«

Tirschbein zog aus der Innentasche seiner Jacke einen braunen Umschlag, nahm ein Foto heraus und reichte es Issler.

»Eine Tänzerin aus Frankreich, sie hat viel Unruhe in mein Leben gebracht«, sagte er. »Vor vielen Jahren.«

Schon auf dem Weg zum Café hatte er gesagt, er

würde das Gespräch mit Issler mit etwas sehr Persönlichem beginnen. Er würde ihm irgend etwas von seiner Liebe zu D. D. erzählen, um die Hindernisse zwischen ihnen aus dem Weg zu räumen. Wenn man mit einem Menschen Persönliches teile, vertiefe das die Freundschaft. Über D. D. sagte er, er feiere heute ihren Geburtstag. Morgens nach dem Aufwachen habe er das Beten der Chassidim von Satmar gehört und sich an die Melodie erinnert, die sein Vater einmal vom Hof seines Rebbe mitgebracht hatte, und in seinem Kopf sei der Anfang zu einem neuen Gedicht entstanden.

All meine Sehnsüchte tragen deinen Namen...

D. D. war in Frankreich geboren. Ihre Mutter war aus Ungarn gekommen, ihr Vater war ein Jude aus Persien, dessen Familie sich auf jenen Daniel aus der Löwengrube zurückführen ließ. »Sie ist schön wie eine Zigeunerin«, sagte Issler und gab Tirschbein das Foto zurück. Erst als Tirschbein das Foto wieder in den Umschlag geschoben und diesen zurück in seine Tasche gesteckt hatte, spitzte Issler wieder die Lippen und fragte:

»Nun, Noach Naftali Tirschbein?«

Als Tirschbein weiter schwieg, trank Issler ein Schlückchen Kaffee und stellte die Tasse zurück auf die Untertasse. Eine Weile saß er so da, wie in sich versunken, als warte er auf der Bühne darauf, daß sein Publikum ruhig wurde. Dann zog er plötzlich ein Stück gelbes Papier aus der Tasche, auf dem senkrecht schwarze Buchstaben standen und neben jedem Buchstaben eine Zahl.

Er forderte Tirschbein auf, sich den Zettel anzuschauen. Tirschbein senkte den Kopf, und gleichzeitig
schob er sich die Brille höher vor die Augen, und
nachdem er sich wieder aufgerichtet hatte und die
Brille an ihren früheren Platz zurückgerutscht war,
hielt Issler auch mir den Zettel hin. »Noach Naftali
Tirschbein« stand darauf, senkrecht geschrieben, und
die Summe der Zahlen war 1219 – die Nummer des
Postfachs in Jerusalem, jenes Postfachs, das in den Zeitungen angegeben war, an das Verwandte Bitmans
ihre Briefe richten sollten. Issler steckte das Stück Papier wieder ein, atmete leicht und sagte im selben Ton
wie vorher:

»Noach Naftali Tirschbein, pfui!«

Ohne ein weiteres Wort hob er seinen Leinenkoffer
auf den Schoß und legte der Reihe nach verschiedene
Unterlagen, Briefe und Zettel auf den Tisch, wobei er
mit Handbewegungen auf ihren Inhalt hinwies. Als er
alles vor sich ausgebreitet hatte, war er bereit zur ersten
Frage: Woher stammte das Geld? Schon fünfzehn
Jahre seien seit Bitmans Tod vergangen, und immer
noch wisse man nicht, wie er so reich geworden sei. Er
war Schriftsetzer, wie war ihm also soviel Geld in die
Hände gefallen? Handelte es sich um das Erbe eines
reichen Onkels aus Deutschland? Hatte er im Lotto
gewonnen, oder hatte er beim Umgraben eine Kiste
mit Juwelen gefunden? Oder war er mit dunklen Geschäften reich geworden? Gleich nach der Beerdigung
hatte Issler Bitmans Haus auf den Kopf gestellt, und
alles, was er dort gefunden hatte, lag jetzt ausgebreitet
vor uns: ein Bündel Briefe von Tirschbein, eine handgeschriebene Lebensgeschichte Bitmans – eine lange

und ermüdende Geschichte, alles erfunden und erlogen, über Huren und Mesusot.

Issler hatte sich nicht die Mühe gemacht, die Geschichte bis zum Ende zu lesen. Seiner Ansicht nach handelte es sich um unzusammenhängende Abschnitte ohne Hand und Fuß. Wer wollte denn schon wissen, wie man in Paris Nüsse der Diaspora reibt, die in Israel wachsen? Oder wie man Nüsse der Diaspora mit Kupferstaub mischt, bis man Tinte erhält, mit der man Rollen für Mesusot schreiben kann? Es gab auch die Beschreibung eines Zusammentreffens von Bitman mit Schalom Asch in Paris, wobei Bitman, der den berühmten Schriftsteller zufällig traf, ihn fragte, ob er zum Protestantismus oder zum Katholizismus konvertiert sei. Es gab auch eine autobiographische Geschichte über einen Eisenhändler aus Warschau, den Bitman offenbar erschossen hatte. Doch was das Geld betraf – nichts. Kein Hinweis, keine Quittung. Sie beide, er und Bitman, waren doch jahrelang nicht nur Nachbarn in Zfat gewesen, sondern mehr als Nachbarn. Gemeinsam hatten sie sich Zugang zu Geheimnissen erworben und waren auf staubigen Straßen den Heiligen Israels gefolgt. Noch andere gehörten zu ihnen, so ein Chassid aus Belgien, ein junger Amerikaner, ein Büßer, der jetzt hier um Almosen bat, an der Ecke Ben-Jehuda, und Bibelsprüche rief. In Zfat hatten sie sich jeden Tag getroffen und sich damit beschäftigt, nach der Wahrheit zu suchen. Der Amerikaner hatte seinen Namen in David El'asar Bar Jo'ez geändert, um Gott näher zu sein. Er hatte englische Bücher mitgebracht, über einen Mystiker, einen russischen Goj namens Gurdjieff. Und der Chassid aus Belgien

schrieb die Geschichten des Rabbi Nachman von Braz-
law ab, das heißt, er schrieb die Wörter ab, aber in einer
anderen Ordnung, um die wirkliche, echte Lehre des
Rabbi zu entdecken. Schlomo Bitman wartete auf eine
Erscheinung: auf ein Treffen mit allen dreien, mit
Rabbi Nachman von Brazlaw, mit Gurdjieff aus Peters-
burg und mit Arie Hakodesch aus Zfat. Sie suchten das
Wissen über die Unsterblichkeit der Seele und die
Wahrheit über ihre Metamorphosen.

Das alles brachte Issler zu seiner zweiten Frage, obwohl er bisher noch keine Antwort auf die erste bekommen hatte. Fünfzehn Jahre waren also seit Bitmans
Tod vergangen, und man habe ihn bereits vergessen.
Niemand wisse zum Beispiel, wo er geboren sei. In
seinem Personalausweis stand, er sei in Polen geboren,
einfach Polen, ohne Angabe der Stadt oder des Ortes.
Deshalb äußerte Issler den Gedanken, daß etwas getan
werden müsse, um die Erinnerung an Bitman zu ver-
ewigen. Es wäre doch wohl angemessen, von dem Geld,
das er hinterlassen hatte, die Herausgabe seiner Briefe
als Buch zu finanzieren, vielleicht auch seine phantasti-
sche Autobiographie.

Seine dritte Frage brachte Issler vor, als er Bitmans
Paß geöffnet hatte, der vor ihm auf dem Tisch lag, und
auf den Stempel der amerikanischen Botschaft in Tel-
Aviv deutete: die Erlaubnis zur einmaligen Einreise in
die Vereinigten Staaten. Nun wollte Issler wissen, ob
Bitman auf jener Reise damals das Geld mitgebracht
habe, das er Tirschbein anvertraut hatte. Bitman hatte
zwar viel Phantasie besessen, doch niemand konnte
behaupten, er wäre naiv gewesen. Ein Mann wie er
würde nie eine beträchtliche Summe einem Fremden

anvertrauen, ohne irgendeine Art von Quittung. Warum war er so weit gefahren, nach Cleveland, zu Tirschbein? »Und wer ist Noach Naftali Tirschbein?« fragte Issler. Die Antwort gab er selbst: »Ein Schriftsteller und Dichter. Autor wichtiger Romane. Vielleicht ein gerechter und aufrechter Mann.« Es reiche jedoch nicht aus, ein Schriftsteller zu sein, auch nicht ein Gerechter, damit einem ohne Quittung ein Vermögen übergeben wird.

Seine vierte Frage stellte Issler im Stehen. Zuvor betonte er, daß er nicht nachlassen würde, bis er die Wahrheit herausgefunden hätte. Er sei kein Mann, der leicht aufgebe. Drei Jahre sei er in gelber Kleidung herumgelaufen, habe sich mit Yoga beschäftigt und in einer Kommune mit Philosophen und Scharlatanen gelebt, habe sich in Zfat gequält, um etwas, wenn auch nur ein wenig, von der Wahrheit des Lebens zu verstehen, und nun würde er dafür sorgen, daß ihm der tote Bitman nicht durch die Finger rutsche. Er beugte sich ein wenig vor, nannte Tirschbein »Herzensfreund« und sagte, er meine nicht die vier Fragen aus der Haggada Pessach, sondern die *knejdlech*.

»*Di knejdlech*, Kollege Tirschbein, was ist mit den *knejdlech*?« Dann warf er einen erschrockenen Blick auf seine Armbanduhr, die so groß war wie ein Kompaß. Offenbar hatte er sich verspätet. Er hatte zuviel geredet, er hätte schon längst auf der Bühne stehen müssen.

9

Tirschbein sah ruhig zu, wie Issler rasch alle Papiere, die er ausgebreitet hatte, wieder in seinen Koffer sammelte und dann den Klappschemel hervorzog, außerdem eine Schachtel mit Farben und einen kleinen Spiegel, den er auf den Tisch stellte. Er setzte sich vor den Spiegel und begann sich zu schminken: Blau um die Augen, Rot auf die Lippen, und auf seine Stirn malte er wellenförmige Linien in Weiß und Schwarz. Als er fertig war und Farben und Spiegel wieder in den Koffer packte, faßte ihn Tirschbein am Arm, nannte ihn zweimal »Itzikl, Itzikl« und sagte, nun, da er Schriftsteller geworden sei, wäre es an der Zeit, daß er sein Leben änderte und auf seine Ehre achte. Eine Bühne oder ein Theatersaal wären etwas anderes und zweifellos ehrenhaft, aber kein Klappschemel mitten in einem zufällig zusammengelaufenen Publikum.

Issler befreite seinen Arm von Tirschbeins Griff, zögerte einen Moment und antwortete dann pathetisch, als stünde er schon auf seinem Schemel, daß er dahin gehe, wo sich sein Publikum befinde.

»Ich folge meinem Publikum«, sagte er betont laut.

Tirschbein stand auf und versuchte, Issler mit Gewalt auf seinen Stuhl zurückzudrücken.

»Laß dich doch nicht so tief sinken!«

»Ich kann noch tiefer sinken«, antwortete Issler. Nie habe er sich so erniedrigt gefühlt wie in New York. Nie sei er so heruntergekommen gewesen wie in New York, so tief unten. Nicht im Ghetto, nicht bei den Deutschen und nicht in Stalins Lagern. Ausgerechnet in New York, als man ihm die Möglichkeit gegeben habe, viel

81

zu verdienen, allerdings nicht beim Theater. Das jiddische Theater in New York sei tot. Nein, seine Aufgabe sei es gewesen, gegen eine hohe Provision alte Juden zu suchen, die ihr Vermögen maroden jiddischen Institutionen vermachten. Ihm sei jedes Mittel recht gewesen, um Geld zur Veröffentlichung seiner Bücher aufzutreiben. »Ja, mein Freund«, sagte er zu Tirschbein, und wieder war seine Stimme pathetisch laut, »ich wurde zu einem Betrüger!«

Wieder warf er einen Blick auf seine Uhr, die aussah wie ein Kompaß. In einer Viertelstunde würde er das volkstümliche Gedicht »Der betrunkene Chasan« deklamieren, doch inzwischen ließ er sich von Tirschbein zurück auf seinen Stuhl drücken. Er trommelte mit den Fingern auf den Tisch, während er erzählte, wie er in New York hinter alten Juden hergelaufen war, die ihre Familien haßten und die jiddische Sprache liebten, damit sie ihr Vermögen irgendeiner früher wohl einmal aktiv gewesenen Institution hinterließen, die damals aber schon so gut wie tot war. Issler zählte die Institutionen auf, die hinter Erbschaften hergewesen waren, um ihren eigenen Todeskampf zu verlängern. Er, Issler, habe versucht, andere zu betrügen, doch er sei selbst betrogen worden und habe keinen Pfennig gesehen.

»Hör mal«, sagte er und ergriff Tirschbeins Hand. Doch er ließ sie fast sofort wieder los und sagte, er ziehe es vor zu schweigen. Er wolle Tirschbein keinen Kummer bereiten. Er hoffe, daß dessen Aufrichtigkeit über seinen Gerechtigkeitssinn siegen und daß er ihm von Bitmans Geld etwas geben würde, damit er seine Bücher veröffentlichen könnte. Plötzlich wandte er sich an mich:

»Sie sind noch immer fremd, nicht wahr?« Mir, weil ich fremd war, wolle er erzählen, wie er in New York zum Vermittler von Erbschaften geworden war, denn es sei gut, daß auch ein Fremder es wisse. Er bat Tirschbein, wegzuschauen, und schob seine Schulter als eine Art Trennwand zwischen beide. Doch er sprach nicht über dieses Thema. Er rückte näher zu mir und pries Tirschbein, der, seit er ihn kenne, sich bemüht habe, den Menschen zu helfen. Wem habe er nicht geholfen? Nach dem Krieg habe sich Tirschbein in Cleveland niedergelassen, und von dort schickte er Pakete mit Nahrungsmitteln und Kleidung an Schriftsteller und Künstler, die am Leben geblieben und nach Polen zurückgekehrt waren.

Ihm selbst, Issler, habe Tirschbein eine gute Schreibmaschine nach Lodz geschickt, die das Leben am wieder errichteten Theater verändert hätte, damals, als sie noch an ein Wiederaufleben der jüdischen Gemeinden in Polen glaubten. Die Schreibmaschine kam als Überraschung, Tirschbein hatte sie geschickt, ohne daß sie ihn darum gebeten hatten. Issler war nie in seinem Leben so dankbar gewesen wie damals. Doch bald erfuhr er, daß Tirschbein noch eine andere Schreibmaschine nach Lodz geschickt hatte, an zwei billige Komiker, einen Mann und eine Frau, zwischen denen und dem wirklichen Theater ein Abgrund klaffte. Sie sangen ordinäre Couplets, und die Frau hob ihren Rock und stellte sich zur Schau. Sein Zorn habe in all den Jahren nicht nachgelassen, sagte Issler, und er schlug nun, in der Cafeteria, mit der Faust auf den Tisch und rief:

»Eine Schreibmaschine für mich und eine für die?«

Issler rühmte sich seines guten Gedächtnisses. Nie im Leben wäre es ihm eingefallen, eine Bühne zu betreten, wenn er kein gutes Gedächtnis gehabt hätte, und er hatte es durch das Studium der Kabbala noch geschärft. Auch Schlomo Bitman habe sein Gedächtnis in Zfat geschärft. Er habe einmal, aus dem Gedächtnis, das Menü aufgeschrieben, das er mit Tirschbein in einem Restaurant in Warschau gegessen hatte, viele Jahre vor dem Zweiten Weltkrieg. Wie schade, daß er die Papiere schon alle wieder in den Koffer gepackt hatte, denn in einem der Kapitel der Autobiographie habe Bitman nicht nur alle Gerichte aufgeschrieben, die er selbst bestellt hatte, sondern auch das, was Tirschbein damals aß, bevor er Vegetarier wurde. Da ich Tirschbeins Archiv ordne, könne ich ja mal in die Mappe mit Bitmans Briefen schauen, vielleicht würde ich dort, in einem der Briefe, irgendeinen Hinweis auf das Geld finden. Und wenn ich seine Mappe anschaue, denn auch er habe eine verzweigte Korrespondenz mit Tirschbein geführt, dann solle ich doch einige Briefe lesen und mich davon überzeugen, wie gut sein Gedächtnis noch war.

Ich hatte bereits einen Blick in die Mappe mit seinen Briefen geworfen. Tirschbein wollte mich prüfen, ob ich auch schwer lesbare Handschriften entziffern konnte, und Isslers Schrift war wirklich nicht besonders leserlich, manchmal konnte man die Buchstaben kaum unterscheiden. Ich erinnerte mich an den Brief, den er nach Cleveland geschickt hatte, gleich nachdem er nach Polen zurückgekehrt war. Vielleicht war er mir wegen seiner Kürze in Erinnerung geblieben. »Du, mein teurer Freund Noach Naftali·Tirschbein«, hatte

Issler geschrieben, »nimm einen Stift und schreibe über den physischen und psychischen Untergang des jüdischen Volkes. Warte nicht, mach dich sofort an die Arbeit. Beschreibe die Zerstörung, sei ein zweiter Jermijahu. Und vergiß nicht, mir eine Schreibmaschine und einen Mantel zu schicken. Beide nicht gebraucht. Ich bin ein Gentleman.«

Inzwischen war Tirschbein in die Cafeteria hineingegangen, und bis er zurückkam, erzählte mir Issler noch einige Details aus dem Leben Schlomo Bitmans. Er war ein junger Dichter, als er nach Warschau kam, hungrig und ohne Unterkunft. Tirschbein lieh ihm Geld und arrangierte, daß er nachts in einem Eisenwarengeschäft schlafen konnte. Gegen Abend, bevor das Geschäft geschlossen wurde, rief man Bitman hinein, ließ die Rolläden herunter und verschloß von draußen die Tür. Er schlief dort bis zum nächsten Morgen und bewachte so den Laden vor Dieben. Auch für andere junge Leute hatte Tirschbein Geschäfte gefunden, in denen sie schlafen konnten. Das alles wußte Issler aus Bitmans Autobiographie. Vielleicht sei nicht alles wahr, was er geschrieben habe, meinte Issler, aber diese Sache klinge glaubhaft.

Issler übertrieb nicht. In Tirschbeins Archiv fand ich ein Adressenheft mit allen Warschauer Geschäftsleuten, die in ihren Läden junge Dichter übernachten ließen, die aus kleinen Städten nach Warschau gekommen waren. In dem Heft war auch genau angegeben, wer wo geschlafen hatte. Bitman hatte in einem Eisenwarenladen in der Genschestraße übernachtet. Ferner war der Name des Ladenbesitzers vermerkt, dazu das Datum des Tages, an dem er erschossen wurde.

Als Tirschbein zurückkam, brach Issler, bevor er sich setzte, mitten im Satz ab, stellte sich auf seinen Schemel und begann, eine Melodie zu summen. Zwischen den Tönen war das Stammeln des betrunkenen Chasan zu hören, der seine Stimme verlor. In dem Gedicht ging es darum, daß niemand so überflüssig ist wie ein Chasan, der seine Stimme verloren hat. Issler streckte seine langen Arme zwei Soldatinnen entgegen, die an einem Tisch in der Nähe saßen, und ermutigte sie auf hebräisch, doch weiter ihr Eis zu schlecken. Sie müßten nicht Jiddisch können, um seine Vorstellung zu verstehen, sagte er. Er sagte auch, ein Chasan, der seine Stimme verloren habe, sei wie ein Dichter, der seine Sprache verloren habe, oder wie ein Schauspieler, der seine Bühne und sein Publikum verloren habe. Die Soldatinnen reagierten nicht, sie taten, als wären sie nicht gemeint. Issler summte weiter, wobei er ganz nebenbei nach einem möglichen Publikum unter den Passanten Ausschau hielt, doch keiner der vielen Menschen, die sich um diese Stunde hier auf der Straße befanden, achtete auf ihn, auch nicht die Gruppe, die sich vor der Bank versammelt hatte und die Börsennachrichten las. Dann entdeckte Issler David Dobson. Er streckte ihm seine langen Arme entgegen und sang mit der Stimme eines Chasan, süß und klagend:

»*Oj*, ein Chasan muß auch ein Musikant sein.«

Sein Gesang war schön. Sein Gesicht wurde fröhlich, als fände der Chasan seine verlorene Stimme wieder.

»Lechajim, Dovid-Lejser! Lechajim!«

10

Tirschbein schrieb etwas in sein Tagebuch. Dann stand er auf und entfernte sich, Issler auf seinem Schemel hinter sich lassend. Ich folgte ihm. Als wir uns der King-George-Straße näherten, sagte er:

»Aber die Wahrheit wissen sie nicht.« Dann atmete er tief. Nun hatte er keinen Zweifel mehr, daß Issler seine Adresse nicht durch mystische Zahlen, sondern durch seine Nachbarschaft mit dem Büßer herausgefunden hatte.

Während Issler mit mir gesprochen hatte, waren Tirschbein noch einige Zeilen zu dem Gedicht über D. D. eingefallen, das er an diesem Morgen begonnen hatte. In der Cafeteria hatte er nichts bestellt, weil er fastete. Das tat er jedes Jahr am Geburtstag der Tänzerin. In dem Gedicht verstreut fanden sich Hinweise auf das Fasten, das er während der ganzen Jahre, seit sie sich kennengelernt hatten, auf sich genommen hatte.

Damals saß er in Paris, in Gesellschaft seiner Freunde, einiger Dichter und Maler. Sie blieb stehen, um mit einem Maler ein paar Worte zu wechseln. Und da, während sie hinter Tirschbeins Rücken stand, fuhr sie ihm mit dem Fingernagel über seinen Nacken, und zwar unter seinen Kragen. Noch immer konnte er den Schauer fühlen, der ihm damals über den Rücken gelaufen war. Auch heute noch zitterte er innerlich, wenn er an sie dachte. Es war ein zufälliges Zusammentreffen, doch in seinem Roman sollte es eine schicksalhafte Bedeutung bekommen. Man wußte es nie. Nachträglich wurden die meisten Ereignisse im Leben eines Menschen zu seinem Schicksal, ohne daß die Menschen es vorher erkannten, wie man früher nicht gewußt hatte, daß sich die Erde um die Sonne dreht; und sogar heute, wo man es wußte, sagte man morgens nicht, daß die Erde ihr Gesicht der Sonne zuwende, sondern weiter, wie früher, die Sonne scheint, die Sonne geht unter. Im Leben gebe es offenbar gleichzeitig zwei gegensätzliche Wahrheiten. Deshalb seien auch die Wörter »Zufall« und »Schicksal« zwei gegensätzliche Bezeichnungen für dieselbe Sache. Der Schauer von damals, von Paris, hatte im Laufe der Jahre seine Bedeutung geändert, doch er lebte in Tirschbeins Erinnerung weiter, mit all seinen Aspekten zugleich. Das Anarchische, was er an D. D. gespürt hatte, hatte ihn dazu gebracht, durch das riesige China zu ziehen und den ganzen Erdball zu umkreisen, um von der anderen Seite zu ihr nach New York zu kommen. Wenn er es in der groben Sprache Isslers, des Zynikers, formulieren müßte, würde er sagen, daß er bei seiner Reise durch China sein Glied aufgerichtet habe wie eine Kompaßnadel, in Richtung auf ein Mädchen, das sich dem jüdischen Volk entfremdet hatte.

Auch sein erstes Zusammentreffen mit Bitman war zufällig gewesen und hatte sich im Lauf der Zeit zu einer Last gewandelt, an der er litt wie an einer brennenden Wunde. Alles hatte damit angefangen, daß Bitman ihm einige Gedichte nach Warschau geschickt und sich selbst als Sohn seiner Heimatstadt vorgestellt hatte, doch eigentlich war er in Lomas geboren, einem kleinen Ort, einen Katzensprung von Biała Podlaska entfernt. Bitman bat damals, daß Tirschbein ihm helfen möge, sich in der großen Stadt zurechtzufinden, denn in seiner provinziellen Umgebung würde sein

Geist austrocknen. An einige Zeilen jenes Briefes erinnere er sich noch, und wenn wir bei ihm zu Hause ankämen, würden wir Bitmans Mappe öffnen und nachprüfen, ob sein Gedächtnis ihn nicht trog. Sofort fing er an zu zitieren: »Werde ich immer hinter dem Fenster bleiben, oder werde ich einst am Tisch der jiddischen Literatur sitzen?« Eines der Gedichte Bitmans gefiel Tirschbein, und er sorgte dafür, daß es in einer literarischen Monatszeitschrift veröffentlicht wurde. Er blieb stehen und hielt mich zurück, direkt vor dem Hotel »Migdal ha-Ir«. Er trat einen Schritt zur Seite, zur Wand, um die Passanten nicht zu stören, schob seinen schwarzen Hut zurück, legte die rechte Hand an seine Stirn und rezitierte:

> »Die Nacht ist eine ferne Faust,
> ich ein profaner Schrei.
> Ich komme zu dir aus der Fremde,
> meine Schwester im dunklen Kleid.«

Nach der Veröffentlichung des Gedichts kam Bitman nach Warschau, ohne einen Pfennig in der Tasche, und Tirschbein sorgte dafür, daß er in dem Eisenwarengeschäft schlafen konnte. Wie er zu einem Vermittler zwischen jungen Obdachlosen und Warschauer Geschäftsbesitzern wurde? Issler hatte die Wahrheit gesagt. Der Anfang hing mit dem dritten Paragraphen seines Bewerbungsschreibens an die Direktion von ORT-OSE in Paris zusammen.

Je näher wir Me'a Sche'arim kamen, um so mehr häuften sich die Plakate an den Wänden, die zu Reue und zu Buße aufriefen. Auf der Chagi-Hanavi-Straße kam uns eine Gruppe von Chassidim entgegen, ein

Greis, um den sich drei Jeschiwa-Studenten drängten. Mit vereinten Kräften schleppten sie ein großes Plakat in einem Holzrahmen, das auf jiddisch und hebräisch die Töchter Israels aufrief, sich nicht in unziemlicher Kleidung in den Straßen der Stadt zu zeigen. Das Wort »Hure« auf hebräisch füllte die untere Hälfte des Plakats. Auf der jiddischen Seite stand dasselbe Wort. Die vier Männer gingen schweigend die Straße entlang. »Als folgten sie einem unsichtbaren Leichenzug«, bemerkte Tirschbein. Als wir Tirschbeins Haus erreichten, hörten wir, wie ein Vater seinen kleinen Sohn bat, doch für ihn hinaufzugehen in den dritten Stock und die Schlüssel zu holen, die er vergessen hatte. »Levi-Jizchakl« nannte der Vater den Kleinen.

Der Junge weigerte sich. »*Tatte, ich wil nischt*«, sagte er auf jiddisch. Der Vater schaute sich um, musterte auch uns, legte den Kopf zurück, hob die Augen zum dritten Stock und rief laut den Namen seines Sohnes, der neben ihm stand: »Levi-Jizchakl! Levi-Jizchakl!«

Als sie die Stimme ihres Mannes hörte, steckte seine Frau den Kopf aus dem Fenster, fragte, was er wolle, und warf den Autoschlüssel herunter.

»Auch mein Vater hat meine Mutter nie bei ihrem Namen gerufen«, sagte Tirschbein und erzählte weiter von seinem ersten Gedicht, das er geschrieben hatte, als in der Stadt ein Brand ausgebrochen war, von dem auch ihr Haus erfaßt wurde. Man zeigte das Gedicht einer reichen Tante, der Stiefschwester der Mutter, die aus Białystok gekommen war, um sich zu informieren, was passiert war. Ein elfjähriger Junge, der ein so schönes Gedicht über einen Brand schrieb, muß einmal ein Arzt werden. Sie sollten ihn zu ihr schicken. Innerhalb eines Monates kam Tirschbein in Białystok an, in der Hand ein Bündel und eine undeutlich geschriebene Adresse. Auf der Suche nach dem Haus seiner Tante blieb er vor einem Kino stehen. Wenn die Tante so reich ist, wie man sagt, überlegte er, dann sitzt sie bestimmt den ganzen Tag in diesem Haus und schaut sich Filme an. Von seinem bißchen Geld kaufte er sich eine Karte und ging hinein. Er wartete, daß das Licht in dem dunklen Saal anginge und er seine Tante sehen würde, vielleicht auch den Onkel. Später, als er sein Studium in Deutschland abgeschlossen hatte und nach Warschau zurückgekommen war, besorgte ihm eben jener Onkel einen Schlafplatz in einem Bekleidungsgeschäft.

Ein oder zwei Monate schlief Bitman in dem Eisenwarengeschäft, dann stellte sich heraus, daß er Nacht für Nacht ein Mädchen hineinschmuggelte. Der Geschäftsinhaber, der ihn auf frischer Tat ertappt hatte, verleumdete ihn bei der Behörde als Kommunist. Bitman gelang es, sich der Polizei zu entziehen, aber er schwor Rache. Mit Hilfe des Bruders des Mädchens, einem Mann aus dem Krakauer Untergrund, plante er seine Rache, und als der Ladenbesitzer auf einer Geschäftsreise nach Krakau kam, erschossen ihn die beiden. Das Gericht kam zu der Überzeugung, daß es der Bruder des Mädchens war, der geschossen hatte, und Bitman kam bei dem Prozeß gnädig davon. Zuvor allerdings hatte Tirschbein erfahren, daß Bitman die Gedichte, die er als seine eigenen ausgab, nicht selbst geschrieben hatte, sondern ein Dichter, der in der Blüte seiner Jahre gestorben war. Als er nach Krakau fuhr, um für Bitman auszusagen, wußte er das bereits, doch damals hatte er es auf sich genommen, die Welt zu verbessern, Gutes um seiner selbst willen zu tun. Und nicht sein persönliches Gefühl würde ihm sagen, was gut sei, sondern die Lehre Immanuel Kants, nämlich die Überlegung, ob das, was er tat, gut war für die Menschheit.

11

Als ich am nächsten Tag zu Tirschbein kam, fand ich ihn schon am Tisch stehend und die Zeitungen überfliegend, die vor ihm ausgebreitet lagen. Dieser Morgen, sagte er, habe bei ihm mit Null begonnen. Solche Tage gab es bei ihm häufiger. In seinen Tagebüchern fanden sich viele Einträge, die mit einer Null begannen und so auch endeten. Eine ständige Unruhe hatte ihn gepackt, und er sehnte sich nach etwas Ruhe. Und wenn ihm dann eine Stunde der Ruhe vergönnt war, so beunruhigte ihn das wiederum. An diesem Morgen hatten ihn bereits zwei Leute besucht. David Dobson und Berele, der Sohn der Besitzerin des Lebensmittelgeschäfts gegenüber von Hartiners Wohnung, dieser große Jeschiwa-Bocher mit den breiten Händen und den blonden, langen Schläfenlocken, die ihm bis auf die breiten Schultern hingen. Im Hinblick auf die heranrückenden hohen Feiertage wollten sie Gutes tun und kamen, um die Mesusot zu kontrollieren. In der Nachbarschaft waren Katastrophen passiert. Der Nachbar aus dem Erdgeschoß hatte einen Verkehrsunfall, eine Nachbarin hatte eine Fehlgeburt im sechsten Monat, ohne jeden Grund, und ein bescheidenes, ruhiges Mädchen hatte sich umgebracht. Nach den Mesusot kontrollierten sie auch das Geschirr in der Küche. Tirschbein erklärte ihnen, daß er Vegetarier war, und öffnete für sie seine chinesische Dose und zeigte ihnen den Rest des Pergaments, das ihm ein nach China ausgewanderter Warschauer Jude in Schanghai gegeben hatte. Mellman hieß er, ein sehr wohlhabender Mann, der mit drei chinesischen Frauen verheiratet war und lebende Juden verachtete. Daher hatte er sich, noch zu seinen Lebzeiten, ein Grab auf einem vernachlässigten Friedhof auf einer kleinen Insel neben Sumatra gekauft, auf der es früher jüdisches Leben gegeben hatte, die der letzte Jude aber schon längst verlassen hatte. Mellman nun bat Tirschbein, ihm die letzte Ehre zu erweisen und nach seinem Tod an seinem Grab den Kaddisch zu sprechen, und spendete als Dank dafür eine beträchtliche Summe an die Organisation ORT-OSE in Paris.

Berele war der Meinung, man müsse das Stück Pergament, Teil einer heiligen Mesusa, in einem würdigen Ort für heilige Gegenstände aufbewahren, jedenfalls nicht in einer chinesischen Dose, zusammen mit irgendwelchen Talismanen zweifelhafter Herkunft, die, Gott behüte, vielleicht sogar unrein waren. Tirschbein legte die Mesusa schnell zurück. Berele kam ihm eher vor wie ein Metzger. Später stellte sich tatsächlich heraus, daß Berele, von Beruf Totengräber, ein gewalttätiger Mensch war. Nachdem die beiden seine Wohnung verlassen hatten, eilte Tirschbein zur Ben-Jehuda, um Zeitungen zu kaufen.

Nun, an seinem Tisch, schnitt Tirschbein das Foto eines verstorbenen Dichters aus und meinte ganz nebenbei, wenn die beiden gewußt hätten, was er außer der Mesusa sonst noch in der chinesischen Dose aufbewahrte, zum Beispiel die schwarze Haarlocke, hätten sie seine Wohnung zerstört und in Brand gesetzt. Die Zeitungen, die er auf seinem Tisch ausgebreitet hatte, nannte er wütend »Fetzen«.

Sie bereiteten ihm kein Vergnügen. Tag für Tag vergeudete er seine Zeit, indem er die Nachrichten las, in denen nichts Tröstliches oder Erlösendes stand, keine einzige erfreuliche Mitteilung. Die Welt besserte sich nicht. Und er glaubte doch daran, daß die Vernunft und das Gewissen ihren Einfluß auf die Geschichte der Menschheit hätten, daß alle Menschen Bürger einer Welt seien. Irgendwo hatte sich ein Fehler in das System des Königsberger Philosophen eingeschlichen, und nicht nur da, auch in seinem, Tirschbeins, Leben. Doch wo und wann? Vielleicht hätte er Polen nicht verlassen sollen? Er hatte doch an die Zukunft des polnischen Judentums geglaubt, an die Existenz der jiddischen Literatur. Die russischen Juden hatten eine Literatur, aber keine Freiheit, die amerikanischen Juden hatten Freiheit, aber keine Literatur, während die polnischen Juden beides hatten, Freiheit und eine Literatur. Während er durch China und andere Länder gereist war, war ihm klargeworden, daß die Juden eigentlich siebzig verschiedene und unterschiedliche Völker waren.

Tirschbein legte das Foto des verstorbenen Dichters auf einen Stapel anderer ausgeschnittener Fotos, der sich auf einem Brett über seinem Schreibtisch befand, unter einem Bleigewicht. Bei Gelegenheit wollte er Foto für Foto in die entsprechenden Mappen sortieren. Er hatte eine Mappe für jeden Menschen, mit dem er korrespondierte, und sammelte darin alles, was er über den Betreffenden in den Zeitungen fand. Auch in seiner ersten Mappe mit Briefen, die ich an diesem Vormittag öffnete, fand ich einen aus einer Zeitung herausgeschnittenen Bericht.

»Dora Levenson«, verkündete ich laut den Namen, der auf der Mappe mitten auf einem weißen Etikett stand, und las, ebenfalls laut, den Titel der handgeschriebenen Geschichte, die ich in der Mappe fand: »Er und Sie.«

Tirschbein gab mir mit der Hand ein Zeichen, daß ich still sein solle, und hob lauschend den Kopf zum Fenster. Doch die Stimme aus dem Lautsprecher eines vorbeifahrenden Autos wurde immer leiser und verklang. Tirschbein fuhr fort, in den Zeitungen nach Verstorbenen zu suchen. Es war nicht nötig, ihm irgendwelche Briefe ganz vorzulesen, ein oder zwei Sätze oder auch nur der Name des Schreibers genügten, dann wußte er schon, um was es ging. Er sehe Dora Levenson lebhaft vor sich, wie sie zum ersten Mal in seinem Büro in Warschau erschienen war. Schwere Hände, kurzgeschnittene, glatte Haare, ein rundes Gesicht mit drei Grübchen: zwei auf den Wangen und eines in dem kleinen Kinn.

»Ziemlich häßlich«, sagte er und legte das Blatt einer Zeitung auf den Tisch. Aber ihre Handschrift war wunderschön. Als er damals die zusammengefalteten Blätter aufgemacht habe, um die Geschichte »Er und Sie« zu lesen, habe er die schräge Schrift mit den dicken und dünnen Linien gesehen: wie ein Schwarm aufgestobener Vögel am Himmel. Er hatte ihr damals eine kurze Notiz geschickt: »Verehrtes Fräulein, eine schöne Handschrift ist schon das halbe Talent.« Zu ihrer Geschichte schrieb er ihr: »Ich habe sie zweimal gelesen – ein doppeltes Talent, ein vielfaches.«

Tirschbein übertrieb nicht. Als ich jetzt in Tirschbeins Wohnung, nach fünfzig Jahren, den Bogen aufklappte, flog noch immer ein Schwarm Vögel auf.

Tirschbeins Lob ihrer Geschichte fand ich als Zitat in einem ihrer Briefe an ihn. Wenn er wirklich die Wahrheit sage, schrieb sie ihm nach sechs Monaten, warum habe er dann nicht dafür gesorgt, daß sie in einer Zeitung veröffentlicht wurde? Wenn eine Geschichte von ihr gedruckt würde, würde man sie in ihrer Heimatstadt anders behandeln. Das Leben sei so grau, und in ihrem Herzen herrsche eine ewige Traurigkeit. Die Tage zögen sich dahin, die einsamen Nächte. Man habe versucht, sie zu verheiraten. Doch warum solle sie heiraten und eine dicke, dumme Frau werden, wie ihre Freundinnen in Radsinow? Was solle aus ihr werden, fragte Dora Levenson in ihrem Brief, welches Los erwarte sie?

Tirschbein hatte vor, die Kopie eines ihrer Briefe in seinen Roman »Gesicht in den Wolken« aufzunehmen, um den Vorfall zu bezeugen und zu beweisen, daß sein Buch die Wahrheit enthielt.

Inzwischen hatte Tirschbein seinen Kopf über den Tisch gebeugt und war in einen langen Artikel vertieft. Daher las ich für mich den letzten, kurzen Brief Dora Levensons, den sie ihm nach einigen Jahren schrieb, als sie hörte, daß er auf den Straßen Chinas herumzog. Sie bat ihn, er möge sie zu sich nehmen. Sie würde mit ihm zusammen in einem Zimmer leben. Sie sei Hutmacherin von Beruf, und falls erforderlich, würde sie auch die Wäsche anderer Leute waschen, Hauptsache, sie könne aus Polen fliehen. Sie erkundigte sich auch, ob der Schmerz in seinem linken Auge aufgehört hätte, jener Schmerz, von dem er gesprochen habe, als sie ihm ihre Geschichte gebracht hatte. Seine Adresse hatte sie von der Redaktion der Zeitung bekommen, in der er seine Berichte veröffentlichte. Ob die Welt wirklich so schön sei, wollte sie wissen, und wenn ja, warum müsse sie dann im dunklen Polen langsam verlöschen wie eine Kerze?

Unter dem Brief fand ich den Bericht aus einer polnischen Zeitung, den Tirschbein später ausgeschnitten hatte, als er in New York war. Einige Zeilen, zweispaltig, unter der Überschrift: »Eine tragische Liebe in Radsinow«. Eine junge Frau mit Namen Dora Levenson hatte eine Liebesaffäre mit einem älteren Mann aus Lemberg. Als sie auf seine Liebesbriefe nicht mehr antwortete, kam der Mann nach Radsinow und erschoß sie mit fünf Kugeln. Sie war auf der Stelle tot, und der Mann aus Lemberg wurde verhaftet.

Draußen näherte sich wieder das Auto mit dem Lautsprecher, und die Stimme wurde ständig lauter. Ich legte Dora Levensons Mappe zur Seite und griff nach einer anderen. Tirschbein bedeutete mir, ich solle warten, bis wir gehört hatten, was angekündigt wurde.

»Eine Beerdigung«, sagte er.

Seit er in diesem Viertel lebte, hatte er gelernt, daß man hier alle Einwohner aufforderte, wichtigen Verstorbenen die letzte Ehre zu erweisen. Wenn der Tod plötzlich eingetreten war oder gegen Abend, schickte man einen Ansager herum, der den Namen des Verstorbenen und die Einzelheiten der geplanten Beerdigung mitteilte. In Jerusalem sei es verboten, einen Toten über Nacht liegen zu lassen, erklärte mir Tirschbein, man müsse ihn am selben Tag beerdigen, auch wenn es spät am Abend wäre. Aber auch diesmal bekam er den Namen des Toten und den Termin der Beerdigung nicht mit, daher öffnete er das Fenster zur Straße eine Handbreit, um die Einzelheiten zu hören, wenn der Ansager vor dem Haus die Nachricht wiederholen würde.

»Beerdigungen beruhigen mich ein wenig«, sagte er. Und tatsächlich war ihm eine Veränderung anzumerken. Bisher hatte er eine gewisse Gereiztheit gezeigt und offenbar versucht, die Unruhe zu bekämpfen, die die beiden ungebetenen Gäste in ihm hervorgerufen hatten. Auch die Zeitungen, die er vor sich ausgebreitet hatte, um sich abzulenken und den Besuch der beiden Chassidim zu vergessen, hatten nichts genützt. Als er die politischen Artikel überflog, zeigte sein Gesicht Abscheu, die Vorfälle in Israel und in der Welt bedachte er mit abfälligen Bemerkungen, und die Erklärung des Papstes empfand er als persönliche Beleidigung. Er sprach mit ihm, den Blick auf das Foto in der Zeitung gerichtet:

»So geht es nicht.«

Doch nun nahm Tirschbein ein Buch vom Regal, hielt es mir hin und meinte, ich solle es mir bei Gelegenheit mal anschauen. »Meine Friedhöfe auf der Welt«, hieß es. Tirschbein hatte es auf seinen vielen Reisen geschrieben. Wenn er an einem Ort ankam, ging er immer zuerst zum Friedhof. Diese Besuche beruhigten ihn und gaben ihm ein Gefühl von Gelassenheit und Frieden. Ich blätterte in dem Buch, und er ging, die Schere in der Hand, zurück zu seinem Tisch. Von dort fragte er, ob ich es schon geschafft hätte, einen Blick in »Zum ewigen Frieden« von Immanuel Kant zu werfen. Danach habe sich der Philosoph gesehnt, meinte er, den Lebenden Frieden zu bringen, einen Frieden, der nicht auf persönlicher Laune beruhte. Deshalb habe er, Tirschbein, gestern auch seine persönlichen Gefühle unterdrückt und sich Isslers leidenschaftliche Reden gelassen angehört. Trotz allem bleibe Issler ein alter Freund, denn irgendwann würde er verstehen, daß Bitmans nachgelassenes Vermögen nur seinem gesetzlichen Erbe übergeben werden könne.

Tirschbein beugte sich so tief über das Papier, daß er es fast mit der Brille berührte. Ich öffnete eine andere Mappe mit Briefen und verkündete den Namen des Schreibers: Chaim-Mosche Kitlman aus Melnik. Schon in der ersten Zeile des Briefs bat er Tirschbein, er möge ihn vor dem Untergang retten, denn Melnik sei ein Loch, in dem er moralisch, kulturell und physisch ersaufen würde. Ob Tirschbein sich an den Schreiber dieser Zeilen erinnere, fragte Kitlman und rief ihm ins Gedächtnis, daß er ihn zweimal nach Melnik eingeladen habe, um einen Vortrag über die Philosophie Immanuel Kants zu halten. Erst habe er ihn nicht als Kitlman, der Zionist, der die hebräische Sprache beherrschte, eingeladen, sondern im Namen der Bundisten als Kitlman, der Sozialist.

Die Melniker Zionisten hätten sich damals über ihn geärgert und das Dach des Gebäudes, in dem Tirschbein seinen Vortrag über die Lehre und die Vorstellungen des Königsberger Philosophen hielt, mit Steinen beworfen. Dann jedoch hätten die Zionisten, neidisch auf die jiddisch sprechenden Bundisten, auch hören wollen, was Tirschbein über Immanuel Kant zu sagen hatte, und sie baten Kitlman nun ihrerseits, Tirschbein ein zweites Mal einzuladen, diesmal in ihrem Namen, um seinen Vortrag zu halten, übrigens im selben Gebäude. Während Tirschbeins Rede waren nun die Bundisten an der Reihe, das Dach des Hauses mit Steinen zu bewerfen. Chaim-Mosche Kitlman hatte Tirschbeins Vortrag zweimal gehört und teuer dafür bezahlt. Die Zionisten verfolgten ihn als Sozialisten und die Sozialisten, weil er auf hebräisch schrieb.

In einem anderen Brief erkundigte sich Kitlman, ob Tirschbein die beiden Essays gelesen habe, die er ihm geschickt hatte, einen Essay in jiddisch, über Tolstoi, Lenin und Gandhi, den anderen in hebräisch, mit dem Titel »Das große Gebet«, der viele tiefschürfende Gedanken enthalte. Diese beiden Essays würden einen großen Eindruck in der Welt hinterlassen, denn es sei ihm gelungen, in ihnen literarische und geistige Werte gleichermaßen zu verbinden. Wieder bat er Tirschbein, er möge ihm doch helfen, Melnik zu verlassen und sich aus seiner bitteren Umgebung zu befreien. Schon zweimal sei er Waise geworden, einmal durch den Tod seines leiblichen Vaters, das zweite Mal durch den seines Stiefvaters. Vom zweiten Mann seien zwei Mädchen im Haus geblieben, Zwillinge. Seine Mutter sei bettlägrig geworden, und er müsse für alle den Lebensunterhalt verdienen. »Ich bin schon kein Jüngling mehr«, las ich laut vor, damit Tirschbein es hörte. Er richtete sich auf und schob den Artikel, den er ausgeschnitten hatte, mit einer heftigen Bewegung auf den Tisch.

»Chaim-Mosche Kitlman«, sagte ich.

Tirschbein nahm mir die Mappe aus der Hand, las ein oder zwei Briefe, blätterte in den beiden Essays, ohne den Schnürsenkel zu lösen, mit dem sie zusammengebunden waren. Auch Kitlmans Briefe hatte er seit fünfzig Jahren nicht mehr angerührt. Nun betrachtete er sie mit feindseligen Gefühlen. Sein linkes Bein begann zu zittern. Er ging zur Wand, an der eine Karte von Polen hing: Die Orte, an denen er Vorträge gehalten hatte, waren mit schwarzen Strichen gekennzeichnet, er fuhr mit dem Finger über die Karte, auf der Suche nach dem Städtchen Melnik. Der Zug sei nicht bis zur Stadt selbst gefahren, sagte er, ein Pferdekutscher habe ihn am nächsten Bahnhof erwartet. Und der Saal, in dem er seinen Vortrag über Kant hielt, war nichts anderes als eine Scheune gewesen. Beide Male habe ihn derselbe Kutscher am Bahnhof erwartet, und beide Male habe er im Haus desselben Schneiders übernachtet: ein geschiedener Mann, der zum zweiten Mal mit seiner ersten Frau verheiratet war. Als er zu seinem zweiten Vortrag nach Melnik kam, sei es dem Schneider gerade gelungen, sich ein zweites Mal von seiner Frau scheiden zu lassen und sie zum dritten Mal zu heiraten. »So eine kleine Stadt, da hat man keine Auswahl«, habe er Tirschbein erklärt.

Tirschbein ging zum Fenster und öffnete es weit, denn der Ansager der Beerdigung näherte sich wieder. Diesmal verstanden wir den Namen der Verstorbenen.

»Die gerechte Rebbezn Brejne Gitl Siserman aus Bnei-Brak!«

Weitere Einzelheiten wurden vom Lärm auf der Straße verschluckt. Wir verstanden nicht, um wieviel Uhr die Beerdigung stattfinden würde und wo sich die Trauergäste versammelten. Tirschbein ließ das Fenster geöffnet, und als es draußen wieder ruhig wurde, sagte er, er beneide die Orthodoxen wegen einer Sache: Sie achten ihre Toten. Eine einfache Frau, vielleicht der Besitzerin des Lebensmittelgeschäfts ähnlich, mit Brotkrumen auf dem Doppelkinn, war in Bnei-Brak gestorben, und nun sei ganz Jerusalem betroffen und weine über ihren Tod. Weltliche Tote bekämen heutzutage kein solches Begräbnis, und sie würden ihm auch keine Genugtuung bereiten. Wenn er an einer weltlichen Beerdigung teilnehme, empfinde er immer Scham vor dem Toten und Enttäuschung. Ich müsse unbedingt mal sein Buch über die Friedhöfe lesen, dort fände ich ein langes Kapitel: »Das unwiederbringliche Pathos jüdischer Beerdigungen«.

Tirschbein bat mich, auch Kitlmans Mappe zu den Dokumenten zu legen, damit er nicht vergesse, ihn in seinem Roman zu erwähnen. Sein Essay »Das große Gebet« enthalte einige große Gedanken, die es wert seien, verewigt zu werden. Kitlman, seine Mutter und seine beiden Stiefschwestern waren in die Gaskammern gebracht worden. Deshalb solle wenigstens ein Lidschlag im Auge der Ewigkeit von ihm bleiben. Spätere Generationen sollten von dem jungen Mann erfahren, der in einem Städtchen von der Größe eines Gähnens gelebt hatte, dessen Geist sich aber über die Weiten der Großstädte erhob.

Tirschbein öffnete eine andere Mappe, die einer jungen Dichterin aus Bendin, und erinnerte sich an die

Beerdigung in jenem Städtchen, an der er teilgenommen hatte. Er war zu einem Vortrag über die »Kritik der Reinen Vernunft« von Kant hingekommen und auf den Leichenzug eines Hausierers gestoßen. Im Winter, bei einem Schneesturm, war der Hausierer in den Ort gekommen und hatte sich zwei Tage dort aufgehalten, dann fand man ihn ermordet im Wald, allerdings nur seine Beine. Ein Einwohner erkannte die Beine an den zerrissenen Stiefeln und erinnerte sich auch an den Vornamen des Hausierers. Man stellte ein kleines Schild auf sein Grab, auf dem geschrieben stand: »Hier ruhen die Beine von Josef, der seiner Wege gegangen war«.

12

Ich öffnete die Mappe der jungen Dichterin aus Bendin, doch wieder kam der Lautsprecher näher. Diesmal erwachte auch in mir ein Funken Neugier, wann die Beerdigung stattfinden würde und wo der Versammlungsplatz wäre, aber Tirschbein, der zu seinem Tisch zurückgekehrt war, gab mir plötzlich ein Zeichen, ich solle das Fenster schließen. Er habe genug von der alten, dummen Frau, die in Bnei-Brak gestorben sei, meinte er, wie oft wollten sie noch lautstark alle verrückt machen, als wäre wer weiß wer gestorben. Dieser Lärm um sie überschreite schon die Grenzen des guten Geschmacks, man könnte fast meinen, eine Prinzessin wäre gestorben.

Die ganzen Jahre schon predigte er sich und anderen, daß alles im Leben sein Maß und seine Grenzen haben müsse. Auch tiefer Schmerz und Freude brauchten eine Beschränkung, denn Ausufern führe zu Schwäche. Er für seine Person passe auf, das rechte Maß nicht zu überschreiten. Seine Liebesbriefe zum Beispiel, sagte er, seien immer gleich lang gewesen, einen ganzen Bogen. Das habe er auch zu der Dichterin aus Brisk gesagt, als ihre Liebe zu Ende war und sie nach Warschau kam und weinte. Nur maßvoll weinen, Sarale. Immanuel Kant war noch weiter gegangen: Er ließ sein Gewissen nicht von seinen Gefühlen beherrschen.

Tirschbein schloß das Fenster, doch von der Stimme des Lautsprechers zitterten die Scheiben, und wir hörten, daß die Beerdigung der Urenkelin des Rebbe von Biała Podlaska um Mitternacht vor der Synagoge in der Zefanja-Hanavi-Straße beginne. Tirschbein erstarrte in der Bewegung, Mund und Schere geöffnet. Mit der anderen Hand nahm er die Brille ab und setzte sie wieder auf. Das tat er mehrere Male, und dabei sahen seine Augen abwechselnd groß und klein aus, je nachdem, ob ich sie durch die Brille sah oder ohne.

»Ich habe meinen Namen nach dem Rebbe von Biała«, sagte er und machte das Fenster schnell wieder auf, aber inzwischen hatte sich das Auto entfernt, und die Stimme des Lautsprechers hallte über die angrenzenden Dächer und durch die gewundenen Gassen. In der Straße gegenüber spannten Chassidim ein grünes Tuch über die Mauer, die den Hof der Chassidim von Satmar abschloß, damit die Passanten während der Gebete an den Feiertagen nicht hineinschauen konnten, und um die Beter davor zu schützen, plötzlich eine Frau auf der Straße vorbeigehen zu sehen, wenn sie den Blick hoben.

Tirschbein schloß das Fenster wieder, nahm das einzige Bild herunter, das an seiner Wand hing, ließ sich auf dem gepolsterten Stuhl nieder und setzte seine Brille wieder auf. Während er Immanuel Kant betrachtete, sagte er, er sehe seine Mutter vor sich, die starb, als er dreizehn war. Auch Kant habe als Dreizehnjähriger seine Mutter verloren, und sogar als er selbst dem Tod schon nahe war, habe er sich noch über die Umstände ihres Todes aufgeregt. Man sagt, seine Mutter habe ihre Freundin gepflegt, die krank geworden sei, und um die Kranke zu überreden, ihre Medizin zu essen, probierte Kants Mutter diese vor ihr, mit dem Löffel, den die Kranke zuvor im Mund gehabt hatte. Noch am selben Tag sei Kants arme Mutter erkrankt und, sozusagen aus Freundschaft, gestorben.

Tirschbein erhob sich und hängte das Bild an seinen Platz zurück. Vielleicht sei darauf, sagte er, Kants heftige Abneigung gegen Freundschaft und Frauen zurückzuführen. Sagte man doch über ihn, er habe seine geschlechtlichen Bedürfnisse auf Männer mit scharfem Verstand gerichtet.

»Zyniker und Narren«, fügte Tirschbein hinzu. Auch er sei von Zynikern verfolgt worden, auch wenn er Gutes getan hatte. Von China zum Beispiel habe er eine bescheidene Summe an einen jiddischen Dichter nach Warschau geschickt, einen gewissen Baruch Chebucki, der mit seiner Familie am Hungertuch nagte, damit er eine Geschichtensammlung veröffentlichen konnte. Und in den Zeitungen stand dann, daß Noach Naftali Tirschbein so gierig nach Werbung sei, daß er alles tue, um seinen Ruf zu fördern.

»Zyniker!« sagte er noch einmal, sammelte die Zeitungen von seinem Schreibtisch und brachte sie zu dem Stapel, der von einem Gewicht beschwert in einer Ecke des Zimmers lag. Mir reichte er einen Artikel in jiddisch, den er ausgeschnitten und vorhin so laut auf den Tisch geknallt hatte. Er selbst setzte sich auf den gepolsterten Stuhl und schloß die Augen zu einem Nickerchen, das genau fünf Minuten dauern würde.

Ich hatte die geöffnete Mappe von Tejbele Zuker auf dem Schoß, der jungen Dichterin aus Bendin, während ich den ausgeschnittenen Artikel überflog. Er handelte von der Gründung eines Komitees in Tel Aviv, bestehend aus Schriftstellern und Künstlern, das die Aufgabe habe, die Angelegenheit der Erbschaft des Schriftstellers Schlomo Bitman – er ruhe in Frieden – zu prüfen. Der Dahingeschiedene, ein bescheidener, kinderloser Mann, habe nicht erreicht, seine Bücher zu seinen Lebzeiten zu veröffentlichen. Er sei ein Mann von reicher Phantasie gewesen und habe in seinem Werk Episoden aus seinem bunten Leben beschrieben. Soweit das Komitee wisse, habe Schlomo Bitman keine Verwandten hinterlassen, jedoch, wie man höre, ein großes Vermögen. Es sei daher nur billig und recht, wenn man dem genannten Komitee das Erbe übertrage, um Bitmans Bücher zu veröffentlichen, denn dabei handle es sich um die Begleichung einer Ehrenschuld gegenüber dem Dichter. Vermutlich würde auch nach der Veröffentlichung von Bitmans Werken genug Geld übrigbleiben, um einen Fonds zu gründen, mit dessen Hilfe Bücher aus der Feder jiddisch schreibender, in Israel lebender Autoren veröffentlicht werden könnten, außerdem noch einen Fonds zur Unterstützung des jiddischen Theaters im Land. Die Verwal-

tung des Erbes sei jedoch einem gewissen Autor übertragen, der die meiste Zeit seines Lebens in Cleveland
verbracht und sich erst vor einem Jahr in Jerusalem
niedergelassen habe. Er meide den Kontakt mit der
literarischen Welt, schrieb der Autor des Artikels und
fragte sich, ob der Grund für diese Zurückgezogenheit
wohl darin zu suchen sei, daß dieser Dichter vor der
Öffentlichkeit die Tatsache verbergen wolle, daß er
von fremden Geld lebte. Aber die Wahrheit trete an die
Oberfläche und schwimme wie Öl auf dem Wasser,
und auch diesmal werde das geschehen. Bisher gebe es
zwar keine Beweise dafür, daß Schlomo Bitman vor
seinem Tod die Verwaltung seines Vermögens dem
Dichter aus Cleveland übertragen hatte, dafür aber
mehr als genug verdächtige Anzeichen. Zum ersten
Mal erwachte Mißtrauen im Herzen des Autors dieses
Artikels, eines Freundes und Nachbarn von Schlomo
Bitman, als der bewußte Dichter eine bestimmte
Summe Geld nach Israel geschickt habe mit dem Auftrag, davon einen Stein für Bitmans Grab auf dem
Kana'an-Friedhof in Zfat zu kaufen. Das war Jahre
nach Bitmans Tod, und dessen engster Freund habe
sich über die Herkunft des Geldes gewundert. Der
bewußte Dichter aus Cleveland habe zwar immer not-
leidenden Kollegen finanziell geholfen, aus Gründen
der Reklame, aber es sei wohl ein Unterschied, ob man
einem armen, in Not geratenen Schriftsteller ein paar
hundert Złoty schickte oder dreitausend Dollar für
die Errichtung eines Grabsteins in Zfat. Erst nachdem
man dem Dichter in Cleveland einen erstaunten Brief
geschrieben habe, habe dieser Anzeigen in Zeitungen
setzen lassen mit der Aufforderung, die gesetzlichen

Erben Schlomo Bitmans, er ruhe in Frieden, mögen sich mit ihm in Verbindung setzen. Warum hatte er das nicht von Anfang an getan? Mit dieser Frage – und mit anderen Fragen hinsichtlich des Erbes – wolle sich das Komitee befassen, das sich im Rahmen des Verbands jiddischer Schriftsteller in Tel-Aviv konstituiert habe.

13

Fünf Minuten waren vergangen, und Tirschbein schlief immer noch. Sein Kopf ruhte auf seiner rechten Schulter. Aus seinen groben Gesichtszügen ragte die Nase hervor, und kurze borstige Haare wuchsen ihm aus den Nasenlöchern. Seine Unterlippe hing schlaff nach unten, und seine Zungenspitze war zwischen den geöffneten Lippen zu sehen. Seine Atemzüge waren manchmal von leichten Seufzern begleitet, als schreie er im Traum.

Tejbele Zuker, die junge Dichterin aus Bendin, deren Mappe mit den Briefen offen auf meinem Schoß lag, bat Tirschbein in dem ersten Brief, den ich las, er möge doch wiederkommen und sie in ihrer Heimatstadt besuchen. Doch nicht im Winter, wenn alles verschneit sei und sich in den Wäldern Wegelagerer herumtrieben. Er solle im Frühling kommen, dann könnten sie gemeinsam im nahen Wald spazierengehen. Er sei ein Mann, der ihr sehr gut gefalle, schön am Körper und schön an seiner Seele. Der schönste Mann, den sie je getroffen habe. Und sie sei ihm sehr dankbar dafür, daß er für die Veröffentlichung ihrer Gedichte im Literaturteil der angesehenen Wochenzeitschrift gesorgt hatte. Warum hätten sie nicht alle sieben Gedichte gedruckt, die sie geschickt hatte? Warum hätten sie sich mit drei begnügt? Hatte vielleicht jemand Verleumdungen über sie erzählt? Und hatte er schon mit dem Sekretär des Schriftstellerverbands in Warschau gesprochen, damit sie zu einer Lesung ihrer Gedichte eingeladen wurde? Wenn ihr Name in der Welt bekannt sein würde, wolle sie nach Argentinien fahren und ihren Vater suchen, der die Familie verlassen hatte.

Tirschbein zuckte im Schlaf. Er hörte auf zu seufzen, und die Brille, die an einer Schnur um seinen Hals hing, bewegte sich auf seiner Brust. Die eine Hand hing ihm an der Seite herunter, die andere lag zwischen seinen gespreizten Beinen, wobei sein Daumen und der Zeigefinger sich locker berührten und einen Kreis bildeten. Ich las den ersten Brief der Dichterin nicht zu Ende, sondern griff nach dem nächsten, der ebenfalls undatiert war. Ich hob meine Stimme, als spräche ich laut vor mich hin.

Tejbele Zuker äußerte sich wieder über gemeinsame Spaziergänge im Wald. Sie dachte auch über die Lesung nach, die Tirschbein während seines zweiten Aufenthalts in Bendin gehalten hatte, »Der Dichter und sein Körper«. Sie erinnerte sich noch an die Abschnitte seines Vortrags und erwähnte sie in ihrem Brief. Nicht um mit ihrem guten Gedächtnis zu prahlen, sondern um ihm zu beweisen, wie tief sie von dem, was er gesagt hatte, beeindruckt war: Der Dichter und sein Schlafzimmer und der Dichter auf dem Krankenlager. – Die Kette der Generationen um den Hals des Dichters. – Der Dichter und die Liebe der Frauen. – Die Frauen

und der Haß des Dichters. – Erlösung durch Blut und
Erlösung durch Glück. – Das Gewirr aus Moral, Ethik,
Schönheit und Egoismus und Altruismus. – Expressio-
nismus im Körper des Menschen.

Tejbele Zuker wollte wissen, was Tirschbein genau
meinte, als er in seinem Vortrag sagte, daß diejenigen
recht hätten, die Dichter haßten, und am meisten recht
hätte der Dichter selbst. Wie schön er doch seine These
vom Volk, das auf die Ankunft des Dichter-Messias
wartet, begründet habe. Sie erzählte auch, daß es ihr
gelungen sei, in einer Buchhandlung in Lodz seine
Broschüre »Tausend Jahre Jiddisch in Polen« aufzutreiben. Sie habe sie schon zweimal gelesen und sei von
dem Pathos der Geschichte beeindruckt, die Tirschbein in der Einleitung erzählte: vom Echo, das vom
Himmel zurückkam, als die Juden die Erde Polens
betraten: »Po lin«. Ferner erkundigte sie sich nach
Informationen über Jehuda Blojschtajn, den Besitzer
der größten Bibliothek der Welt über jüdische Friedhöfe. Und wann würde Tirschbeins Broschüre ins Polnische übersetzt, damit auch die polnischen Intellektuellen erführen, daß Polen und Juden ein gemeinsames
Schicksal haben. Auf Tirschbeins Einfluß hin habe sie
angefangen, polnische Literatur zu lesen und ihren
geistigen Horizont zu erweitern. Ihre Kusine aus Lodz
schicke ihr polnische Bücher, unter anderem Werke
des Priesters Kalinka und des Schriftstellers Tschartoriski. In einer Broschüre, die sich mit der polnischen
Geschichte befasse, habe einer von beiden geschrieben,
daß die Juden keine natürlichen Bewohner Polens
seien und auch nach Jahrhunderten noch als Durchrei-
sende betrachtet würden. Die Freiheit, die man ihnen

in den verschiedenen Zeiten zugestanden habe, sei kein Entgelt für ihre guten Dienste gewesen, sondern durch Lösegeld und Bestechung erkauft, und diese Bestechung habe den polnischen Menschen korrumpiert.

Tejbele Zuker führte in ihrem Brief auch die Ansichten des Priesters Kalinka über das jüdische Volk an: Sie sind gottesfürchtig, haben aber keine Selbstachtung; sie sind geldgierig, öffnen aber ihr Portemonnaie für die Armen; jeder einzelne von ihnen wird für Geld seine Seele verkaufen, ist aber trotzdem bereit, ein Vermögen für die Freiheit zu bezahlen, seinem Gott zu dienen; sie verhalten sich demütig nach außen, doch in ihrem Herzen schmieden sie böse Pläne; sie verabscheuen Arbeit, doch niemand arbeitet so schwer wie sie; sie sind Realisten, die sich in vergeblichen Träumen verlieren; alles findet man bei ihnen, von der Reinheit des Körpers bis zu Abschaum und Schmutz. Sie haben sich in Polen verbreitet wie eine Epidemie.

»Stimmt das, was sie über uns schreiben?« fragte Tejbele Zuker und versprach, bald nach Warschau zu kommen. Tirschbein war ihr nicht mehr fremd, nach ihren ausgedehnten, verzauberten Spaziergängen. Sie würde zu ihm nach Warschau kommen, und er würde mit ihr auf dem Friedhof in Gensche herumgehen und ihr das Grab von Peretz zeigen.

In ihrem letzten, ebenfalls undatierten Brief teilte sie ihm mit, sie habe die Adresse ihres Vaters in Argentinien herausgefunden. Sie sei froh, Polen zu verlassen, die Zukunft hier verheiße nichts Gutes für die Juden. Nun habe sie schon einiges über den Priester Kalinka und den Historiker Tschartoriski erfahren. Beide lebten im vorigen Jahrhundert, vielleicht noch früher.

Doch die heutigen Polen seien auch nicht besser. Im Zug habe sie ein Gespräch zwischen polnischen Studenten gehört, die sich ausmalten, wie jüdische Mädchen abgeschlachtet würden, falls Hitler Polen erobern sollte. Sie habe mit dem Rücken zu ihnen gesessen, und obwohl die Studenten sie bemerkten, hätten sie wegen ihrer blonden, bis auf die Schultern reichenden Lokken, ihrem langen Hals und der Stupsnase nicht vermutet, daß sie Jüdin sei. Wohl auch, weil es an einem Schabbat war. Sie sei nach Lodz gefahren, um Pässe für ihre Familie zu besorgen.

Sie stellte sich schlafend, und die Studenten zählten fröhlich auf, was sie alles mit den jüdischen Mädchen machen würden, bevor sie sie umbrachten. Ob sie Einzelheiten schreiben müßte? fragte sie Tirschbein. Sie hatte gehört, daß es in Argentinien Schriftsteller gebe, die jiddisch schrieben, und in Buenos Aires erscheine eine jiddische Zeitung. Sie habe vor, dort in einer jüdischen Schule zu arbeiten, als Lehrerin für Literatur. Was ihr Vater dort tue, wisse sie nicht. Und noch etwas wolle sie ihm mitteilen, er sei der einzige, dem sie es erzählen könne, und er solle es bitte für sich behalten: Vor zwei Wochen hatte sie, das erste Mal in ihrem Leben, mit einem Mann geschlafen. Es war gut. Es war gut, schrieb sie, was für ein süßes Gefühl.

Neben dem Brief fand ich in der Mappe das Programm einer Theateraufführung in Uruguay und auf dessen Rückseite Anmerkungen in Tirschbeins Handschrift, flüchtig notiert in dem dunklen Saal während einer Aufführung von »Mann und Frau – ewige Konfrontation«.

Ich las die Namen der Schauspieler und des Autors,

eines gewissen Gerschon Pralow, die Adresse des Saals, die Angaben von Uhrzeit, Tag und Monat. Das Jahr war nicht angegeben. Auf der letzten leeren Seite des gelben Programms hatte sich Tirschbein, um es nicht zu vergessen, notiert, daß er neulich, als er in San Diego war, um Spenden für das jüdische wissenschaftliche Institut zu sammeln, Tejbele Zuker aus Bendin getroffen hatte. Ein guter Stoff für eine Novelle, hatte er notiert. Was ihm beim Zusammentreffen mit Tejbele Zuker eingefallen war, fand ich später in dem dicken Notizheft, in dem er seine Gedanken und Themen für Artikel, Theaterstücke, Romane und Gedichte festhielt. Ein schönes, begabtes junges Mädchen verliebt sich in einen Schriftsteller mittleren Alters. Der Schriftsteller ist stolz auf das Vertrauen, das ihm das Mädchen entgegenbringt, und sie verrät ihm ihre intimsten Geheimnisse. Doch ihre Wege trennen sich, und als sie sich nach Jahren wiedertreffen, ist aus dem anmutigen Mädchen eine dicke, reiche Matrone geworden und aus dem stolzen Dichter ein Bettler.

Tejbele Zukers Briefen war nicht zu entnehmen, ob sie jemals nach Warschau gekommen war, bevor sie Polen verließ, und ob sie mit Tirschbein über den Friedhof zum Grab von Peretz gegangen war. Doch mit der Dichterin Sara Jurberg aus Brisk war Tirschbein auf dem Friedhof spazierengegangen. An einem schönen, sonnigen, verschneiten Wintertag standen beide vor dem Grab von Jizchak Leib Peretz und schworen der jiddischen Literatur Treue. J. L. Peretz hatte zu seiner Zeit die Fahne erhabener Ideale hochgehalten, und Tirschbein nahm es auf sich, diese Fahne in seiner Generation zu tragen, er wollte ein

Erneuerer und Wiederbeleber sein. Und wenn es nötig sein sollte, den Schmutz wegzuräumen, der sich auf dem Leben des polnischen Judentums aufgehäuft hatte, wollte er der Besen sein. Vor dem Grab von Peretz, in Anwesenheit der Dichterin Sara Jurberg, rief er:

»Ich werde ihre Ställe ausmisten.«

Deshalb sei es wichtig, sagte er, daß Sara Jurberg nach Warschau käme, um mit ihm zu leben und ihn zu unterstützen. Im Schatten ihrer Liebe und ihrer reichen Begabung könne er die Verleumder ertragen, die ihn bereits jetzt der Heuchelei bezichtigten.

Tirschbein beugte sich vor und küßte den Grabstein von J. L. Peretz. Sara Jurberg tat es ihm nach. Als sie sich wieder aufgerichtet hatte, erzählte er ihr, daß er bei der Grabsteinenthüllung an eben diesem Platz gestanden habe, in einer Pessachwoche, und der Friedhof sei voller Menschen gewesen, vor allem junge Menschen, nicht nur aus Warschau, sondern auch aus den umliegenden Städten und Ortschaften hatten sich versammelt. Die Straßen der Stadt waren schwarz von alten Leuten und Kindern, und alle drängten, sich gegenseitig wegstoßend, zum Friedhof, um möglichst nahe ans Grab zu kommen. Tirschbein selbst war früh da und fand noch einen Platz nicht weit vom Grab. Er war damals schon ein angesehener Mann gewesen, hatte einen Gedichtband und einen Roman veröffentlicht, und ein zweiter Roman existierte bereits als Manuskript. Schon seit dem frühen Morgen saßen Menschen auf den Grabsteinen oder waren auf die Bäume der Allee der Dichter geklettert. Tirschbein wußte, daß er diesen Anblick nicht so schnell vergessen

würde. Er lauschte gespannt der Rede, die der Schriftsteller Schalom Asch von einem Podium herab hielt.
Neben ihm stand eine prachtvolle Frau mit einem Um-
hang bis zum Boden, von der Tirschbein den Blick
nicht abwenden konnte: Frau Matilda Asch.

Sara Jurberg drückte Tirschbeins Hand und versprach ihm, mit dem Fleischessen aufzuhören, sie
würde Vegetarierin werden wie er. Sie würde nach
Warschau kommen, ihm zur Seite stehen und ihn mit
allen Kräften unterstützen. Tirschbein bat sie, ein paar
Schritte zurückzutreten, dann kniete er nieder und
küßte die Erde, auf der sie gerade noch gestanden
hatte.

»Ich brauche deine Hilfe«, murmelte er und erzählte
ihr etwas, was er in seiner Kindheit gelesen hatte: über
einen stolzen Helden, der immer allein gegen die
Feinde seines Königs gekämpft und jede Schlacht gewonnen hatte. Einmal erhoben sich viele, starke Feinde
gegen den König, und er fürchtete, der starke und
treue Held komme nicht allein gegen sie an. Aufgrund
eines Verrats ließ der König seinen Helden einsperren
und drei Monate lang Hunger leiden. Danach befahl
er, den fälschlich Beschuldigten freizulassen. Der Held
solle nun losziehen und gegen seine Feinde kämpfen.
Doch da sagte der Held: Jetzt, nachdem ich gehungert
habe und schwach geworden bin, willst du mich allein
gegen den Feind schicken? Allein kann ich es nicht. Der
König antwortete: Darauf, mein treuer Held, habe ich
schon lange gewartet, aus deinem Mund zu hören, daß
du Hilfe brauchst.

Tirschbein neigte den Kopf vor dem Grab von J. L.
Peretz, nannte Sara Jurberg »meine Zwillingsschwe-

ster« und wiederholte zweimal: »Ich brauche deine Hilfe!«

Dieser Friedhofsbesuch hatte stattgefunden, bevor er D. D. in Paris traf. Die Liebe zwischen ihm und der Dichterin war auf ihrem Höhepunkt und füllte vor allem ihre Briefe. Sara Jurberg kam nach Warschau, denn ihre Treffen in Brisk waren zu schwierig geworden. Ihr Ehemann war eifersüchtig, und ihre Abwesenheit zu den seltsamsten Stunden des Tages oder der Nacht hatte seinen Verdacht geweckt. Sie wartete am Bahnhof auf Tirschbein, wenn er zu irgendwelchen Lesungen unterwegs war und in Brisk umstieg, damit er ein oder zwei Stunden mit ihr in einem gemieteten Zimmer verbringen konnte. Es war eine hastige, vom Schrecken begleitete Liebe, ganz anders als in ihren Briefen. Einmal schrieb Tirschbein, er habe sie in ihrem Bett liegen sehen, eine Hand an der Seite herunterhängend. Er habe begonnen, die Finger ihrer weichen Hand zu küssen, bis hinauf zu ihrer Achselhöhle, deren Haare er so gerne mit den Lippen berührte. Doch sie hatte sie abrasiert. Er war überzeugt, daß dies der Grund für sein Versagen bei ihren hastigen Zusammentreffen war. Er habe ihre nackten Achselhöhlen nur berührt, da wußte er schon, daß alles vergeblich war, daß er es wieder nicht schaffen würde. Deshalb schrieb er: »Laß dir die Haare unter den Armen wieder wachsen!«

Und Sara Jurberg berichtete in einem ihrer Briefe, daß sie mit ihrem Mann schlafe, um ihre Pflicht zu erfüllen, doch sie erlaube ihm nie, ihr Hemd über den Bauch hinauf hochzuschieben. Ihre Brüste bewahre sie für Tirschbein.

»Meine Brüste gehören dir«, schrieb sie.

Tirschbein bat sie, sie möge ihm ihr Nachthemd schicken. Außerdem hatte er die Idee, sie könnten gemeinsam einen Band mit Gedichten veröffentlichen. Seine Gedichte sollten unter ihrem Namen erscheinen, so würden sie eins, im Körper und im Geist. Gemeinsam würden sie die jiddische Literatur und den Geist des polnischen Judentums erheben. Das polnische Judentum würde eine universale Ideologie hervorbringen, diesmal gekreuzt mit den Ideen des Königsberger Philosophen Immanuel Kant. War es nicht Kant, der sich für ein weltweites Treffen der großen Denker seiner Zeit einsetzte, um ein Programm für den ewigen Frieden unter den Völkern auszuarbeiten? Immanuel Kant war es nicht gelungen, doch Tirschbein hatte die Vision, daß ein solcher Kongreß stattfinden würde, in naher Zukunft, und dann käme auch die Stunde der jiddischen Literatur, den Völkern ihre große Botschaft zu verkünden, und so würde das jüdische Volk zum Vorbild der Völker. Das Ende des Nationalismus! Jeder hätte das Recht, sich Weltbürger zu nennen.

Als sie am Grab von J. L. Peretz standen, auf dem Friedhof in Warschau, zog Tirschbein eine Nadel vom Revers seines Mantels und bat Sara Jurberg, sich damit in den Finger zu stechen. Obwohl er Vegetarier war, wollte Tirschbein einen Tropfen ihres Blutes aufsaugen, doch unter der Bedingung, daß es ihr nicht weh tue. Das waren seine Worte:

»Meine Zunge ist begierig nach einem Tropfen Blut von dir.«

Wieder näherte sich der Lautsprecher von Me'a Sche'a-rim unserer Straße, und Tirschbein wachte auf. Er setzte seine Brille auf, die auf seiner Brust gelegen hatte, schaute mich mit weit aufgerissenen Augen an und sagte, wir würden zur Beerdigung gehen. Er stand auf, ging zu seinem Tisch und schrieb eine neue Anzeige für die Zeitungen, daß ein Verwandter Schlomo Bitmans, er ruhe in Frieden, gesucht würde, ein Erbe des Freundes der jiddischen Literatur.

Zweiter Teil

14

Sieben Tage, bevor Tirschbein Polen verließ, um auf dem Weg zu D. D., die in New York auf ihn wartete, nach China zu fahren, erfuhr er, daß sie mit seinem guten Freund, dem großen Dichter Leib Dubschin, geschlafen hatte. Tirschbein schrieb ihr eine kurze Antwort auf ihren Brief:

»Meine Liebe zu Dir hat sich versiebenfacht.«

Auch in seinem Tagebuch notierte er unter diesem Datum genau diese Worte. Doch diesmal reichte ihm das Schreiben nicht, er hatte das Gefühl, er müsse jemanden mit einbeziehen. In Warschau hatte er keine Freunde. In den Briefen an die Dichterin von Brisk hatte er gelegentlich seine Einsamkeit beklagt. Manchmal zog er es auch vor, allein zu sein; es sei besser, schrieb er ihr, daß es niemanden kümmere, wenn er plötzlich auf der Straße tot umfiele. Er korrespondierte weiter mit ihr, auch nachdem ihre Liebe schon längst erloschen war. Zwischen ihnen habe sich eine, wie er es nannte, reine Freundschaft erhalten. Doch auch ihre Freundschaft lebte, wie vorher die Liebe, nur in ihren Briefen. Er erzählte ihr in allen Einzelheiten von seiner Liebe zu D. D. Bei Sara Jurberg habe er sich geirrt, doch D. D. sei die echte Schwester, die er sein Leben lang gesucht hatte, die vollkommene Frau für ihn. Im letzten Brief, den er aus Polen an Sara Jurberg schrieb, beschwerte er sich darüber, daß D. D. ihn betrogen hatte, und bekannte ihr seine Angst, die Reise nach China könne für ihn zu einer Reise in den Tod werden. Auf diesen Brief antwortete Sara Jurberg nicht, statt dessen schickte sie ihm ein halbes Dutzend Taschentücher mit ihrem gestickten Monogramm, damit er etwas habe, womit er sich die Tränen abwischen könne.

Über die Erregung, die ihn bei seiner Abreise aus Polen gepackt hatte und die sich im Lauf der Jahre nicht legte, schrieb er in einem Brief an sich selbst. Er besaß eine gesonderte Mappe für Briefe dieser Art. Als er erfuhr,was zwischen D. D. und Leib Dubschin geschehen war, schickte er sofort ein Telegramm an die Direktion von ORT-OSE in Paris, ob es nicht doch möglich sei, in letzter Minute seine Reiseroute nach China zu ändern: nicht über Stockholm, Leningrad, Moskau und Sibirien, sondern über London nach New York und von dort aus weiter nach China. Und vielleicht habe sich für ihn ja auch schon eine Stelle als Vertreter der Organisation in den Vereinigten Staaten ergeben.

Der Sekretär von ORT-OSE, ein Mann namens Doktor Minkow, antwortete mit einem Telegramm an Tirschbein, er müsse sofort nach Paris kommen, wie abgemacht, damit man die Einzelheiten seines Auftrags von Angesicht zu Angesicht besprechen könne. Dann würde man auch endgültig über seine Reiseroute beschließen. In einem folgenden Brief schrieb er, die neue Route, die Tirschbein vorschlage, komme ihnen sehr abstrus vor, obwohl sein Einverständnis mit einem niedrigen Gehalt die Direktion sehr beeindruckt habe, ebenso habe ihnen die Auflistung seiner Ideale, die er ihnen neulich habe zukommen lassen, sehr gefallen. Doch Tirschbein dürfe nicht vergessen, schrieb Dr. J. Minkow, der Sekretär, daß die Organisation ORT-OSE, wenn sie ihren Auftrag, Institutionen zur Erziehung und zur Förderung der Gesundheit jüdischer Kinder in Europa zu erhalten, erfüllen wolle, vor allem Geld brauche, Geld, Geld und noch einmal Geld. Sie wären nicht an der Haggada interessiert, sondern an den *knejdlech.*

»*Di knejdlech,* Herr Tirschbein, *di knejdlech!*«

Erst nach den Feiertagen begann ich damit, die Briefe und Belege zu katalogisieren, die zu Tirschbeins Reise nach China gehörten. Er wollte sie nach ihrem emotionalen Gehalt sortiert haben, nicht chronologisch. Emotionalität verleihe dem Roman mehr dramatischen Schwung. Immanuel Kant habe, seiner Meinung nach, nicht recht, wenn er sage, daß die Instinkte die Vergeistigung des Menschen verringerten. Kant hatte kein entwickeltes Gefühl für Poesie, und den beispielhaften Dichtern seiner Zeit – Goethe, Schiller, Wieland – stand er kühl, ja gleichgültig gegenüber. In sein Buch »Gesicht in den Wolken«, sagte Tirschbein, würde er auch relativ unbedeutende Dokumente einstreuen. Kleine Einzelheiten, Nebensächliches, Alltägliches fesseln die schöpferische Phantasie. Ich legte, zur Verwendung im Buch, ein Empfehlungsschreiben von Professor Albert Einstein zur Seite, der damals, zusammen mit Lord Rothschild, dem Mitglied der Royal Academy of Science, Ehrenpräsident von ORT-OSE war. Ich zählte sieben Empfehlungsschreiben Einsteins, allesamt Kopien, gerichtet an die Juden in Asien und alle mit Einsteins Unterschrift versehen, alle sieben, doch nur auf einer Kopie hatte Einstein einen Punkt hinter die Unterschrift gesetzt.

Dieser Kopie mit dem Punkt hinter Einsteins Unterschrift war mit einer verrosteten Nadel ein Zettel mit einer Anmerkung Tirschbeins beigeheftet: Siehe meine Aufzeichnungen zu der beleidigenden Arroganz Mellmans, des Juden, der von Warschau nach Schanghai gezogen und mit drei chinesischen Frauen verheiratet war. Von ihm habe ich das Stück Pergament von einer Mesusa bekommen. Siehe auch seinen nützlichen Rat, Victor Sasson, dem reichsten Juden Chinas, Einsteins Empfehlungsschreiben nicht vorzulegen, weil er dann nicht einen einzigen Dollar spenden würde. Victor Sasson, erzählte Mellman, sei sehr aufgebracht darüber, daß ein aschkenasischer Jude, von dessen Herkunft man nichts wisse, solch weltweite Berühmtheit erlangt habe. Auch dem Empfehlungsschreiben Lord Rothschilds hatte Tirschbein einen Zettel beigeheftet, auf dem er die Herkunft der Familie Esra skizzierte, die ihren Ursprung bis zum Propheten Esra aus den Tagen des zweiten Tempels zurückführen konnte. Tirschbein hatte notiert: 1. ihren Sohn nicht vergessen, den Redakteur einer englischsprachigen Wochenzeitung; 2. die Liebesgeschichte des Redakteurs mit einer jungen Frau aus Wilna; 3. Empfang im Haus seiner Eltern; 4. die Unruhe, die als Folge dieses Empfangs unter den aschkenasischen Juden in Schanghai entstanden ist; 5. Geld für ORT-OSE; 6. die große Enttäuschung.

Auf der Rückseite von Lord Rothschilds Empfehlungsschreiben fand ich die eilig angefertigte Abschrift eines Briefes an D. D., in dem Tirschbein bat, sie möge ihm Einzelheiten über ihre Liebesnacht mit Leib Dubschin mitteilen. Er wollte das Datum und den Ort wissen, ob es in einer Privatwohnung passiert sei oder in einem Hotel. Er versicherte ihr auch, daß er glücklich sei in seiner Einsamkeit, da er nun wisse, daß wenigstens sie nicht mehr einsam sei.

Ich sortierte allerdings nicht täglich die Unterlagen, die Tirschbeins Mission in China betrafen. Als Folge der neuerlichen Anzeige, die Tirschbein in die Zeitung hatte setzen lassen, kamen wieder Briefe von Verwandten Bitmans an. Ein altes Ehepaar aus dem oberen Nazareth schrieb, sie seien zu schwach für die lange Reise nach Jerusalem, aber wenn wir sie zu Hause besuchten, könnten sie ihre Verwandtschaft mit dem Verstorbenen beweisen. Auch eine Witwe aus dem Kibbuz Jalon im Jesreel-Tal erklärte in allen Einzelheiten ihre Verwandtschaft mit Schlomo Bitman. Tirschbein nickte und meinte, es könne sein, daß endlich die richtige Erbin gefunden sei.

Inzwischen hatten wir uns auch wieder mit Itzik Issler getroffen, der noch einen weiteren Schriftsteller zu unserer Verabredung mitgebracht hatte, einen Mann mit einer dunklen Sonnenbrille. Er saß die ganze Zeit daneben, als wäre er taubstumm. Erst am Schluß, als wir uns schon verabschiedeten, stand er auf und erklärte:

»Und ich habe nichts gesagt.«

In seinem Brief an Tirschbein, der diesem Treffen vorausging, hatte Issler bereits angekündigt, daß er nicht allein kommen werde, sondern den Schriftsteller Schmu'el-Josef Nojbisch mitbringen werde, den Tirschbein vermutlich noch aus den Warschauer Tagen kenne. Schmu'el-Josef Nojbisch hatte persönlich noch einen Satz hinzugefügt: »Du mußt Dich an mich erinnern, denn ich rede schon seit dreiundzwanzig Jahren nicht mehr mit Dir.«

In dieser Zeit beschäftigte ich mich auch mit dem Sortieren der Notizen Tirschbeins zu den Vorbereitungen, die in Me'a Sche'arim für die hohen Feiertage getroffen wurden. Die Beschreibungen der Straßenszenen sollten seiner Ansicht nach ebenfalls einen Platz in seinem Buch finden, damit der Leser erfahre, wo und wann der Roman geschrieben worden sei, sogar bei der Geschichte seines Krankenlagers und dessen glücklichem Ausgang müsse der Leser fühlen, wann und wo sie geschrieben worden sei. Seine Anmerkungen waren kurze Hinweise in folgendem Stil: nicht vergessen die Erscheinung des Mannes in der Malkei-Israel-Straße, der um ein Darlehen bis zur Ankunft des Messias bat. Mit schielenden Augen zählte er die Scheine, die Tirschbein ihm gegeben hatte, damit er wisse, wieviel er bei der Ankunft des Messias zurückzuzahlen habe. Sein Mantel war weit offen, und die Schöße flatterten, und auch sein langer Bart wurde vom Wind in zwei Hälften geteilt, deren Spitzen nach links und nach rechts zeigten, wie seine beiden Mantelschöße, wie seine schielenden Augen, mit denen er beide Seiten der Straße beobachten konnte, ohne den Kopf zu wenden. An diesen drei Zeichen, sagte Tirschbein zu mir, würde er diesen Mann erkennen, wenn der Messias komme.

Ein anderes Ereignis, das Tirschbein in sein Buch aufnehmen wollte, spielte sich zwei Tage vor Jom Kippur ab. Es war schon Abend, als wir in der Jesechkiel-Hanavi-Straße aus dem Autobus stiegen. Die Straße war voller Menschen. Wir hatten wenig Hoffnung, uns einen Weg nach Hause bahnen zu können. Auch der Autobus, mit dem wir gekommen waren, versuchte nicht, weiterzufahren. Der Fahrer öffnete die Tür, machte die Scheinwerfer an und hob die Hände. Eine

Nachbarin Tirschbeins, die wir trafen, sagte, daß hier das Kapporesschlagen stattfinde. Sie war eine anmutige, zierliche Frau mit sechs kleinen Töchtern und einem etwa siebenjährigen Sohn – es war jener Junge mit den blonden Schläfenlocken, dem Tirschbein und ich nicht wie Juden vorgekommen waren. Nun rief er seinen Vater, der ein Huhn über dem Kopf schwang, er solle das Huhn höher halten, weil dessen Füße den Hut seines Vaters berühren:

»Tatte, hecher di kapore!«

Die Mutter erzählte uns inzwischen, daß die Hausfrauen unserer Tage sich weigerten, Hühner auszunehmen, sondern sie schon fix und fertig geschächtet und gereinigt kauften. Daher hätten Händler hier in der Gegend Stände aufgemacht und würden lebende Hühner und Hähne verleihen, zusammen mit den dazugehörigen Gebetskarten. Wir sollten uns umschauen, sagte sie, und selbst sehen, was hier los sei. Das hatten wir schon gesehen, noch bevor wir aus dem Autobus gestiegen waren und der Fahrer erst die Scheinwerfer anmachte, sich dann eine Zigarette ansteckte und verkündete, wer jetzt weiterkommen wolle, müsse zu Fuß gehen.

Wieder rief der blonde Junge etwas. Zu seinem Schrecken hatte er bemerkt, daß sein Vater statt eines Hahns ein Huhn gebracht hatte.

»Tatte! ß'is doch a nekejve!«

Das Tier wurde umgetauscht, und nachdem der Vater, ein kräftiger, bärtiger Mann, das Gebet wiederholt hatte, war der Junge an der Reihe, doch es war schon dunkel, und er fing an zu jammern:

»Tatte, ch'sej nischt!«

Der Vater schaute sich auf der Suche nach irgendeinem Licht um, und als er die brennenden Busscheinwerfer entdeckte, sammelte er seine ganze Familie, seine zerbrechliche Frau, seine sechs Töchter und den Sohn, die beiden Hühner und das Blatt mit den Gebeten und führte alle zu dem Autobus. Der Sohn, der die Scheinwerfer kaum überragte, konnte in ihrem Licht die Gebete lesen und erhob die Stimme. Der Vater hob den Hahn hoch und schwang ihn um den Kopf des Jungen. In der Windschutzscheibe tauchte plötzlich vor den Augen des Fahrers, der darauf wartete, daß sich die Straße leerte, ein Huhn mit ausgebreiteten Flügeln auf. Der Fahrer machte seine Zigarette aus, und zusammen mit der Hupe klang die klare Stimme des Jungen, der voller Freude in das Licht hinein sang:

»Die Menschen leben in der Dunkelheit und im Schatten des Todes.«

Ungefähr in dieser Zeit wollten wir auch Benjamin Hartiner, den vergessenen Schriftsteller, aufsuchen. Er hatte Tirschbein eine lange Novelle zugeschickt, die vor ewigen Zeiten auch schon in einem Buch erschienen war. In der Vergangenheit hatten die Kritiker Hartiner vorgeworfen, er führe in seinen Büchern den Gojim die Juden von ihrer häßlichen Seite vor. Ein amerikanischer Kritiker, irgend jemand namens Stiger, hatte Hartiner einen Feind Israels genannt, einen »nobody«. Schon lange hatte Hartiner seine armseligen Helden in ein besseres Licht rücken wollen, doch Zipora, seine Frau, sie ruhe in Frieden, war dagegen gewesen. Nun, als Witwer, wollte er nicht, daß man wieder schlecht über ihn redete, deshalb hatte er seinen Dieb aus der ersten Fassung zu einem frommen Schofar-Bläser gemacht. Das alles hatte er in einem Brief geschrieben, den er der überarbeiteten Novelle beigelegt hatte.

Die Novelle, der Brief und ein zufälliges Zusammentreffen mit Hartiner an der Kreuzung spornten Tirschbein an, Hartiner wieder aufzusuchen und sich einen Weg zu überlegen, wie man ihm helfen könnte. Dieses zufällige Zusammentreffen hatte nach der Verabredung mit Issler und dem Schriftsteller Schmu'el-Josef Nojbisch stattgefunden. Issler war gekommen, um Tirschbein zu warnen, daß es besser für ihn sei, Schlomo Bitmans Erbe dem jiddischen Schriftstellerverband in Tel Aviv zu übergeben, bevor sich das neugegründete Komitee weiter in die Angelegenheit vertiefe. An dieser Stelle wurde Tirschbein klar, daß Issler bereits etwas wußte und die Wahrheit bald ans Licht käme. Issler hatte schon die Witwe aus dem Kibbuz Jalon getroffen, und es hatte sich herausgestellt, daß sie Bitmans Stiefschwester war.

Wir sprachen über sie auf dem Heimweg, und als wir an der Kreuzung darauf warteten, daß die Ampel grün wurde, entdeckten wir Hartiner, der neben uns stand, auf dem Kopf das französische Barett mit der Quaste. Er trug eine dunkle Brille und hielt einen Stock in der Hand. Als die Ampel umsprang, streckte er den Stock vor und ertastete sich seinen Weg wie ein Blinder. Tirschbein nahm ihn am Arm, aber Hartiner, der seine Hand fühlte, stieß ihn zurück. Erst als ein junges Mädchen ihn an der Hand nahm, ließ er sich willig führen, während er ihre Hand streichelte. Wir warteten auf der anderen Seite auf ihn, um mit ihm zu gehen, denn schließlich waren wir fast Nachbarn, doch er blieb auf dem Gehsteig stehen, genau an der Stelle, wo ihn das junge Mädchen verlassen hatte, und schaute uns an wie ein Blinder. Diesmal war sein Bart gepflegt, ohne Knoten und ohne Strähnen, sondern luftig, sauber und weich. Er trug eine helle Hose und eine geblümte Strickjacke, die den Blick auf ein weißes Hemd und eine elegante schwarze Fliege freiließ.

»Der arme Kerl«, sagte Tirschbein und ging auf ihn zu, doch Hartiner drehte den Kopf zur Ampel und wartete auf das nächste junge Mädchen, das ihm helfen würde, die Straße zu überqueren. Schon als wir ihn das erste Mal trafen, hatte Hartiner geklagt, daß er sich seit dem Tod seiner Frau manchmal nach der Berührung einer weichen weiblichen Hand sehnte.

15

Als wir zu Hartiner kamen, einige Zeit, nachdem wir ihn an der Straßenkreuzung getroffen hatten, stießen wir auf eine Menschenansammlung vor dem Haus. Alisa, seine Schwester, die er nach dem Tod seiner Frau zu sich genommen hatte, stand im Eingang, in einem roten Kleid und mit wirren Haaren. Sie schlug die Hände zusammen und sang mit heiserer Stimme:

>»Er kommt heimlich zu mir,
>und küßt meine Glieder.«

David Dobson stand mit ausgebreiteten Armen vor ihr und schützte sie vor den Fäusten Bereles, des großen Blonden. In einiger Entfernung von den Männern war die Besitzerin des Lebensmittelgeschäfts zu sehen, und ihr Doppelkinn, das diesmal seltsam nackt aussah, zitterte. Ihre schwangere Schwiegertochter, die ebenfalls bereits ein kleines Doppelkinn besaß, beschimpfte Hartiners Schwester über die Köpfe der Männer hinweg, wobei sie ihre Worte mit Armbewegungen begleitete.

»Was ist hier los?« fragte Tirschbein einen alten Mann mit einem zerbeulten Hut.

»Eine Verrückte«, antwortete er auf jiddisch. Alles an ihm wirkte irgendwie zerknittert, angefangen von den Schuhen bis zu der weißen Kipa, die unter dem schwarzen Hut hervorschaute. In der einen Hand hielt er eine durchsichtige Plastiktüte, in der sich drei Eier befanden, die andere Hand hatte er, zur Faust geballt, gegen Alisa erhoben.

»*A meschigene sojne!*«

Alisa, hinter Dobsons Rücken, fuhr fort zu singen, und ihre heisere Stimme bekam nun einen jammernden Unterton:

»Und ich spreize meine Beine...«

Tirschbein suchte Dobsons Blick. In diesem Moment trafen Bereles Fäuste Alisas Gesicht. Dobson drehte sich um, hob Alisa hoch und trug sie in den dunklen Eingang zur Treppe. Der heisere, jammernde Klang ihrer Stimme verstärkte sich noch, und wie eine zerbrochene Platte wiederholte sie immer wieder:

»Und ich spreize meine Beine, spreize meine Beine, spreize meine Beine...«

Ihre Stimme wurde leiser, bis sie nicht mehr zu hören war, und die Leute gingen auseinander. Wir blieben am Eingang stehen. Tirschbein wollte sich beruhigen. David Dobson fing an, ihm zu gefallen. Noch am Tag unseres ersten Zusammentreffens, als ich ihm erzählt hatte, daß Dobson ihn als Propheten unserer Tage bezeichnet hatte, hatte er diesen Spruch in sein Notizbuch geschrieben, und einige Wochen später notierte er, daß er sich eigentlich diesem Mann nähern wolle, sowohl als Nachbar als auch als verirrte Seele.

Die Leute verstreuten sich langsam, und auch Tirschbein beeilte sich nicht. Wir waren schon einmal Zeugen eines ähnlichen Vorfalles gewesen etwa einen Monat vorher, als Berele eine Reporterin von »Haarez« angegriffen hatte und ihr in einem gelben Taxi durch die Me'a-Sche'arim-Straße gefolgt war. Ich begleitete Tirschbein an jenem Tag zu einer Bäckerei, um *Mandlbrojt* zu kaufen. Das sei ein knuspriger Kuchen, sagte Tirschbein, den man zwar auch in anderen Bäkkereien kaufen könne, doch der Bäcker in der Schwatei-Jisrael-Straße sei besonders fromm und mische nie im Leben irgendwelche neuen Gewürze, die in den letzten Jahren aufgekommen seien, in seinen Teig. Und wenn er, Tirschbein, diesen Kuchen in eine Tasse kalte Milch tunke, schmecke er wieder den Kuchen, den seine Mutter für die Feiertage gebacken hatte, als er noch ein Kind war.

Wir hatten die Reporterin an jenem Tag zweimal getroffen. Zuerst am frühen Nachmittag, nach einer Demonstration in der Schomrei-Imunim-Straße, und dann noch einmal etwa eine Stunde später, als wir hintereinander – Tirschbein voraus, ich hinterher – den schmalen Gehweg der Me'a-Sche'arim-Straße entlanggingen. Sie lief vor Tirschbein her, und ihr ungekämmter blonder Pferdeschwanz sprang mir in die

Augen. Diesmal kam Berele von hinten, in einem gelben Taxi, streckte seinen Kopf aus dem offenen Fenster und schrie zu ihr hin:

»Hethiterin!«

Auch in der Schomrei-Imunim-Straße, als wir zusammen mit der Reporterin darauf gewartet hatten, daß sich die Leute sammelten und die Demonstration endlich anfing, hatte er ihr etwas Ähnliches zugerufen, etwas, was die junge Reporterin als Kompliment aufgefaßt haben mußte, denn sie winkte ihm freundlich von ihrem Platz im schmalen Schatten eines Lichtmastes zu. Berele befand sich auf der Bühne und prüfte das Mikrofon und die Anschlüsse für die Lautsprecher, die sich auf einigen Dächern von Batei-Ungarn befanden. Sein schwarzer, breitkrempiger Hut betonte, zusammen mit seinem weißen Hemd, die blonden Schläfenlocken, die ihm bis auf die breiten Schultern reichten und die in der Sonne wie Gold auffunkelten. Berele hob das Mikrofon zum Mund und rief in ihre Richtung, mit einer Stimme, die die angrenzenden Häuser erzittern ließ:

»Hethiterin!«

Die junge Frau sah sehr hübsch aus in ihrem ärmellosen langen Kleid, den hochhackigen Sandalen und dem Pferdeschwanz, der ihr nach vorn über die Schulter hing und sich um ihren langen, schmalen Hals ringelte. Sie war gekommen, um für ihre Zeitung über das Ereignis zu berichten, erzählte sie Tirschbein, doch außer uns war bisher noch niemand gekommen, um gegen die Entweihung der Knochenfunde zu demonstrieren. Die Hitze war in den Nachmittagsstunden noch größer geworden.

»Hersch-Salman, wo sind die Plakate?« rief Berele einem großen, dünnen jungen Mann mit einem spärlichen Bart und einem Buckel unterhalb der rechten Schulter zu, der an der anderen Seite des Platzes auftauchte, hinter den Ständen des kleinen Markts. Hersch-Salman zog seine verkrüppelte Schulter noch höher und rief, es sei ihm zu heiß, um die Plakate zu schleppen. Damit verschwand er im Schatten einer der leeren Marktstände.

Einige Kinder sammelten sich um die Bühne, ein kleiner geduckter Junge mit Brille fragte Berele auf jiddisch, indem er auf die leicht entblößte junge Frau deutete, ob man schon anfangen könne, sie mit Steinen zu bewerfen. »*M'ken schojn warfn schtejner?*«

Die Reporterin verließ den schmalen Schatten des Strommastes, warf dem Mann auf der Bühne ein verlegenes Lächeln zu und schickte sich an, den Ort zu verlassen. Zu Tirschbein sagte sie, sie wolle nicht mit leeren Händen zu ihrer Redaktion zurückkehren, deshalb habe sie vor, sich noch ein bißchen im Viertel umzusehen. Auch wir gingen bald, doch auf dem Weg nach Hause erinnerte sich Tirschbein an das *Mandlbrojt,* und wir gingen die Me'a-Sche'arim-Straße wieder zurück, hinter der jungen Frau her. Da kam Berele in dem gelben Taxi, streckte den Kopf aus dem geöffneten Fenster. Auch nachdem er die Reporterin ein zweites Mal angeschrien hatte, ließ er nicht locker. Er befahl dem Taxifahrer, langsam neben der Frau auf dem schmalen Bürgersteig herzufahren, schob seinen Kopf aus dem Fenster und schrie ihr zum dritten Mal zu:

»Jebusiterin!«

Die junge Frau schaute nicht zu ihm hin, als sei sie

überhaupt nicht gemeint, und nur ihr Pferdeschwanz hüpfte schneller. Für einen Moment war sie Bereles Blick entzogen, als sie an einem schwarzen Lieferwagen vorbeiging, der mit zwei Rädern auf dem Gehweg parkte, und als sie wieder auftauchte, hielt das gelbe Auto bereits, Berele sprang mit einem Satz heraus, wobei er die Wagentür weit offen ließ, und baute sich in voller Pracht vor ihr auf, sein kleiner Tallit hing über seinem gebügelten weißen Hemd wie ein Schild.

»*Sojne!*« schrie er ihr ins Gesicht. Sie blieb wie angewurzelt stehen, und ihr Pferdeschwanz bewegte sich nicht mehr. Dann antwortete sie ihm in derselben Sprache:

»*Du frumer schmok!*«

Berele packte sie an ihrem blonden Pferdeschwanz und zog ihren Kopf zurück. Die junge Frau griff mit beiden Händen nach seinen goldenen Schläfenlocken und zog ebenfalls an ihnen. Ihr Oberkörper war nach hinten gebogen, und Berele schien sich über sie zu neigen. Später schrieb Tirschbein in sein Tagebuch, die beiden hätten ausgesehen, als tanzten sie einen Liebestanz.

Auch diesmal mischte sich David Dobson ein. Plötzlich erschien er, die Kipa auf dem Kopf, die Haare hinten mit einem Ring zusammengehalten, in einem schwarzen, ärmellosen Hemd, das seine tätowierten Arme freiließ. Er riß die beiden auseinander, und dabei fiel die Sonnenbrille der jungen Reporterin zu Boden, und man sah ihre erschrocken aufgerissenen Augen. Plötzlich war sie von einigen Jeschiwa-Studenten umringt, und ein junger Chassid, ein Rothaariger in Schwarz, hob einen Stock. Sie wich zurück bis an die

Wand, und plötzlich hob sie mit beiden Händen den Rock ihres langen Kleides, um die Männer zu erschrecken.

»Hau ab!« schrie sie Berele an.

Sie bückte sich und zog schnell ihre Sandalen aus, und als sie die offene Tür des Taxis bemerkte, sprang sie hinein. Berele stopfte sich die Schläfenlocken unter den schwarzen Hut, schaute sich mit einem mörderischen Blick um, und da er die junge Frau nicht entdeckte, sprang auch er in das Taxi und knallte die hintere Tür zu. Das Taxi fuhr unter lautem Hupen los, und die Schaufäden von Bereles kleinem Tallit, der in der Autotür eingeklemmt war, flatterten im heißen Wind.

Als sich die Leute verlaufen hatten und der Autobus über die Sonnenbrille gefahren war, die auf der Straße lag, gingen wir in die Bäckerei. David Dobson betrat die kleine Synagoge für das Mincha-Gebet, und auf dem schmalen Gehweg blieben, dicht an der Wand, nur ein paar Sandalen mit hohen, dünnen Absätzen zurück.

16

Nachdem Dobson die kranke Alisa in Hartiners Wohnung hinaufgebracht hatte, blieben wir noch draußen stehen und warteten, daß Tirschbein die Fassung wiedererlangte. Der Alte mit dem zerbeulten Hut und der Tüte mit den Eiern in der Hand stand noch immer neben uns. Seine andere Hand, vorher zur Faust geballt, streckte er nun Tirschbein offen entgegen, für eine milde Gabe. Tirschbein gab ihm eine Münze und sagte, daß er nun mal einer ausgestreckten Hand gegenüber nie gleichgültig bleiben könne.

»Wohin kommen wir mit Fäusten?« fragte er den Alten, wartete aber nicht dessen Antwort ab, sondern setzte zu einer langen Rede über Toleranz und Humanismus an und begeisterte sich selbst an seinen erhabenen Gedanken. So hatte er sicher in seiner Jugend auf den Straßen Polens gesprochen, so hatte ihn sicher Sara Jurberg zum ersten Mal in Brisk sprechen hören, als er einen Vortrag über die Philosophie Immanuel Kants hielt, und so hatte ihn die junge Dichterin Tejbele Zuker erlebt, als er nach Bendin kam, um über den Leib des Dichters und die Erlösung zu referieren.

Die Barthaare des Alten waren um seinen Mund herum gelb vom Rauchen. Es sei verboten, die Fäuste zu benutzen, sagte Tirschbein zu ihm, wobei er selbst die Hand zur Faust ballte. Sein ganzes Leben lang habe er nicht aufgehört, für den Frieden zu kämpfen. Voller Pathos legte er dem Alten offen, was er in seinem Leben alles mitgemacht hatte. Er sei Schriftsteller und habe die Frauen geliebt. Er erzählte auch von seiner Liebe zu einer jungen Tänzerin, die sich vom jüdischen Volk abgewandt hatte, einer Liebe, die noch immer in seinem Herzen brenne. Noch immer hoffe er, sie wiederzusehen, und das alles würde er in einem Buch aufschreiben.

Der Alte versteckte die Münze in einer geheimen Tasche von einem der beiden Mäntel, die er trug, öffnete den Mund und ließ drei schiefe Zähne sehen, gelb wie sein Bart. Er wartete auf eine kurze Pause in Tirschbeins Rede und fragte:

»Und Tfiln legt Ihr jeden Tag, *Reb Jid?*«

Damit drehte er sich um und schlurfte in seinen zerrissenen Schuhen davon.

Als wir die Treppe zu Hartiners Wohnung hinaufstiegen, sagte Tirschbein, er habe vor, weiter über seine Ideen zu sprechen, um Hartiner zu ermuntern. Er wolle ihn auf jeden Fall davon abhalten, seine Bücher neu zu schreiben. Inzwischen hatten wir nämlich die lange Novelle Hartiners in beiden Versionen gelesen. Den Protagonisten der ersten Version, einen Dieb, hatte er in der zweiten Version aus dem Schtetl nach Israel kommen lassen und ihn vor die Klagemauer gestellt, wo er Schofar blies. So war er Angriffen der Araber ausgesetzt oder in der Gefahr, von der britischen Mandatsregierung eingesperrt zu werden, doch Hartiners neuer Held war bereit, sein Leben aufs Spiel zu setzen, nur um den Schofar vor der Klagemauer zu spielen.

In seiner ersten Fassung hatte man für seinen Protagonisten eine Braut ausgesucht, doch deren Eltern hatten rechtzeitig herausgefunden, mit was sich der Bräutigam beschäftigte, und in letzter Minute, unter der Chuppa, verlangt, daß die Verbindung gelöst wurde. Die Braut fing an zu schreien, daß sie den Baldachin nicht verlasse, ohne getraut worden zu sein, und wenn man ihr diesen Bräutigam wegnehme, müsse man ihr eben einen anderen bringen. Sie hatte genug von ihrer Arbeit. Jahr um Jahr hatte sie auf einem Baumstumpf an einer Straßenkreuzung gesessen und den Vorübergehenden *Bejgelech* verkauft, das wollte sie nicht mehr. Nach der Lektüre dieses Textes hatte Tirschbein mich darauf aufmerksam gemacht, wie schön Hartiner den Holzstumpf beschrieben hatte, auf dem die Braut immer saß, sommers wie winters, viele Jahre lang. Im Laufe der Zeit hatte sich der Baumstumpf verändert und sich in der Form ihres schweren, breiten Hinterns vertieft.

Schon von der Treppe hörten wir das abgehackte Weinen Alisas. Hartiner machte uns die Tür auf, ohne sein französisches Barett auf dem Kopf und ohne Bart. Sein Gesicht, das früher rund gewesen war, wirkte jetzt dreieckig, mit einem spitzen Kinn. Seine Augenwinkel waren rot. Er blickte uns an und sah gleichzeitig durch uns hindurch. Er wirkte abgestumpft, als sei die Melodie in seinem Inneren für immer verstummt.

Auch Alisa, im anderen Zimmer, wurde ruhig. David Dobson führte sie heraus und setzte sie auf einen niedrigen Hocker neben uns. Mit einem langstieligen Löffel begann er, sie mit Reisbrei aus einer tiefen Plastikschüssel zu füttern. Alisa machte ihren Mund jedesmal so weit auf, als wolle sie mit einem Mal die ganze Schüssel verschlucken, und Dobson schob den langen Löffel tief in ihren Mund, wie es ein Vogel mit seinem Schnabel tut, wenn er sein hungriges Junges füttert.

»Das hilft«, sagte Hartiner und schwieg wieder. Es war nicht mehr derselbe Hartiner, den wir an der Kreuzung Jaffa und King George getroffen hatten; es waren seither nur wenige Wochen vergangen, doch es schien, als habe ihn nun auch die Sehnsucht nach der Berührung durch die weiche Hand einer Frau für immer verlassen.

Dobson erklärte, daß er nur durch Füttern, einen Löffel nach dem anderen, Alisas Wahnsinn zurückdrängen könne. Und nur mit Reisbrei, ein anderes Gericht nütze nichts. Und tatsächlich, als Alisa fertig gegessen hatte, ließ sie sich wieder ruhig in ihr Zimmer führen. In ihrem Gesicht, unter ihrem linken Auge, sah man den Abdruck von Bereles Faust, wie ein Fleck auf einem faulen Apfel.

Dobson kam zurück und setzte sich ans Fenster. Durch die Ritzen des heruntergelassenen Rolladens fielen schmale Lichtstreifen. Es stellte sich heraus, daß er bei den Hartiners wie ein Sohn des Hauses war. Schon seit langer Zeit kümmerte er sich um die kranke Alisa, und wenn es nötig war, brachte er sie ins Krankenhaus. Er half auch Hartiner. Im Winter brachte er ihm Petroleum, und im Sommer trug er Wasser vom Hof herauf. Das alles erfuhren wir von Dobson selbst, während Hartiner, auf seinem Bett sitzend, inzwischen eingenickt war.

Tirschbein setzte sich zu Dobson ans Fenster, und die beiden erzählten sich gegenseitig von ihrem Leben. Daß Dobson zur Beerdigung der Rebzn von Biała Podlaska gekommen war, hatte sein Ansehen in Tirschbeins Augen erhöht: Ein junger Mann, der in Amerika geboren und mit der angelsächsischen Kultur aufgewachsen war, sah es als seine Pflicht an, mitten in der Nacht an der Beerdigung einer alten Frau teilzunehmen, die er noch nicht mal gekannt hatte.

Auch andere junge Leute waren gekommen, um der Rebzn die letzte Ehre zu erweisen. Berele half zwei anderen Totengräbern, die Leiche zu tragen. Er war ein ehrenamtlicher Totengräber und beteiligte sich nur an der Beerdigung bedeutender Personen. Ein ganzer Autobus von Jeschiwa-Studenten war zu dieser Beerdigung gebracht worden, und in der stillen Straße war es laut geworden. Trotz der winterlichen Kälte trugen die jungen Männer ihre Mäntel offen, ohne die Hände in die Ärmel zu schieben. Ihre Ziziot hingen heraus und hüpften auf ihren Hosen. Tirschbein trug einen langen dunklen Mantel und einen schwarzen Hut. Auch seine Hose und seine Schuhe waren schwarz, um in der Trauergemeinde nicht aufzufallen. Auch ich war, auf Tirschbeins Rat, dunkel gekleidet zur Beerdigung gegangen, doch Berele hatte uns bald entdeckt und erkundigte sich, ob wir mit der Rebezn von Biała Podlaska verwandt wären.

»Ich hatte einen Traum«, flüsterte ihm Tirschbein zu, als handle es sich um ein Geheimnis.

Mit David Dobson hatte er allerdings während der Beerdigung kein Wort gewechselt, denn er gehörte möglicherweise doch zu Isslers Leuten und war zur Beerdigung geschickt worden, um Tirschbein nachzuspionieren. Dieser Verdacht lasse ihn nicht los, hatte er gesagt, und nage ständig an ihm.

Doch nun, in Hartiners Wohnung, siegte seine Sympathie für David Dobson, und seine Initialen, D. D., taten das Ihre: Es waren die seiner Geliebten, vielleicht der schönsten seines Lebens, über die er einen Roman schreiben wollte.

Hartiner hörte auf, sich im Schlaf hin und her zu wiegen. Das spitze Kinn war ihm seitlich auf die Brust gesunken. Auf seinem Schädel, an den Stellen, wo die Haare sehr dünn waren, sah man braune und rote Flecken. Ich saß im dämmrigen Zimmer, auf dem niedrigen Schemel, und lauschte Dobson und Tirschbein, die Erinnerungen von der Beerdigung der Rebezn von Biała Podlaska austauschten. Wir, Tirschbein und ich, waren damals vor Mitternacht in der Zefanja-Hanavi-Straße umhergegangen. Still und dunkel lagen die Häuser da, nur die Synagoge war erleuchtet, helles Licht drang aus ihrem weit geöffneten Tor und aus all den niedrigen vergitterten Fenstern zur Straße. Von Zeit zu Zeit tauchte ein dicker Jude im geöffneten Tor auf, warf Blicke nach links und rechts und verschwand wieder. Schließlich erschien der Autobus mit den Jeschiwa-Studenten, und die Straße wurde lebendig. Nun, bei Hartiner, wiederholte Tirschbein Dobson gegenüber, was er damals zu mir über die Avrechim, die miteinander Witze machten, gesagt hatte:

»Als wären sie auf der Ben-Jehuda, in der Fußgängerzone.«

Es stimmte. Diese jungen Leute brachten die lärmende Fröhlichkeit eines Sommerabends mit sich. An einem Mansardenfenster wurde der Vorhang etwas zur Seite geschoben, und das Gesicht einer Frau tauchte hinter der dunklen Scheibe auf; es war schwer zu sagen, ob es sich um eine alte oder eine junge Frau handelte. Frauen kamen nicht zur Beerdigung, auch auf dem Friedhof waren nur Männer anwesend. Auf dem Friedhof war der Platz mit Neonscheinwerfern erleuchtet. Alles geschah schnell und ohne überflüssiges Reden, und auch der Kaddisch wurde – unter Bereles Leitung – hastig gesprochen. Noch bevor der Leichenzug von der erleuchteten Synagoge losgezogen war, war Berele vom Wagen der Chewre-Kaddische gesprungen, zusammen mit einem anderen Totengräber, und die Stufen zur Synagoge hinaufgerannt. Vom erleuchteten Eingang aus hatte er in das Haus hineingeschrien:

»Hersch-Salman!«

Das tat er einige Male, dann drehte er sich zur Straße und sprach laut, um den Lärm der jungen Männer zu übertönen, mit dem anderen Totengräber, einem kräftigen, untersetzten jungen Mann mit kurzgeschnittenem Bart. Er schimpfte über Hersch-Salman, den dritten Totengräber. Er werde ihm alle Knochen brechen, wenn er immer zu spät zur Beerdigung komme. Er gehe einfach davon aus, daß ohne ihn die Beerdigung nicht stattfinden könne. Doch Hersch-Salman erschien in letzter Sekunde, mit einem schiefen Lächeln, das nicht von seinen Lippen wich. Beim Kaddisch am Grab der Rebezn war seine singende Stimme zu hören, lauter als die der anderen:

»Amen.«

Auf der Rückfahrt nach der Beerdigung war es still im Autobus. Einige der jungen Männer schliefen. Eine Weile war ein seltsames Schnarchen zu hören, das jedoch immer wieder vom Motorengeräusch übertönt wurde. Manchmal atmete jemand schwer im Schlaf, und diejenigen, die sich unterhielten, taten es flüsternd. Dobson, der mir gegenüber neben Tirschbein saß, erzählte auf englisch, mit eingestreuten hebräischen Wörtern, daß bei den Satmarer Chassidim Frauen nicht an Beerdigungen teilnähmen und Söhne nicht dem Sarg ihres Vaters folgten. Wenn ein Mann mit seiner Frau schlafe, werde ein großer Teil seines Samens verschwendet, und Lilith, die Teufelin, die immer beim Beischlaf anwesend sei, raube den verschwendeten Samen, werde schwanger und gebäre Dämonen. Erlaube man nun den Söhnen des Verstorbenen, zur Beerdigung zu kommen und neben dem Grab zu stehen, kämen auch seine dämonischen Söhne, und dann sei die Seele des Verstorbenen in großer Gefahr, denn seine dämonischen Nachkommen könnten sie fangen und in die Hölle tragen.

»Es sei denn, es handelt sich um einen großen Zaddik«, hatte Dobson im Autobus erklärt. Wenn man absolut sicher sei, daß der Verstorbene ein großer Zaddik war, über dessen Seele die Teufel keine Macht besaßen, dürften seine Söhne zum Friedhof kommen und an seinem Grab den Kaddisch sagen.

Als wir an der Synagoge den Autobus verlassen hatten, deutete Tirschbein, bevor wir uns verabschiedeten, auf das Gebäude, das noch immer erleuchtet war, und sagte:

»Sie haben Glück, denn sie haben die Jugend.«

17

Am Tag nach der Beerdigung schrieb Tirschbein einen offenen Brief an jiddische Schriftstellerverbände auf der ganzen Welt: Wenn sie ernsthaft an einem Fortbestand des Jiddischen interessiert seien, sollten ihre Jungen an Beerdigungen teilnehmen. Kopien dieses Briefes schickte er auch an Korrespondenten und an jiddische Zeitungen in Israel und im Ausland.

»Sie werden es ohnehin nicht drucken«, sagte er. Sie hätten schon längst genug von den vielen Artikeln, die er zu diesem Thema geschrieben habe. Er habe an vielen Beerdigungen in den Vereinigten Staaten teilgenommen, sagte er, aber junge Leute habe er auf den Friedhöfen kaum getroffen. An jenem längst vergangenen Tag zwischen den Pessachfeiertagen habe er das letzte Mal viele junge Leute auf einem Friedhof gesehen, im Jahr 1925, bei der Grabsteinsetzung von J. L. Peretz. Die Jeschiwa-Studenten, die aus Bnei-Brak gekommen waren, um der Rebezn bei der Beerdigung auf dem Ölberg die letzte Ehre zu erweisen, hätten ihn an das Gedränge erinnert, das dort, auf dem Friedhof in Warschau, geherrscht habe. Grabsteine seien umgefallen und Äste abgebrochen, weil alle möglichst nahe zum Grab kommen wollten, um die Trauerrede von Schalom Asch zu hören.

Eine Abschrift des genannten Briefes hatte Tirschbein auch Issler gegeben, bei unserem letzten Zusammentreffen in der Fußgängerzone. Und nun, im Haus Hartiners, neben dem Fenster mit den geschlossenen Rolläden, hielt er David Dobson ebenfalls eine Kopie hin. Inzwischen war Hartiner wieder aufgewacht, setzte sich in seinem Bett auf, lächelte und sagte, er habe gehofft, daß die Krankheit seiner Schwester Alisa im Lauf der Jahre verschwände, je älter sie würde, doch das sei nicht passiert. Jedesmal breche die Krankheit auf die gleiche Art aus: Tanzen auf der Straße, unanständige Lieder, Herausputzen, Prahlerei mit Spitzenbüstenhaltern und schwarzen Schlüpfern. Er sprach leise. Nicht nur sein Gesicht hatte sich verändert, auch sein Zimmer, dieses jedoch zum Guten. Die Elegie an der Wand, die er zum Tod seiner Frau Zipora geschrieben hatte, war nicht mehr mit einem Tuch verhängt. An dieser Wand hingen nun auch andere Dokumente, eingerahmt hinter Glas. Es waren Urkunden von Preisen: von der Sochnut ha-jehudit, von der Stadtverwaltung von Zfat, von den Galizienstämmigen in Argentinien; der handgeschriebene Brief Schasars, des israelischen Präsidenten, in einem vergoldeten Blechrahmen; auch ein Jugendfoto seiner Frau Zipora, mit einem Stirnband, einem verrückten Ausdruck in den schrägen Augen, großen Ringen in den Ohren, die Brust geschmückt mit Ketten. In dem düsteren Zimmer spiegelte sich in dem Glas, über dem jungen Gesicht, der alte Kopf Hartiners.

Er stand auf und gab Tirschbein einen dicken braunen Umschlag, den er aus einem der Schränke gezogen hatte: Er hatte wieder eine Novelle umgeschrieben. Dann legte er zu dem großen braunen Umschlag noch einen kleineren weißen, in dem sich ein Brief an den Literaturkritiker M. Stiger in New York befand. Hartiner sagte, er hätte ihm den Brief selbst geschickt, wenn er die Adresse wüßte. Er zog den Brief heraus und las ihn vor. Es war die Mitteilung an den Kritiker, daß Hartiner die Protagonisten seiner Bücher verändert habe und von nun an der Welt kein häßliches Bild der Juden mehr bieten wolle. In der ersten Version der Geschichte, die sich in dem braunen Umschlag befand, war die Heldin eine Hure, die sogar am Tag ihrer Hochzeit, auf dem Weg zur Chupa, noch einen Kunden hatte. Nun war sie zu einer fanatischen Sozialistin geworden, die auf ihrem Weg zur Arbeit den Armen der Stadt half.

Hartiner flehte den New Yorker Kritiker an, ihn nicht mehr als »nobody« zu bezeichnen, damit es die israelische Regierung nicht erführe und ihm die monatliche Rente vorenthalte. Das hätte ihm noch gefehlt. Er hatte schon genug gelitten durch die Angestellten der Jewish Agency. Sie hatten ihn als Redakteur ihrer

Wochenzeitschrift entlassen und statt dessen einen ungebildeten Menschen eingestellt, der noch nicht mal die Grammatik beherrsche. Es würde nicht mehr lange dauern, und die Zeitschrift würde aufhören zu existieren, ebenso wie jener gewisse ungebildete Mensch. Als seine Frau Zipora noch lebte, habe sie oft gefragt, ob dies nun wirklich das Land sei, von dem sie geträumt hatten, und ob dies der Zionismus sei, der, in der wiedererstandenen Heimat, dem Volk neues Leben bringen sollte. Ihre Liebe zum Land und zum Volk sei bis zu ihrem Lebensende nicht erloschen, sie sei als reine Idealistin gestorben. Hartiner deutete auf die Wand, wo der Brief des Ministerpräsidenten Schasar hing, ein Beileidsbrief zum Tod seiner Frau Zipora.

»Der Kritiker M. Stiger ist schon vor langer Zeit gestorben«, sagte Tirschbein und stand auf. Das Gespräch mit Dobson war angenehm gewesen, doch eigentlich war er hergekommen, um Hartiner vom Umschreiben seiner Bücher abzuhalten und um einen Weg zu suchen, wie man ihn mit Hilfe des Erbes von Schlomo Bitman finanziell unterstützen könnte. Doch Alisas Auftreten hatte ihn davon abgehalten. Wieder hörten wir sie im anderen Zimmer singen, traurig und langgezogen:

> »Was bedeutet der Regen,
> was sagt er voraus, o weh...«

David Dobson ging zu ihr hinüber. Tirschbein nahm die beiden Umschläge, beugte sich ganz nahe zu Hartiner und sagte, er müsse seine Bücher nicht umschreiben, weil M. Stiger schon nicht mehr lebe und niemand ihn, Hartiner, mit Ausdrücken bedenke, die einen wahren Dichter verletzen. Hartiner nickte zustimmend, dann legte er sich wieder auf sein Bett. Als wir schon dabei waren zu gehen, rief er Tirschbein zu, er solle ja nicht vergessen, die beiden Umschläge nach New York zu schicken.

Auf dem Heimweg erzählte mir Tirschbein Einzelheiten aus dem Leben David Dobsons. Sein Vater war Psychologe, die Mutter Rechtsanwältin. Mit fünfzehn war Dobson von zu Hause weggelaufen. Er war durch Südamerika gewandert und hatte dann eine zehn Jahre ältere Frau geheiratet. Eine Woche nach der Hochzeit war sie verschwunden, und er hatte sie nie wiedergesehen. Erst Jahre später erfuhr er den Grund für ihre Flucht: Sie liebte einen Schwarzen, doch ihr Vater, ein wohlhabender Mann, Besitzer einer Ladenkette, hatte in seinem Testament bestimmt, daß seine einzige Tochter als gesetzliche Erbin seines Vermögens erst fünf Jahre nach ihrer Verheiratung mit einem Weißen anerkannt würde. Dobson hatte noch nicht einmal mit ihr geschlafen. Als sie verheiratet war, hatte sie ihn verlassen und war zu ihrem schwarzen Liebhaber zurückgekehrt und zum Vermögen ihres Vaters.

In Dobsons Ausweispapieren stand noch immer, daß er verheiratet sei. Nachdem ihn seine Frau verlassen hatte, arbeitete er als Straßenkehrer in Roanoak, einer Stadt in Virginia, und wohnte in einem verlassenen Haus am Rand eines Waldes. Drei Jahre lebte er dort, ohne Nachbarn, ohne Telefon, Radio oder Fernsehen. Er kaufte sich eine Gitarre, und an Sommerabenden saß er auf der Terrasse und spielte die Lieder, die er von Schwarzen aufgeschnappt hatte, mit denen er sich in den Jahren seines Vagabundierens befreundet hatte.

Vorhin bei Hartiner hatte ich Dobson von dem niedrigen Hocker aus beobachtet, während er seine Lebensgeschichte erzählte. Sein Mund mit den sehr schmalen Lippen verriet Sensibilität. Er erzählte Tirschbein, daß er, wenn er genug davon hatte, auf der Terrasse zu sitzen und den Wald zu betrachten, sich in ein altes Auto gesetzt habe, ohne Räder, das der Vormieter vor der Terrasse hatte stehen lassen. Da habe er dann gesessen, seine Stiefel betrachtet, dieselben Lieder gesungen wie zuvor und sich auf der Gitarre begleitet. Als ich mich an die Dämmerung des Zimmers gewöhnt hatte, betrachtete ich seine tätowierten Arme: ein Anker und ein Glücksrad. Als er an der Jeschiwa in Jerusalem mit seinem Studium begonnen hatte, hatte man seine Bedingung akzeptiert, daß er die Tätowierung nicht entfernen und sich nicht die Haare schneiden lassen wollte, die beiden Zeichen des Widerstands gegen seine Eltern. Sein Vater war mit einer Sekretärin davongelaufen und später an einem Schlaganfall gestorben. Seine Mutter hatte wieder geheiratet. Dobson war nicht zur Beerdigung seines Vaters gefahren, auch nicht zur Hochzeit seiner Mutter. Er hatte einen Bruder und eine Schwester, beide jünger als er, die ihm monatlich einen Scheck aus den Zinsen der Erbschaft schickten, die ihr Vater den drei Kindern hinterlassen hatte. Das Geld kam immer sehr pünktlich, denn sie waren froh, daß er in Jerusalem blieb und nicht in die Staaten zurückkehrte und der Familie Schande machte.

»Wenn Sie ein monatliches Einkommen haben«, fragte Tirschbein, »warum betteln Sie dann?«

Ein breites Lächeln erschien auf Dobsons dünnen Lippen, als würde er darüber nachdenken. Er stand auf, horchte auf das Flüstern, das aus Alisas Zimmer drang, und beantwortete Tirschbeins Frage auf englisch: »It's fun.«

18

Wir hatten uns schon von Hartiners Haus entfernt und wollten gerade den Markt überqueren, da holte uns Dobson ein und gab Tirschbein seinen offenen Brief über Jugend und Beerdigungen zurück. Er verstehe kein Jiddisch und wolle nichts Geschriebenes aufheben, das er nicht verstehe, aus Angst, es könne sich um etwas Profanes handeln.

»Genauso sieht uns die Jugend«, erläuterte Tirschbein und meinte eigentlich sich selbst. Der junge Mann tat ihm leid, weil er, ein Büßer, doch mit einer zarten Seele, Angst davor hatte, ein paar Zeilen in Jiddisch aufzubewahren. Wieder ein Zeichen für die verlorene Zukunft der jiddischen Sprache. Doch er war kein Mensch, der sich entmutigen ließ. Solange er Kraft dazu hatte, würde er rufen und mahnen und seine Stimme hören lassen, auch wenn keine Zeitung seine Sachen veröffentlichte.

»Zyniker!« stieß er zwischen den Lippen hervor, als wir vor Mosche Schrajbers Laden mit heiligen Gegenständen und Büchern standen. »Träumer«, sagte er dann mit einer anderen Stimme, als wir schon die Me'a-Sche'arim-Straße entlanggingen. Er rückte seinen schwarzen Hut gerade, schob sich die Brille auf die

Stirn, dann wieder zurück auf die Nase, folgte einem alten Mann mit abgetretenen Schuhen mit den Augen und überlegte, von wo er ihn kannte. Eines Tages würden viele Zyniker, unter ihnen Itzik Issler, erkennen, daß er ein Visionär war. In den letzten vierzig Jahren sei kein Tag vergangen, an dem er nicht das eine oder andere über existentielle Fragen seines Lebens in sein Tagebuch geschrieben habe. Ich fand zum Beispiel eine Stelle, wo er sich selbst fragte: »Bin ich, Noach ben Avraham, vielleicht eine Wiedergeburt von Noach, dem Gerechten?« Er bezog sich dabei auf sein tiefes Gefühl, eine Bestimmung zu haben und nicht nur seinem Volk, sondern der ganzen Menschheit eine Botschaft bringen zu müssen. Einmal sah er sich selbst im Traum, vergoldet von einem göttlichen Licht, und als er aufwachte, wußte er, daß die Vorstellung des ewigen Lebens keine pure Erfindung war und man die Idee von der Unsterblichkeit der Seele nicht einfach wegwischen konnte.

Wir verließen den Bürgersteig und gingen an dem Abfall vorbei, den man für die städtische Müllabfuhr dort hingestellt hatte. Überall sah man noch die Überreste vom Laubhüttenfest. Autos fuhren vorbei, an denen noch Streifen von buntem, glänzendem Papier flatterten. Die Bretter eines zerlegten Tisches, der als Stand zum Verkauf von Lulawim gedient hatte, lehnten an der Mauer, daneben auch die Böcke. Vor Sukkot war Tirschbein tagsüber zwischen den Ständen umhergelaufen, und abends hatte er den Verkauf beobachtet. Gemeinsam mit ihm war ich seinem frommen Nachbarn gefolgt, dem Vater der sechs Mädchen und des blonden Knaben, der an jedem Stand stehenblieb, aber nichts kaufte, bis er bei Zinbojm den kostbaren Lulaw fand. Den Etrog, den er zu kaufen beabsichtigte, prüfte er vorher mit einer Lupe, und mit einer Pinzette entfernte er einen Fleck von der Größe eines Punktes. Von Zinbojms Laden hatte man noch nicht das Schild herabgenommen, das den Verkauf von Etrogim aus dem Ausland ankündigte: von Korfu und von den Golanhöhen.

Es war ein Schabbatjahr, das Getreide wurde aus den Vereinigten Staaten gebracht, das Obst und Gemüse kaufte man bei den Arabern aus Gasa und bei den Drusen von den Golanhöhen. An den Wänden hingen noch immer Plakate, die in großen Buchstaben vor dem Genuß irgendwelcher Früchte des Landes Israel warnten. Auch vor der Möglichkeit des Betrugs wurde gewarnt. Es bestand nämlich der Verdacht, daß die Araber von Gasa und die Drusen von den Golanhöhen die Ernteerträge von Kibbuzim oder Moschavim gekauft und frommen Händlern als ausländische Erzeugnisse weiterverkauft haben könnten. Die verschiedenen religiösen Gruppen wetteiferten miteinander, wer am frömmsten sei. Frauen wurden zu Versammlungen gebeten, um die religiösen Gebote des Schabbatjahres zu lernen, doch ein anderes Plakat von den Satmarer Chassidim verbot den Frauen, an Versammlungen teilzunehmen und nachts allein auf der Straße zu gehen, denn der Satan lauere überall. Das Gesetz der Keuschheit stehe über dem Gesetz des Schabbatjahres, schrie es von der Wand, und jeder Mann falle dem Bann anheim, der seiner Frau erlaube, allein zu diesen Versammlungen zu gehen, die vielleicht zur Gewohnheit werden könnten.

Aus dem Laden gegenüber klang die Stimme eines Chasans. Wir überquerten die Straße, um ihn aus der Nähe zu hören. An einem Tisch neben dem Eingang lagen Stapel von Kassetten, und im Schaufenster hingen Porträts der Großen des jüdischen Volkes: der Rabbi von Lubowitsch, Be'al Schem tov, Rambam.

Tirschbein deutete auf ein Bild, das Moses darstellte, und sagte: »Und er? War er etwa kein Träumer?«

Als wir zu Hause angekommen waren, zog Tirschbein aus seinem Archiv eine Mappe mit Reproduktionen von Gauguin. Fünf Selbstbildnisse, jedes mit einem blutenden Herzen. Tirschbein hatte sie bei einer Ausstellung von Gauguins Werken in Washington erstanden. Viele Jahre waren seither vergangen, doch der Eindruck, den diese Selbstporträts auf ihn gemacht hatten, war nicht geringer geworden. »Der gemarterte Gott« habe Gauguin sich genannt, sagte Tirschbein.

Genauso hatte er es damals, nach dem Besuch der Ausstellung, in sein Tagebuch geschrieben und hinzugefügt, daß ein hervorragender Künstler als einziger die Kraft habe, zum Erlöser zu werden.

Nachdem Tirschbein die Bilder in die Mappe zurückgelegt hatte, sagte er, es sei an der Zeit, daß ich anfange, seine Bücher zu lesen, die Romane und die Gedichte. Ich war bereits auf ein langes Gedicht von ihm mit dem Titel »Ich suchte Gott« gestoßen. Der Untertitel hieß »Der Visionär ist der wahre Gott«.

Doch Itzik Issler sah in Tirschbein weder einen Visionär noch einen Träumer.

»Ein verlorener Don Quichote« nannte er ihn, als wir ihn zusammen mit Schmu'el-Josef Nojbisch trafen. Den offenen Brief, den Tirschbein ihm gegeben hatte, rollte er zu einem Sprachrohr, hielt es an den Mund und verkündete, er sei ein elender Lügner. Auch über Schlomo Bitman sagte er etwas durch das zusammengerollte Papier:

»Er hat einen Menschen ermordet!«

Issler stieß Schmu'el-Josef Nojbisch mit den Ellenbogen an und sagte, er solle doch die dunkle Brille abnehmen, den Mund aufmachen und Tirschbein selbst sagen, wer ihnen Einzelheiten aus Bitmans Leben erzählt habe. Doch Nojbisch nahm die Brille nicht ab und machte den Mund nicht auf.

Von der Verwandten Bitmans, die im Kibbuz lebte, hatte Issler erfahren, daß Schlomo Bitman einen Menschen getötet hatte. In einem Brief an Bitman schrieb sie, zwei fremde Männer hätten sie im Kibbuz besucht und sie mit Fragen über ihren Stiefbruder gequält. Sie hatte nicht mit ihnen sprechen wollen. Sogar nach seinem Tod habe sie es vermieden, seinen Namen in den Mund zu nehmen, und als er noch lebte, habe sie sich geweigert, ihn zu sehen. Einmal sei er von Zfat zu ihr gekommen, und sie habe ihn aus dem Haus gewiesen. Er hatte der Familie mehr als genug Sorgen gemacht, als er jung war. Zwischen Schlomo und ihr habe eigentlich keine wirkliche verwandtschaftliche Beziehung bestanden. Ihr Vater hatte dessen Mutter geheiratet, nachdem sie beide verwitwet waren.

Als Schlomo des Mordes angeklagt wurde, war sie zehn Jahre alt. Sie erinnerte sich noch gut an die Tage voller Schrecken, als Berichte über den Fall in den Zeitungen erschienen. Lomas war eine kleine Stadt, und nur wenige Menschen lasen Zeitung, doch die Gerüchte gingen von Haus zu Haus. Schlomele Biterman ist ein Mörder. Später kürzte er seinen Namen zu Bitman, und sie hebräisierte ihren Namen zu Mar. Sie hatte nämlich auch Biterman geheißen, weil ihr Vater und Schlomos Vater Vettern dritten Grades gewesen waren. Auch nach ihrer Heirat hatte sie ihren Namen behalten. Auch diesmal hätte Lea Mar nicht auf Tirschbeins Anzeige in der Zeitung geantwortet, wenn die beiden Schriftsteller sie nicht ausgefragt hätten. Diese Neugier, was ihre Familie betraf, hatte ihren Verdacht geweckt. Daher hatte sie beschlossen, den Mann, der die Anzeige aufgegeben hatte – falls er sich als ehrenhaft erweisen sollte – zu sich einzuladen, um Einzelheiten zu erfahren. War es möglich, daß Schlomos dunkle Geschäfte auch nach seinem Tod noch Folgen hatten? Woher hatte er das viele Geld, frage sie sich nach dem Besuch der beiden Schriftsteller, von denen einer einen grünen Schal um den Hals geschlungen und der andere eine dunkle Brille aufgehabt habe. Sie wußte nur, daß Schlomo sich nach dem Krieg in Deutschland und in Frankreich herumgetrieben hatte und auch dort zweifelhaften Geschäften nachgegangen war.

Das alles wußte Tirschbein also schon, als Issler den offenen Brief zusammenrollte und erzählte, wie er die Stiefschwester Bitmans gefunden hatte. Ihre Adresse hatte er sofort nach Bitmans Tod in dessen Notizbuch entdeckt, doch damals war er nicht auf die Idee gekommen, es könne eine verwandtschaftliche Beziehung zwischen diesen beiden Namen Mar und Bitman bestehen. Erst nachdem er eine Geschichte Bitmans gelesen hatte, in der ein Mann seine Stiefschwester in einem Kibbuz besucht und diese sich weigert, ihn zu sehen, war es ihm klargeworden. Somit hatte sich also herausgestellt, daß Bitmans Geschichten nicht alle erfunden waren.

Issler wußte auch, wo das Geld hinterlegt war, er hatte den Beleg der Schweizer Bank unter Bitmans Papieren entdeckt. In Bitmans Paß stand das Datum seiner Einreise in die Vereinigten Staaten und auch, wann er das Land wieder verlassen hatte. Als Issler die jiddischen Zeitungen Amerikas durchging, fand er, daß Tirschbein genau in diesen Tagen zu einer Reise nach Europa aufgebrochen war. Man hatte ihm zu Ehren literarische Abende veranstaltet, verabschiedete sich von ihm und empfing ihn auch wieder. In einer der Zeitungen hatte der jiddische Schriftstellerverband New York ein Abschiedsfest angekündigt. Tirschbein hielt bei diesem Fest einen Vortrag über »Die jüdischen Beerdigungen in New York«. Ein paar Tage später fand sich ein Bericht über einen Empfang, der in Basel zu Ehren des Schriftstellers Tirschbein stattgefunden hatte, dort hatte er denselben Vortrag gehalten. Issler setzte die angegebenen Daten aus Bitmans Paß und Tirschbeins Reisen in Verbindung und kam zu dem Schluß, daß Tirschbein und Bitman zusammen in die Schweiz geflogen waren und das Geld zu einer Bank gebracht hatten.

Issler rollte den Bogen wieder auf und legte ihn mit der Schrift nach unten auf den Tisch, um ihn zu glätten. Nur eine Frage war geblieben, auf die er vorläufig keine Antwort wußte. Während er mit der einen Hand das Blatt Papier glattstrich und die andere hochhob, fragte er:

»Warum ist das Geld in der Schweiz nur auf Tirschbeins Namen deponiert?«

19

Tirschbein beantwortete Isslers Frage nicht. Das ganze Treffen war ihm schon zuwider, und Schmu'el-Josef Nojbisch, der ihm seit zwanzig Jahren grollte, brachte ihn dazu, nun seinerseits schweigend dazusitzen. Er hatte vorgehabt, Issler von der Idee abzubringen, seine Bücher mit Bitmans Geld zu publizieren. Die ganzen Jahre tat es ihm schon leid, daß man jiddische Bücher mit deutschem Geld publizierte, daß Deutschland sich mit diesem Geld von der Schuld freikaufte. Er hatte allen Zeitungen und Zeitschriften, die von solchen Geldern lebten, verboten, etwas aus seinen Werken zu veröffentlichen, und wenn er zufällig ein auf diese Art finanziertes Buch oder eine solche Zeitschrift aufschlug, hatte er das Gefühl, daß ein schlechter Geruch von ihnen ausging. Auch Bitmans Geld stank, und er hatte das sofort gewußt, als Bitman mit einem Koffer voller Dollars zu ihm nach Cleveland gekommen war und ihn gebeten hatte, das Geld für ihn aufzubewahren, nur ein Jahr lang, als Zeichen dafür, daß Tirschbein ihm die Sache von damals vergeben hatte. In Zfat hatte Bitman geträumt, er müsse sich, um zu sühnen, für einige Zeit von allem Besitz trennen, dann würde er gesund werden. Und auf der ganzen Welt gebe es für ihn keinen zuverlässigen Menschen, dem er sein Geld anvertrauen könne, als Noach Naftali Tirschbein.

»Nur jemand wie ich, der nie aufhört, naiv zu sein, läßt sich so leicht täuschen«, hatte Tirschbein damals in sein Tagebuch geschrieben.

Tirschbein hatte einige Punkte notiert, um sich selbst

über einiges klarzuwerden und sich auf das Gespräch mit Issler vorzubereiten. Als erstes wollte er Issler sagen, daß auch dort, in der kommenden Welt, Bitman nicht aufgehört hätte, ihn zu verspotten, bestimmt würde er derselbe Mensch wie auf dieser Welt sein. Und selbst dann, wenn er ein Gerechter geworden wäre und sein Geld sauber, wäre es unmöglich, Isslers Bücher auf Kosten der Erbschaft zu veröffentlichen.

»Immanuel Kant«, notierte Tirschbein unter einem anderen Punkt, damit er nicht vergesse, Issler gegenüber zu erwähnen, daß der Philosoph aus Königsberg in einem solchen Fall raten würde, zwischen jiddischen Büchern und Bitmans Geld eine Mauer zu errichten. In seinem Werk »Grundlegung zur Metaphysik der Sitten« finde sich eine Maxime, die Tirschbeins Lage erhelle: Wenn jemand daran zweifle, ob sein Tun moralisch sei, müsse er sich fragen, ob es für die Gemeinschaft gut wäre, wenn alle sich verhielten wie er. Müsse er das verneinen – das heißt, wenn es der universalen Moral schaden würde, wenn alle auf diese Weise handelten –, so würde ihm sein Gewissen den richtigen Weg zeigen.

»Das ist zu sehr vereinfacht«, sagte Tirschbein zu mir, noch bevor wir uns auf den Weg machten, denn er war, ehrlich gesagt, mit Kants Lösung nicht ganz zufrieden. Nachdem er mir die Punkte vorgelesen hatte, deutete er auf Kants Porträt und sagte, dieser sei einfach ein Glückspilz gewesen, der sein ganzes Leben in Königsberg verbracht hatte. Wäre er in die weite Welt hinausgekommen und unerwarteten Hindernissen begegnet, wären die meisten seiner Gedanken nicht mehr haltbar gewesen. Als Beispiel führte Tirschbein sein eigenes Leben an. Er hatte immer in beschränkten Verhältnissen gelebt und sich von Menschen, die das Goldene Kalb anbeteten, ferngehalten. Gleich zu Beginn seiner Liebe zu D. D. habe er sie gewarnt, daß er nicht bereit sei, seine Seele und seinen Körper für Geld und Gold zu verkaufen, deren Funkeln trügerisch sei. Er tat alles, was er konnte, um Geld nicht zum Zentrum seines Lebens werden zu lassen. Und was hätte ihm das gebracht? Sein ganzes Leben lang sei er herumgewandert und habe Spenden gesammelt, oder er sei herumgewandert, so wie jetzt, um Geld zu verteilen.

Beides, das Sammeln und das Verteilen, hätte ihm nur Verdruß gebracht. Noch heute breche ihm der kalte Schweiß aus, wenn er sich daran erinnere, wie er bei den Juden von Schanghai gebettelt hatte. Zuerst klopfte er an die Tür der aschkenasischen Juden, in der Hoffnung, diese würden das Ziel seiner Mission verstehen. Doch die Aschkenasim weigerten sich zu spenden und schickten ihn zu den Sefardim, die reicher waren, doch diese ließen ihn nicht zur Tür herein. Damals lag eine brütende Hitze über der Stadt, und er fühlte sich krank und deprimiert, als er so umherlief. Die Direktion von ORT-OSE schickte ihm Eilbriefe und Telegramme: Paris setze alle Hoffnungen auf Schanghai. Er nahm nicht die Straßenbahn, weil sie zu selten fuhr und es ihn einen Tag gekostet hätte, nur an eine einzige Tür zu klopfen. Und er fuhr nicht mit dem Taxi, weil das zu teuer war. Und mit einer Rikscha zu fahren, konnte er nicht mit seinem Gewissen vereinbaren. Nie würde er Menschen wie Pferde benutzen.

Der Philosoph aus Königsberg hatte nie vor solchen Entscheidungen gestanden. Schließlich erbarmte sich

Mellman, dieser reiche Jude, der ebenfalls aus Warschau stammte, und fuhr ihn mit seinem Privatauto herum. Eines Tages sei das Auto kaputtgegangen, und er, Tirschbein, habe keine andere Wahl gehabt, er mußte zusammen mit Mellman in einer Rikscha zu einer der reichen sefardischen Familien fahren, um sie um eine Spende für ORT-OSE zu bitten. In Schanghai hätten sich Kants Theorien als ein Spinngewebe erwiesen. Es hatte lange gedauert, sagte Tirschbein, bis er wieder an Kants Philosophie glauben konnte. Er hatte die Idee gehabt, einen Roman zu schreiben, in dem er Immanuel Kant mit dem Juden Mellman zusammentreffen lassen wollte, doch daraus sei nie etwas geworden. Nur eine flüchtig hingekritzelte Beschreibung Mellmans auf der Rückseite eines Formulars von ORT-OSE und einige Einzelheiten über die drei chinesischen Ehefrauen Mellmans.

Mellman war als Zwanzigjähriger nach China gekommen und hatte eine Chinesin geheiratet, eine Witwe mit einem kleinen Kind. Zwanzig Jahre später, als er schon reich geworden war, bekam er Lust auf eine zweite Frau, eine jüngere. Die Chinesin bot ihm ihre Tochter an, so hätte er eine zweite Frau, und das Vermögen bliebe in der Familie. Die Tochter war damals selbst schon Mutter einer kleinen Tochter, jedoch ohne Ehemann, und wiederum zwanzig Jahre später, als Mellman noch reicher geworden war, wußte er selbst, was er zu tun hatte, damit das Vermögen in der Familie blieb. Er heiratete die junge Tochter seiner zweiten Frau. Auf der einen Seite des ORT-OSE-Formulars hatte Tirschbein das Gespräch notiert, das er mit Mellman in der Rikscha geführt hatte. Mellman hatte

Tirschbein gebeten, ihn mit gepfefferten Geschichten zu unterhalten. Er befahl dem Rikscha-Mann, schneller zu laufen, und Tirschbein fragte er in seinem Warschauer Jiddisch: »Und was hört man so von unserer sündigen Welt?«

20

Ein kalter Wind blies durch die Ben-Jehuda-Straße, obwohl die Sonne schien. Erst saßen wir alle draußen, doch langsam fiel der Schatten schon über den halben Tisch und über Tirschbein und Nojbisch. Issler hob die Hände wie zum Gebet und sagte, er habe noch immer keine Antwort auf seine letzte Frage bekommen. Er drehte den offenen Brief um und befahl Nojbisch, er solle doch erzählen, warum Bitman sich so bemüht hätte, die Spuren seines Vermögens zu verwischen; warum er bis Amerika gefahren sei, und warum er Tirschbein die Last aufgeladen habe, das Geld unter seinem Namen in einer Schweizer Bank zu deponieren. Doch ohne auf Nojbischs Antwort zu warten, fuhr er selbst fort und erklärte, Bitmans Leben sei in Gefahr gewesen. Issler schlug mit der Faust auf Tirschbeins offenen Brief, und jetzt wartete er darauf, daß Nojbisch alles offen darlegte.

»Nimm die Brille ab und mach den Mund auf!« Doch Nojbisch schwieg weiter. Seinem runden, weichen Gesicht mit den hinter der Sonnenbrille verborgenen Augen war nichts anzumerken. In seinen Briefen an Tirschbein hingegen war er ein Schwätzer. Im ersten Brief, der noch aus der Zeit vor dem Zweiten Weltkrieg stammte, erzählte Nojbisch, er habe es noch nie geschafft, einen wahren Freund zu finden, und sei es auch nur einen, der weit weg lebte. Sein Briefkasten sei immer leer. Als er eines Abends heimgekommen sei und etwas Weißes in dem dunklen Briefkasten entdeckt habe, sei er sicher gewesen, daß es sich um einen Irrtum handelte. Trotzdem habe er Herzklopfen bekommen, und in seiner Vorstellung habe er schon auf den grauen Stoff seiner Tür das Bild eines vergessenen Onkels aus Amerika gemalt, der plötzlich von der Sehnsucht nach seinem Heimatland gepackt wurde. Es hätte auch die Schwester seines Großvaters sein können, die sich danach sehnte, den Enkel ihres Bruders zu sehen und ihn reich zu machen.

Seine Aufregung wuchs noch, als er feststellte, daß es sich um einen Brief von Tirschbein handelte, mit der Mitteilung, die aus Warschau stammende Gruppe des jiddischen Schriftstellerverbandes in New York sei bereit, ihn zu einer Reihe von Lesungen in die Vereinigten Staaten einzuladen. Wieso Tirschbein? Seine Bitte an den Verband hatte er durch eine New Yorker Journalistin an den Schriftsteller B. Linger übergeben lassen, von dem er hoffte, er würde ihn dem Verbandssekretär empfehlen. Und siehe da, es war nicht B. Linger, der ihm antwortete, sondern Tirschbein, und nicht Linger hatte sich für ihn eingesetzt, sondern Tirschbein war es gewesen, der ein gutes Wort für ihn eingelegt hatte. Wenn das so ist, bist du wirklich ein großer Zaddik, wie es in den Zeitungen über dich steht, schrieb Nojbisch. Er selbst schrecke vor solchen Schmeicheleien einem lebenden Menschen gegenüber zurück und habe immer den Verdacht, sie entsprächen nicht der Wahrheit. Auch B. Linger hätte er nicht gebeten, sich für ihn einzusetzen, wenn die Situation in Polen nicht so schlecht und die Beziehung zu Frida Frenkl, der Journalistin aus New York, nicht so herzlich gewesen wäre. Sie habe ihm versichert, für B. Linger sei es wirklich keine Mühe, diese Sache zu regeln. Nojbisch drückte am Schluß seines ersten Briefes an Tirschbein sein Erstaunen darüber aus, daß er sich, ohne gebeten worden zu sein, für ihn bemüht habe, obwohl sie in ihrem ganzen Leben noch nie ein Wort miteinander gewechselt hatten.

Auch den zweiten Brief begann Nojbisch mit den Worten des Erstaunens. Tirschbein müsse ihn verhext haben, noch dazu von weitem. Er habe in der letzten Zeit Dinge getan, die ihm bisher fremd gewesen seien. Zum Beispiel schütte er Tirschbein sein Herz aus, und das habe er nie zuvor getan. Ein Mann erzähle einem anderen nicht die intimsten Dinge, und doch sei es genau dies, was er nun in seinen Briefen tue. Er bekannte Tirschbein, daß er Erfolg bei Frauen habe, aber Liebschaften unterhalte er keine. Heiraten würde er nie, denn ihm fehle das Verantwortungsgefühl für andere. Er habe seinen Charakter analysiert und sei zu dem Schluß gekommen, daß er, weil er in der großen Stadt Warschau geboren wurde und auch immer in ihr gelebt hatte, sich nie einsam fühle, auch wenn er allein sei.

Die meisten jiddischen Dichter seien in einem Schtetl geboren, deshalb seien sie von anderen abhängig, hielten sich an den Händen wie kleine Kinder im Haus des Rabbiners und zankten sich auch wie kleine Kinder. Ihre Neigung zum Selbstmitleid sei ihm ein Dorn im

Auge. Er komme auch ohne es aus. Die Schriftstellerei sei seine Königin und fülle sein Leben ganz aus. Eine andere Beschäftigung habe er nicht. Tage könnten vergehen, ohne daß er sich nach der Gesellschaft eines anderen Menschen sehne.

»Doch nun habe ich angefangen, mich nach Dir zu sehnen, Tirschbein!« Mit diesen Worten schloß sein Brief.

Es wurde kühl im Schatten, und wir trugen unseren Tisch und die Stühle in die Sonne. Nicht weit von uns errichteten einige junge Leute eine Bühne. Sie hoben alte Eisenteile hinauf, Bretter und Steine, und begannen mit einer pantomimischen Vorstellung. Zwei junge Männer führten eine Greisin auf die Bühne, eine müde und verschwitzte Frau, drückten ihr einen großen Sack in die Hände, füllten ihn mit altem Zeug, hoben ihn ihr auf den Rücken, und sie schritt im Kreis über die Bühne. Dann taten die jungen Männer es ihr nach, und manchmal stolperte einer von ihnen unter seiner Last.

Tirschbein bestellte noch eine Tasse Kaffee, schob seine Brille hoch und schaute zu, was sich auf der Bühne abspielte. Nojbisch saß neben ihm und schwieg. Sein Gesicht war voller Speckfalten, sogar sein Kinn. In seinem letzten Brief aus der Zeit vor dem Krieg hatte er Tirschbein mitgeteilt, daß man, während er schrieb, die Häuser von Juden in die Luft sprengte. Deshalb sei es höchste Zeit, daß die War-schauer Gruppe des jiddischen Schriftstellerverbands in New York ihm die Fahrkarte nach Amerika schicke. Er würde nur drei Wochen dort bleiben, wie es abge-macht sei. Die große Welt ziehe ihn an, doch er sei sich auch der Gefahren bewußt, die auf einen Schriftsteller warteten, der seine Heimat verlasse und in Amerika hängenbleibe.

Die Juden in Amerika, habe er gehört, assimilierten sich und verlören ihr Interesse am Jiddischen und seiner Literatur. Neulich habe er zufällig einen offenen Brief des Schriftstellers Baruch Glasman an seine jiddischen Kollegen in Polen gelesen. Darin stand, wenn sie Schriftsteller bleiben wollten, dürften sie ihr Heimatland nicht verlassen. An keinem anderen Ort der Welt gebe es eine Überlebenschance für die jiddische Literatur. Nojbisch stimmte Glasman, der selbst in Amerika lebte, zu. Auch für ihn war das Warschauer Judentum das Wahrzeichen des gesamten polnischen Judentums, und andere Juden zählten für ihn nicht. Er wisse zwar, daß es jüdische Niederlassungen auch in anderen Teilen der Welt gebe, doch in seinen Augen seien sie eben nur »auch Juden«, die allerdings nicht jiddisch sprächen. In schweren Zeiten müsse man sich gegenseitig helfen, doch das sei dann auch schon alles. Was habe er mit den Juden in England oder Holland zu tun, was mit den Juden von Marokko, von Afghanistan oder aus dem Jemen? Er schrieb, Tirschbein solle sich nicht zuviel Sorgen machen über die bittere Lage der Juden Polens. Es habe schon schlimmere Zeiten gegeben, und wir haben sie überstanden. Man kann doch tausend Jahre jüdischen Lebens in Polen nicht einfach wegwischen wie Staub von einem Spiegel.

Diese letzten Worte, schrieb Nojbisch, zitiere er aus Tirschbeins Broschüre »Tausend Jahre Judentum in Polen«, die, während er den Brief schreibe, auf seinem Schreibtisch liege. Er hoffe, daß Tirschbein seine Angelegenheiten bald erledigt habe und nach Warschau zurückkehre. Früher habe ihm sein Vater nicht erlaubt, zu seinem Onkel nach Brasilien zu fahren, aus Angst, er könne sich in diesem Land assimilieren.

Doch nun, da sein Vater schon nicht mehr am Leben sei und er selbst älter als sein Vater zum Zeitpunkt seines Todes, habe er selbst Angst, daß er in der großen Welt aufhören könne, ein Schriftsteller zu sein. Ob das nicht beides die gleiche Furcht sei, fragte er Tirschbein und bat um eine Antwort. Jede Generation trage ein modernes Hemd und sei überzeugt, daß sie damit alles ändere. Doch das alles seien nur flüchtige Überlegungen, und er, Nojbisch, sei noch nie ein Philosoph gewesen, sondern beschreibe immer nur das wirkliche Leben. Sein Buch »Porträts«, das in diesem Jahr erschienen sei, habe großen Erfolg. »In ganz Rußland spricht man darüber«, hatte der Schriftsteller Peretz Markisch aus Moskau an den Dichter Mosche Kulbak in Wilna geschrieben, und Kulbak hatte es Nojbisch erzählt, als sie sich das letzte Mal in Warschau getroffen hatten. Es falle ihm noch immer schwer zu glauben, daß irgendwo ein Mensch lebe, der sich seinetwegen Mühen auflade, doch wenn Tirschbeins Anstrengungen von Erfolg gekrönt seien und er, Nojbisch, wirklich nach Amerika reise und mit fünfhundert Dollars in der Tasche nach Polen zurückkehre, würde er sich ein Zimmer in einer ruhigen Gegend mieten und die Hunderte von Geschichten, die in Zeitungen und Zeitschriften verstreut seien, zusammensuchen.

»Tausend Geschichten, Tirschbein, mein lieber Freund.«

Die Briefe in der Mappe gaben keinen Hinweis darauf, ob Nojbisch nach Amerika gekommen war, denn der folgende Brief war sieben Jahre später geschrieben worden, als Nojbisch aus Rußland nach Polen zurückgekehrt war. Damals schrieb er an Tirschbein, es sei wohl rücksichtslos, daß er einem Menschen, den er nicht seit frühester Kindheit kenne, seine ganze Hilflosigkeit schildere. Sieben Jahre der Hölle, klagte er, und in der ganzen Zeit habe niemand in Amerika seinen Namen erwähnt. Es fehle ihm, Nojbisch, nicht an Ehre, Warschau habe ihn liebevoll und ehrerbietig empfangen, die wenigen Juden, die noch da seien, umgäben ihn mit einer Wärme, die er vor dem Krieg nicht nötig gehabt habe. Doch nun laufe er herum wie jemand, der das Grab seiner Väter suche.

Er habe an der Ecke Rimorskastraße gestanden und den grasbewachsenen Hügel betrachtet: den Rest der großen Synagoge. Vergeblich habe er das Gebäude in der Tlomacka 13 gesucht, das Haus des jiddischen Schriftstellerverbands. Man erzählte ihm, an der Stelle, wo das Haus stand, seien neue Straßenbahnschienen verlegt worden. Nojbisch erinnerte sich, daß Tirschbein einmal im großen Saal in der Tlomacka 13 einen Vortrag über Immanuel Kant gehalten hatte. Nun bat er Tirschbein, seiner Broschüre einen Satz hinzuzufügen: Das jüdische Leben in Polen sei für immer weggewischt, wie Staub von einem Spiegel. Am letzten Laubhüttenfest war Nojbisch durch Lodz gelaufen und hatte einen Hof betreten, wo einst Juden gelebt hatten. Auf den Hof fiel nun, durch die aufgerissenen Wolken, das gleiche kalte Mondlicht wie früher durch die Ritzen der Laubhütte. Alles lag so offen vor ihm wie am Tag nach einer Hochzeit: Man schämt sich ein bißchen, weil man zuviel getrunken hat, die Familie verstreut sich wieder, und zurück bleibt Trübsinn. Und die glänzenden Geschenke fangen schon an zu rosten.

Nojbisch hatte erfahren, daß Tirschbein eine Elegie auf ihn geschrieben hatte, auf die Meldung einer russischen Zeitung hin, man habe ihn erschossen. Nojbisch würde die Elegie auf seinen Tod gerne einmal lesen, schrieb er und bat Tirschbein um eine Abschrift. Er wollte auch Tirschbeins Ansicht zur jiddischen Literatur nach dem Krieg wissen. Er selbst sei überzeugt, daß wir nach der Vernichtung des jüdischen Volkes in Europa keinen Bedarf an provinzieller Literatur hätten. Wenn man nach der Vernichtung ein Schriftsteller für die Welt sein wolle, in der wir weiter leben müßten, brauche man neue Themen und eine andere Sprache. Denn wer kenne die Sprache der Menschen, die sich mit dem Tod verbündet hatten?

Hier, schrieb Nojbisch, fliege ihm die Zeit über den Kopf wie Peitschenschläge. Wie könnte ich einen Platz und Ruhe finden, um ein bedeutendes Buch über Themen zu schreiben, die den Menschen der Welt fremd sind? Ein solches Buch, über den Untergang des polnischen Judentums, müsse eigentlich geschrieben werden. In jiddisch, einem Jiddisch, das zu dem Thema passe. Er würde es gerne schreiben. Ein künstlerisches Buch. Und der verehrte Tirschbein möge nicht lachen: Anderen würde er es nicht sagen, doch Tirschbein sei ein toleranter Mensch, er kenne ihn und seine spezielle Begabung. Als er durch Warschau gegangen sei, auf der Suche nach der Tlomacka 13, habe er plötzlich gespürt, daß dies seine Bestimmung war. Eine junge Polin sei an ihm vorbeigegangen und habe ihm einen ehrfürchtigen Blick geschenkt, mit dem Hauch eines Lächelns. Er habe irgend etwas Nebensächliches zu ihr gesagt, doch sie sei vor ihm geflohen wie vor einem verrückten Propheten.

Vielleicht war sie über seine Kleidung erschrocken, über die Lumpen, die er von den Deutschen und den Russen bekommen hatte? Er habe gehört, daß Tirschbein Pakete mit Kleidung an Maler und Schriftsteller schicke, die am Leben geblieben seien, so zum Beispiel den neuen Mantel, den er einem Schauspieler namens Issler geschickt hatte. Nojbisch bat, Tirschbein möge doch auch an ihn denken. Er schäme sich nicht zu sagen, daß auch er sich danach sehne, wieder einmal einen Abendanzug zu tragen.

21

In Nojbischs Mappe hatte ich ein Foto gesehen: Nojbisch vor dem Krieg. Ein hochgewachsener, breitknochiger Mann mit einem länglichen Gesicht und fleischigen, zu einem Spalt geöffneten Lippen. Wie er nun so am Tisch saß, rechts neben Tirschbein, glich sein Gesicht einer Maske. Er hüllte sich noch immer in Schweigen, und auch mit mir sprach er kein Wort.

Die jungen Leute waren schon am Ende des ersten Aktes angekommen. Sie sammelten den Müll zusammen und machten die Bühne sauber. Dann trugen sie einen Haufen Salat und Kohlköpfe hinauf. Die beiden jungen Männer und die verschwitzte alte Frau, die nun frisch und jung aussah, sammelten das Gemüse in

Körbe. Ein anmutiges junges Mädchen mit einem runden Gesicht und Grübchen in den Wangen, in weiten Hosen und einem weiten Hemd hob einen Stock mit einem Plakat, auf dem geschrieben stand: »Frühlingstanz«. Mit dem Stock in der Hand ging sie zwischen den Stühlen der angrenzenden Cafés umher, während die beiden jungen Männer, Tänzer des Frühlings, ihr mit den Körben folgten und den Gästen Salat- und Kohlblätter anboten. Das Mädchen schob ein Kohlblatt zwischen Isslers Lippen und sagte: »Sie kommen mir bekannt vor.« Doch sie erinnerte sich nicht, woher.

Issler stand von seinem Platz auf, während er das Kohlblatt kaute, das langsam, ohne Hilfe der Hände, in seinem Mund verschwand, und dann reichte er dem jungen Mädchen eine Visitenkarte, die er aus der Seitentasche seiner grünen Hose zog. Als er bemerkte, daß er aus Versehen zwei Karten erwischt hatte, reichte er mir ebenfalls eine. Sein Name war in goldenen Buchstaben gedruckt, auf hebräisch und auf englisch, rechts stand als Beruf »Schauspieler und Entertainer« auf hebräisch, links auf englisch. Seine Adresse war ebenfalls angegeben – er wohnte in Tel Aviv, in der Ha-Jarkon-Straße –, außerdem noch die Telefonnumer. Unten links war ein kleines altes Foto von ihm: ein Mann in den Vierzigern, der aber jünger aussah. Ein glattes Gesicht, straff gekämmte Haare, mit einem Bärtchen und mit einer Fliege um den Hals.

Das junge Mädchen hob die grauen Augen von der Karte und sagte zu Issler, er sei immer noch ein Mann, in den eine Frau sich verlieben könne. Issler verließ den Platz zwischen dem Stuhl und dem Tisch und machte eine tiefe Verbeugung vor ihr. Er nahm ihre

Hand, nur die Fingerspitzen, und hob sie an seine Lippen, küßte sie aber nicht. Dann beschrieb er einen weiten Bogen mit der Hand, als nehme er auf der Bühne den Applaus des Publikums entgegen. Als er sich aufrichtete, sah er jünger aus.

Vorher hatte sich am Tisch die Müdigkeit des Alters breitgemacht, und Tirschbein hatte mir von der Seite zugeflüstert, daß hier Tote über Tote sprächen. Nun bemerkte ich auch an ihm einen Anflug von Jugend. Er streckte die Hand nach einem Kohlblatt aus, und als er sich erhob, wirkte er angespannter und größer. Mit dem Kohlblatt in der Hand lüftete er seinen schwarzen, breitkrempigen Hut und stellte sich vor: »Ein Vegetarier.«

Entzückt von dem Lächeln des jungen Mädchens – und von ihren Grübchen – fügte er hinzu: »Ein Schüler Immanuel Kants.«

Sie bot auch Nojbisch ein Kohlblatt an und fragte: »Wer ist Immanuel Kant?«

Issler deutete auf beide, auf Tirschbein und Nojbisch, und sagte, sie habe die Ehre, zwei Weltgrößen der jiddischen Literatur kennenzulernen.

»Dina«, stellte sich das junge Mädchen vor. Inzwischen wußte sie, woher sie Issler kannte. Sie habe ihn in der Fußgängerzone das Gedicht *A jiddische Mamme* rezitieren hören, sagte sie. Jiddisch bringe sie immer zum Lachen. Ihre Großmutter mütterlicherseits komme aus Ungarn und spreche jiddisch. Ihr Vater war im Iran geboren. Sie hob den Stock etwas höher und ging lachend zum nächsten Tisch.

Issler warf ihr einen Blick nach und sagte, nach dem Hüpfen ihrer Brüste – wie junge Zwillinge von Gazellen – könne er sehen, daß sie keinen Büstenhalter trage. Tirschbein zog sein Tagebuch heraus und notierte etwas im Stehen, dann setzte er sich hin.

Nojbisch zerkaute das Kohlblatt langsam und gleichmäßig und rückte seine dunkle Sonnenbrille zurecht. Sein Gesicht wirkte hohl, trotz der Fettpolster. In einem seiner späten Briefe aus Polen hatte er mehrmals erwähnt, daß er zwischen den Ruinen nach den tausend Geschichten suche, die er verloren habe. Sie waren in Tageszeitungen erschienen, in Zeitschriften und Anthologien, die vor dem Krieg in Warschau, Lodz, Lemberg, Kowno, Riga und Wilna gedruckt worden waren, ja sogar in Paris und New York. Er hatte einen unterschriebenen Vertrag mit einem Verleger in Warschau, der seine gesamte Prosa in zwölf Bänden herausbringen wollte. Doch nun, nach dem Krieg, laufe er zwischen Haufen von Trümmern und Schrott umher, ob er nicht irgendwo ein Stück Zeitung zwischen den zerbrochenen Backsteinen entdecke. Ausgerechnet in einem der polnischen Wohnviertel, die für Juden verboten gewesen waren, hatte er in einer Blechkiste eine zerrissene Zeitschrift gefunden, mit einem Teil einer seiner Geschichten. Allerdings nur den Schluß. Sie handelte von zwei alten Männern, die auf einer Bank im Hof eines Altersheims sitzen und sich über den reichsten Mann ihrer Stadt unterhalten. Die Geschichte endet mit einem Streit, denn jeder von ihnen meint einen anderen reichen Mann in einer anderen Stadt. Schließlich spucken sich die beiden Alten sogar ins Gesicht.

»Ich habe den Anfang vergessen«, schrieb Nojbisch an Tirschbein, und dieser verlorene Anfang ließ ihm keine Ruhe. Er drängte sich sogar in seine Träume.

Einmal hatte Nojbisch im Traum einen Hund gesehen, der ohne Kopf herumrannte. Von Zeit zu Zeit beherrschte ihn der Gedanke an ein Haus, in dem er vor dem Krieg die Zeitschrift mit dieser Geschichte gesehen hatte, und er ging zu dem Platz, an dem dieses Haus einmal gestanden hatte, und suchte zwischen den Trümmern nach Papierfetzen.

»Erinnere mich an den Anfang«, flehte Nojbisch Tirschbein an und bat ihn, in Cleveland und anderen Städten zu suchen, ob er vielleicht in irgendeinem jüdischen Haus die Zeitschrift mit der Geschichte fand. Er solle Freunde und Zeitungsredakteure fragen, schließlich läge Amerika nicht in Trümmern. Seine Bitte betonte Nojbisch mit drei Ausrufezeichen.

Nojbisch suchte auch bei polnischen Redakteuren nach seiner Geschichte. Das Monatsmagazin Pschefiski hatte vor dem Krieg regelmäßig Beiträge von ihm gedruckt. Auch sein Roman war darin erschienen, in Fortsetzungen. Er suchte die Redaktion des Magazins auf und fragte, ob noch Exemplare im Keller lagerten. Der Redakteur beantwortete seine Fragen mit Kopfschütteln. Er verstand überhaupt nicht, was Nojbisch in Warschau zu suchen hatte. Und diese Frage, betonte der Redakteur, müsse man allen Juden stellen, die von irgendwoher, der Teufel wisse, von wo, nach Polen zurückgekehrt seien. Warum fielen sie über das arme Polen her? Was hatten sie hier noch zu suchen? Reichten ihnen tausend Jahre Pogrome noch nicht? Chmjelnizki, Petljura. Schwangere Frauen, denen der Bauch aufgeschlitzt wurde. Die Juden klebten an der polnischen Erde wie Ungeziefer an einem verwahrlosten Körper. Stachen und ließen nicht locker.

Gerade neulich habe er, sagte der Redakteur, zufällig ein patriotisches Gedicht auf polnisch gelesen, von einem Juden geschrieben, und es sei ihm kotzübel geworden. Der Autor habe seine Liebe zur polnischen Landschaft und zur polnischen Sprache beschrieben. Julian Tuwim, der Jude, der die polnische Sprache entweihte, nenne sich selbst »Pole«. Pole jüdischer Abstammung. Das gebe es nicht. Kürzlich habe er gelesen, daß jüdische Intellektuelle, Schriftsteller und Philosophen in einem Aufruf alle polnischen Juden in der ganzen Welt aufgefordert hätten, in ihr Heimatland Polen zurückzukehren und eine neue Zukunft aufzubauen. »Eine neue Zukunft für Juden in Polen?« fragte der Redakteur Nojbisch. Waren sie denn verrückt geworden? Hatten sie den Verstand verloren? Was wollten sie denn wieder zum Leben erwecken, etwa Treblinka?

Nojbisch verließ die Redaktion des Magazins, während er ein altes jiddisches Gebet vor sich hinmurmelte, das er – zusammen mit seiner zerrissenen Geschichte – gefunden hatte, ein Blatt aus dem Machsor raba zum Jom Kippur:

Fartrajb di nacht woß iber unds.
Fir unds arojß zu der lichtkajt.
Los arop ojf undser herzer
an opschajn fun a lichtign schtral.

Mach a ßof zu undser umglik.
Gib unds a tog fun hofn.
Jißroel ken sich schojn nischt bejgn
unter di maße fun di zoreß.

Nojbischs letzte Briefe aus Polen waren lang und ausführlich. Auch er hatte Gerüchte gehört, daß die Juden in ihrer Rückkehr nach Polen so etwas wie die Rückkehr aus dem babylonischen Exil sähen. In einer Zeitung, die in Paris erschien, hatte er gelesen, daß zwei Schriftsteller, Noach Naftali Tirschbein und Josef Opatoschu, wie Esra und Nechemja an der Spitze einer solchen Bewegung stünden. Er riet Tirschbein, Schalom Aschs Buch »Kiddusch ha-Schem« aufzuschlagen und die letzten Seiten zu lesen.

Für den Fall, daß Tirschbein das Buch nicht zur Hand hätte, beschrieb Nojbisch, wie Schlomo, der Protagonist, nach den Pogromen 1648/49 nach Lublin zurückkehrte und erfuhr, daß seine Eltern als Märtyrer gestorben seien. Von seiner Frau Dvora vernahm er nichts Genaues, doch er wußte, daß sie im Himmel auf ihn wartete. Er sah, daß man Türen in die Häuser einsetzte und die Dächer ausbesserte, und betrat eine enge Gasse voller Geschäfte. Dort sah er einen alten Mann an der Tür seines leeren Ladens stehen und Kunden hereinbitten. Schlomo ging hinein, konnte keinerlei Waren entdecken und fragte den Alten, was er denn verkaufe. Da antwortete der Alte – und damit endet der Roman –, daß er Sicherheit verkaufe. Nojbisch fragte, ob auch Tirschbein und Opatoschu auf den Märkten umherzögen und Glauben und Sicherheit verkauften. Seinen Glauben an Gott habe er bereits in seiner Jugend verloren, meinte Nojbisch, und seither habe er keinen Fuß mehr in eine Synagoge gesetzt. Und wenn er das Gebet gemurmelt habe, das er in der Kiste mit den Resten seiner Geschichte gefunden habe, so sei das nur geschehen, weil ihm, als er das zerrissene Blatt herausgezogen hatte, eine innere Stimme sagte, daß er, Schmu'el-Josef Nojbisch, dazu bestimmt war, ein moderner Prophet Jeremias zu werden und der ganzen Welt von der Vernichtung des polnischen Judentums zu berichten.

Hier, am Tisch in der Fußgängerzone, kaute Nojbisch noch immer genüßlich an dem Kohlblatt herum. Seine breiten Koteletten waren weich und seidig und schwarz gefärbt. Auch seine schwarzen Schuhe waren weich und glänzend. Beides, Koteletten und Schuhe, waren die einzigen Reste ehemaliger Eleganz. Tirschbein hatte ihm aus Cleveland einen Abendanzug geschickt. Die Bescheinigung fand ich im Archiv, zusammen mit der Rechnung und dem Namen des Geschäfts: The Santimer Bros., fünfzehn Dollar und neunundneunzig Cent. Es war Tirschbein auch gelungen, den Anfang der Geschichte von den beiden Alten zu finden und sogar einen Verlag, der eine Sammlung der Geschichten Nojbischs herausgeben wollte. Das Buch erschien, und Nojbisch erhielt ein bescheidenes Honorar. Etwa zur gleichen Zeit gelang es Tirschbein, einen Literaturpreis für Nojbisch zu erwirken, dotiert mit fünfhundert Dollar, damit er sein Buch über die Vernichtung des polnischen Judentums schreiben könne. Vielleicht sei er wirklich ein zweiter Jeremias, schrieb Tirschbein damals.

Mit dem Geld verließ Nojbisch Polen und zog nach Paris. In seinen Briefen von dort schrieb er, Tirschbein habe ihm den Glauben an die Menschheit wiedergegeben. Auch die Elegie, die Tirschbein über seinen Tod verfaßt hatte, gefiel ihm, und er erkundigte sich, ob Tirschbein all diese angenehmen Dinge auch über ihn gesagt hätte, wenn er gewußt hätte, daß er noch am Leben war. Er lud Tirschbein ein, ihn in Paris zu besuchen, und fügte hinzu:

»Ich werde dir bis in alle Ewigkeit dankbar sein.«

22

Als die jungen Leute verschwanden und, außer dem Sack mit Müll, nur da und dort ein paar Salat- oder Kohlblätter zurückließen, deutete Issler auf das Blatt Papier, das die ganze Zeit vor ihm auf dem Tisch lag, und fragte Tirschbein, ob er das, was er da geschrieben habe, ernst meine. Ob er wirklich wolle, daß das junge Mädchen mit den Grübchen und den fröhlichen Brüsten unter dem Hemd auf Friedhöfen umherlaufe und Greisen zuhöre, die auf jiddisch weinen, statt aufs Land zu ziehen und im Schoß der Natur zu leben. Er reckte den Hals, und während er auf eine Antwort wartete, begann er, mit den Fingerspitzen eine Melodie auf den Tisch zu klopfen, die ihm gerade in den Sinn kam. Seine Fingerspitzen wanderten über die Tischplatte und von dort auf Tirschbeins Schulter: Issler wollte wissen, was Tirschbein vorhin in sein Tagebuch geschrieben hatte. Tirschbein blätterte in seinem Notizbuch und reichte es Issler aufgeschlagen hin. Dieser las, erst leise, nur mit den Lippen, und bevor er seine Stimme hob, deutete er noch auf Nojbisch und sagte, dessen Muse habe schon vor zwanzig Jahren angefangen zu schweigen, und seither sei Nojbisch in Depression versunken. Issler habe ihn hierher gebracht, zur Fußgängerzone, in der Hoffnung, daß ein Funke Leben in ihm erwache, wenn er junge Leute um sich sehe, doch auch hier sitze Nojbisch wie ein eingesunkener Grabstein auf einem Friedhof. Dann stand Issler auf und deklamierte laut den Satz, den Tirschbein in sein Tagebuch geschrieben hatte: »Das Lächeln in einem jungen Gesicht genügt, um alle längst verstummten Wünsche der Seele zu wecken.«

Issler gab Tirschbein das Tagebuch zurück, schwieg einen Moment, als denke er nach, obwohl ihm anzusehen war, daß er genau wußte, was er fragen wollte, dann sagte er endlich: »Erwachen auch auf dem Friedhof die längst verstummten Wünsche der Seele?« Ohne auf eine Antwort zu warten, sprach er weiter. Sie beide, er und Tirschbein, seien eingesunkene Grabsteine auf einem Friedhof, ebenso wie Schmu'el-Josef Nojbisch. Der jiddischen Literatur seien keine jungen Dichter geblieben, und sie – alte Junggesellen, ohne Frauen und Nachkommen – sollten ein junges Mädchen ohne Büstenhalter auffordern, sich an Beerdigungen zu beteiligen? Würde sie nicht bei den Klagen auf jiddisch einfach anfangen zu lachen?

»Das Jiddische selbst...«, sagte er und schwieg. Sein Gesicht verzog sich theatralisch, sein Adamsapfel bewegte sich auf und nieder.

»Das Jiddische hat aufgehört zu lachen«, sagte er schließlich, und wieder begann er, mit den Fingerspitzen auf den Tisch zu klopfen. Nun sang er die Melodie, die ihm vorher eingefallen war, variierte die Tonlage und wurde immer leiser:

»*Oj*, auf jiddisch lacht man nicht mehr,
Jiddisch bringt nicht mehr zum Lachen,
auf jiddisch lacht niemand mehr.«

Tirschbein steckte sein Tagebuch in die Tasche, zog
einige Servietten aus dem Ständer auf dem Tisch und
reichte sie Issler, damit er sich die Tränen abwischen
konnte. Issler nahm die Servietten, und bevor er sich
setzte, verkündete er, er sei der letzte Leichengänger
der Welt, denn alle kultivierten Jiddischsprechenden
seien längst gestorben. Er wischte sich eine Träne ab
und sagte, daß viele, nachdem man die jiddischen
Theater geschlossen hatte, weil die Juden sie nicht
mehr besuchten, nun zu Beerdigungen gingen, und er,
ein echter Schauspieler, folge seinem Publikum und
führe ihm zwischen Kaddisch und Trauerrede jiddische Bühnenkunst vor. Tirschbein sei ihm damals in
Cleveland nicht zu Hilfe gekommen, als man ihn vom
offenen Grab wegzerrte und nicht zuließ, daß er seine
abgebrochene Vorstellung zu Ende führte. Er gab
Tirschbein das Blatt mit dem offenen Brief zurück und
sagte, es gebe nichts Dunkleres als den Untergang
einer Kultur. Einmal habe man im Sonnenuntergang
etwas Romantisches gesehen, rosafarbene Dämmerung. Aber der Untergang habe nichts Schönes an sich.
Er sei schlimm und bitter. Doch er habe die Träne
vorhin nicht über den Untergang vergossen, sondern
über die Schönheit des Jiddischen. Er wandte sich zu
Nojbisch und zitierte, was dieser einmal gesagt hatte:
»Wir werden große Bücher schreiben und sterben.«
Doch es sei anders gekommen. Nojbisch lebe noch, und
das große Buch sei nicht geschrieben.

Plötzlich legte Issler mir die Hand auf die Schulter und sagte, stärker als er und Tirschbein verkörpere Nojbisch das polnische Judentum. Das Leben dort sei ein Hundeleben gewesen, aber die Literatur – schön wie eine Prinzessin. Tirschbein sei immer ein Aristokrat gewesen, in seinem Werk und in seinem Leben. Er selbst, sagte Issler und schlug sich mit der Faust an die Brust, war Schauspieler, ein Hund im Leben und ein Hund auf der Bühne. Aber Nojbisch war ein Hund im Leben und ein Prinz in seinem Werk.

Er beugte sich zu Nojbisch und befahl: »Nimm deine Brille ab und zeig dein Gesicht!«

Nojbisch stand auf und nahm seine dunkle Brille ab. Auch Tirschbein nahm seine Brille ab, stand auf und betrachtete Nojbisch aus der Nähe. Und dann rief Issler voll unterdrückter Erregung und wie jemand, der möchte, daß seine Stimme auch den entferntesten Zuhörer erreicht:

»Seht die drei Blasen auf seinem linken Augenlid, die es hinunterziehen wie einen Vorhang vor einer Bühne, auf der nicht mehr gespielt wird.«

Er schwieg einen Moment, biß sich auf die Unterlippe, als habe er etwas in der Kehle, und deutete dann stumm auf Nojbischs rechtes Auge. Es war nach oben gedreht.

»Sieht er nichts mehr?« fragte Tirschbein.

Issler schluckte das, was er in der Kehle hatte, hinunter, bevor er antwortete, daß Nojbisch mit dem linken Auge auf seinen Schuhen einen Hauch des Glanzes sehe, mit dem rechten, dem zum Himmel gewandten, einen Hauch des Erbarmens.

»Und jetzt mache auch den Mund auf!« befahl er

Nojbisch, diesmal mit trockener Stimme, als Zeichen, daß er selbst seine Aufgabe damit als erledigt ansah, nämlich Tirschbein zu zeigen, was geschehen würde, wenn er das Vermögen, das Bitman ihm zur Verwaltung anvertraut hatte, zurückbehalten würde.

»Erzähle Tirschbein von den beiden Mördern in Paris, den Teilhabern von Bitmans Vermögen«, sagte er und machte eine Handbewegung, als bitte er Nojbisch auf eine Bühne:

»Der große Künstler des geschriebenen Wortes!«

Zu Tirschbein sagte er, diese beiden Gentlemen würden ihn auch in Me'a Sche'arim finden, und wenn ihm sein Leben lieb wäre, solle er ihm möglichst schnell das Geld übergeben. Sie würden einen Fonds zur Publikation jiddischer Bücher und ein jiddisches Theater in Israel gründen, und sie würden Nojbischs Augen heilen lassen, damit er sein großes Buch über die Vernichtung des polnischen Judentums schreiben könne.

»Und dann friedlich sterben«, fügte er noch hinzu.

Nojbisch stand noch immer aufrecht da, ohne die dunkle Brille. Sein undurchdringliches Gesicht, vorher hinter der Brille versteckt, sah nun nackt, aber genauso undurchdringlich aus. In einem seiner letzten Briefe aus Paris, noch vor seinem jahrelangen Zerwürfnis mit Tirschbein, hatte er sich selbst gefragt: Wer war dieser doppelgesichtige Mensch mit Namen Noach Naftali Tirschbein? Ein barmherziger Mensch, der sich mit etwas Bosheit schmückte, oder ein böser Mensch, der vorgab, barmherzig zu sein?

Nojbischs Enttäuschung über Tirschbein war sehr plötzlich gekommen. Er hatte drei Jahre lang über die Elegie nachgedacht, bis ihm mit einem Mal deren Doppeldeutigkeit klargeworden war und er verstand, daß sie der reinste Spott war. Ähnliche Worte fand er auch für das Gebet, das er in Warschau gefunden hatte. Sein Freund, der Historiker Schatzki, hatte ihm eines Tages erklärt, daß es sich dabei nicht nur um ein Gebet handle, sondern auch um eine Lobpreisung des Zaren. Polnische Juden hatten es 1815 dem Zaren geschickt. Für den Zaren und für Gott? Mit denselben Worten? hatte er sich gefragt. Er hatte das Gefühl, daß beide, das Gebet und die Elegie, Brautführer seien, die ihn, Nojbisch, mit jubelnden Stimmen zur Chuppa mit einer toten Braut führten.

Nojbisch schrieb auch über den Literaturpreis, den Tirschbein für ihn organisiert hatte. Er habe ihm zwar Ehre und Ansehen gebracht, und aufgrund des Preises habe ihn Paris königlich empfangen, doch es fehle auch nicht an Klatschmäulern, die ihm zuflüsterten, er sei ihm nur aus Barmherzigkeit zugesprochen worden, weil es Tirschbein gelungen sei, bei den Preisrichtern Mitleid für ihn zu erwecken. Nojbisch weigerte sich, ihnen zu glauben, er hielt Tirschbein für einen aufrichtigen Menschen. Er schickte Briefe an Zeitungsredakteure in Paris, diskutierte mit anderen Schriftstellern, die seiner Meinung nach kleine Fische waren, die im trüben Wasser wühlten, und betonte, daß er nie im Leben um Mitleid gebeten habe und es auch nie tun würde. Er wettete mit dem Schriftsteller Efraim Kaganowski, der damals in Paris lebte, und verkündete, falls sich herausstellen sollte, daß die Schwätzer recht hätten mit ihrer Behauptung, würde er den Preisrichtern in New York das Geld und die Ehre zurückgeben. Er würde ihnen alles vor die Füße wer-

fen, wie man einem Straßenköter einen Knochen hin-
wirft.

Inzwischen war die Schabbat-Beilage einer New Yorker Zeitung in Paris angekommen, mit einem Artikel
Tirschbeins. In ihm rühmte er einen hervorragenden
Schriftsteller, einen Romancier par excellence, den
vierten Klassiker der jiddischen Literatur, weil er sich
damit einverstanden erklärt hatte, den zweiten Preis
anzunehmen, alles in allem nur zweihundertfünfzig
Dollar, damit der Schriftsteller Schmu'el-Josef Noj-
bisch den ersten Preis erhalte. Und wer sei nun in
Tirschbeins Augen dieser Klassiker, fragte Nojbisch in
seinem Brief. Der Plagiator David Pinski! Mit seinem
Aufsatz, geschrieben in Cleveland, habe Tirschbein allen Klatschmäulern von Paris recht gegeben. Wenn
Pinski sich einverstanden erklärt hatte, den zweiten
Preis zu akzeptieren, dann bedeutete das doch, daß
Nojbisch der erste Preis nur aus Mitleid zuerkannt
worden war. Nojbisch schwor, er würde Tirschbein die
Demütigung, die er ihm zugefügt hatte, nie im Leben
vergessen.

»Du hast meinen Namen für alle Ewigkeit beleidigt!«

Nun, am Tisch in der Ben-Jehuda-Straße, bevor er
seine Brille wieder aufsetzte, wandte er uns seine Augen zu, die beiden schmalen Schlitze, von denen einer
zur Erde, der andere zum Himmel gerichtet war, und
betonte, daß er nie mehr ein Wort mit Tirschbein wechseln würde. Seinen letzten Brief an Tirschbein hatte er
mit einer Frage beendet:

»Bist du, Noach Naftali Tirschbein, für dich selbst
Jesus Christus und für deinen Nächsten ein Pontius
Pilatus?«

23

Auf dem Heimweg blieb Tirschbein von Zeit zu Zeit stehen und erkundigte sich, ob auch ich Isslers Bemerkung über die beiden Männer aus der Pariser Unterwelt gehört hatte. »Schicksal«, murmelte er. In der Hanaviimstraße blieb er schweigend vor der Kirche stehen. Als wir zu Hause angekommen waren, blätterte er in einem Buch von Immanuel Kant, las einen Abschnitt, betrachtete Kants Porträt an der Wand und ging dann hin und her, murmelte einige Zeilen eines neuen Gedichts über ein junges, lachendes Gesicht, das verlorene Hoffnungen weckt, und davon, daß er das Lachen der Tänzerin D. D., die so viel Unruhe in sein Leben brachte, gehört habe. Vorher, auf der Schwelle seiner Wohnung, hatte er mich gebeten, nach Hause zu gehen und ihn allein zu lassen, doch sofort tat es ihm wieder leid, und er schlug vor, wir sollten gemeinsam Briefe aus seinem Archiv lesen. Jetzt betrat er seinen Schlafraum, um ein paar Minuten zu schlafen, und ich holte aus den Kisten die Mappen, die er mir gezeigt hatte.

Weil mir Immanuel Kants Porträt gleich am ersten Tag aus der Hand gefallen war, ging ich nur sehr vorsichtig mit allen Gegenständen um. Das Glas des Bildes war noch immer zerbrochen. Der Sprung begann auf der rechten oberen Gesichtshälfte, durchschnitt die Stirn des Philosophen, lief über ein Auge und ging bis zur Nasenspitze. Die Mappe mit Tirschbeins Testamenten lag noch immer auf dem Tisch, neben der schweren Schreibmaschine. Von Zeit zu Zeit hatte ich beobachtet, wie Tirschbein in ihnen blätterte und sich in eines der Testamente vertiefte. Auf einem schmalen Papierstreifen, den er zwischen die obersten Seiten gelegt hatte, hatte er notiert, daß er nun, nachdem er alle Testamente durchgelesen habe, am liebsten weinen würde. Sie kämen ihm flach und hohl vor. Einige Zeilen hielten stand, doch die meisten seien ohne jedes Talent und ohne Klarheit verfaßt. Eines Tages wolle er alles neu schreiben, wolle auch die Testamente, die er schon verworfen hatte, korrigieren.

In einiger Entfernung von der Testamentenmappe lagen zwei Notizbücher in verschiedenen Farben. In dem roten notierte er alle Briefe, die er bekam, mit Absender und Datum, und in dem grauen alle Briefe, die er selbst schrieb. Daneben lag, aufgeschlagen, das Heft für die täglichen Ausgaben. Am Tag, bevor er sich mit Issler und Nojbisch traf, hatte er ein Kilo Tomaten gekauft, zwei Kilo Äpfel, hundert Gramm Pilze, gesalzenen weißen Käse, ein Dutzend Streichholzschachteln, fünf Tageszeitungen, ein Paar Strümpfe und eine Landkarte Israels. In einem dünnen Heft notierte er seine Einnahmen. Er hatte auch ein Heft, in das er die Bücher eintrug, die er las.

Auf einem Blatt, das er an die Wand gehängt hatte, notierte er, was er nicht vergessen durfte: Schreibe deinen Roman »Gesicht in den Wolken«, als würdest du ihn jemandem mündlich erzählen, dann wird man dir glauben. Auf derselben Wand hing eine große Karte von Polen. Die schwarzen Linien, die er unter den Namen der Städte gezogen hatte, in denen er gelesen hatte, waren über ganz Polen verstreut, und an einigen Stellen übertraten sie sogar die Grenzen nach Rumänien, Litauen und Lettland und führten bis nach

Tallin in Estland und Helsinki im fernen Finnland. Unter der Karte, auf einem niedrigen Tisch, stand ein schmaler, hoher Blechbehälter, in dem längliche Karten alphabetisch geordnet standen: Stadtpläne für alle Orte, die auf der Karte angegeben waren. Ich zog einen Plan heraus und las: Sarna, 21. Mai 1934. Tirschbein hielt dort einen Vortrag über die Motive der Erlösung in der jiddischen Literatur und bekam 75 Złoty, einschließlich Reisekosten. In kleinen, mit Bleistift geschriebenen Buchstaben war hinzugefügt: Schlamm auf dem Friedhof nicht vergessen. Und eine andere Notiz handelte davon, daß er nachts im Haus des Bibliothekars geschlafen hatte, in einem Bett mit ihm und seiner Frau. Als er morgens die Augen aufschlug, lag die junge Frau des Bibliothekars neben ihm und streichelte ihn. Der Bibliothekar war schon nicht mehr zu Hause. Mit noch kleineren Buchstaben stand darunter:

»Süß ist Sexus!«

Ich stellte den Stadtplan zurück an seinen Platz, denn von draußen war Lärm zu hören. Deshalb setzte ich mich ans Fenster und schaute hinaus auf die Straße. Aus einem gelben Minibus stiegen Cheder-Schüler mit langen Schläfenlocken. Die meisten trugen kurze Hosen und einen kleinen Tallit über dem Hemd. Zwei etwa dreizehnjährige Jungen waren wie erwachsene Männer angezogen, mit langen Kaftanen und schwarzen Hüten. Der eine kickte einen Ball aus Stoff. Ein Taxifahrer hupte, damit sie ihm den Weg frei machten. Zwei Männer, die ein Säckchen mit Tallit und Tefillin trugen, verließen die Synagoge, blieben auf dem Gehsteig stehen und unterhielten sich miteinander. Eine alte, schwarz gekleidete Frau, klein und dick, mit einem Sack Kartoffeln auf dem Kopf, verließ den Bürgersteig und setzte ihren Weg in einem großen Bogen fort, um den beiden fremden Männern ja nicht zu nahe zu kommen. Sie betrat den Bürgersteig erst wieder, als sie an der Mauer mit den Plakaten vorbei war, denn auch dort stand ein Mann, dessen kleine Tochter an seiner Hand zog, weil sie weitergehen wollte. Ihr Vater hob den Kopf, und sein spitzer Bart deutete auf ein gelbes Plakat, von dem mit riesigen Buchstaben zwei Wörter herausstachen: »Ungläubiger! Hinaus!«

Diese Ankündigung hatten wir schon gelesen, als wir Tirschbeins Wohnung erreicht hatten. Der »Ungläubige« war der Zanser Rabbi, der aus Klausenberg, USA, nach Jerusalem gekommen war, um den Grundstein für ein neues Viertel für seine Anhänger zu legen. »Verderber Israels« wurde er auf dem Plakat genannt, weil er angeblich mit der verabscheuenswürdigen zionistischen Regierung zusammenarbeitete, auf der für immer Gottes Fluch lastete.

Der Vater befreite seine Hand aus dem Griff seiner Tochter, schaute sich vorsichtig und erschrocken um, und plötzlich kratzte er mit seinen Fingernägeln über das Plakat und zerriß es in ganzer Länge. Dann hob er seine Tochter hoch, setzte sie auf seine Schultern und ging schnell weg. Die alte Frau mit dem Sack verschwand ebenfalls, und auch die Schüler waren nicht mehr zu sehen. Der Fahrer des Minibusses hupte ein letztes Mal, dann fuhr er los, als verfolge er den Übeltäter. »Institut der Chassidim von Satmar« stand in großen Buchstaben auf dem gelben Minibus. Die beiden Männer mit den Tefillinsäckchen unterm Arm unter-

hielten sich noch immer. Der Wind blies ihre Mantelschöße auf, und ich sah, daß ihre Hosen in weißen
Strümpfen steckten. Auf dem Plakat war von den beiden Wörtern nur je ein Buchstabe zurückgeblieben.

»Hat jemand an die Tür geklopft?« fragte Tirschbein.

Nachdem er sich das Gesicht gewaschen und für uns
beide Tee gemacht hatte, bat er, ich solle die Mappen mit
den Briefen in die Kisten zurücklegen. Er hatte schlecht
geträumt und wollte nicht mehr den Berg von Papieren
sehen, die er mit nach Jerusalem gebracht hatte. Er hatte
geträumt, daß zwei Männer mit vereinten Kräften ein
Schwert heben wollten, um ihr Opfer der Länge nach zu
zerteilen. Das Opfer war niemand anderer als Tirschbein selbst, der wie gelähmt dastand und hoffte, es
würde ihnen nicht gelingen. Als er aufwachte, hörte er
sich flüstern: »Ohne Schmerzen, bitte.«

Er setzte sich an die Schreibmaschine, stellte sein
Teeglas daneben, legte ein neues Blatt ein, schrieb
einige Zeilen und las sie mir dann vor:

»Du hast dein Haus verlassen, um Dichter zu sein
und das Gewissen der grausamen Welt.
Zwei Mörder werden an deine Tür klopfen
und das unreine Geld fordern, das fremde.«

Er setzte seine Brille ab, putzte die Gläser und sagte,
sein ganzes Leben sei ein fortgesetzter Irrtum gewesen.
Auch seinetwegen müßte man eigentlich ein gelbes
Plakat an die Mauer kleben, ein Plakat mit großen
Buchstaben: »Ungläubiger! Hinaus!« Und nicht nur
aus Me'a Sche'arim müsse er hinaus, sondern auch aus
Jerusalem, dem Land Israel, der Welt überhaupt. Als
ich ihm erzählte, was mit dem Plakat geschehen war,

trat er ans Fenster und schaute hinaus auf die Straße. Ich ging ins andere Zimmer, um die Mappen zurückzubringen, und als ich wiederkam, saß Tirschbein schon mit geschlossenen Augen auf dem Polsterstuhl. Die Brille hatte er auf die Stirn geschoben, sein Teeglas hielt er mit beiden Händen auf dem Schoß. In seinem Traum, sagte er, hätten die beiden Männer mit dem Schwert sein Hemd in Streifen geschlitzt.

Er bedeutete mir mit einer Handbewegung, ich solle meinen Stuhl näher zu ihm rücken, und erzählte mir, noch immer mit geschlossenen Augen, von seinem älteren Bruder, Hirsch-Mendel, der Musik über alles liebte. Er schloß sich der dörflichen Musikantenfamilie an, und abends ging er immer mit ihnen zu allen Hochzeiten und Festen und wartete, daß einer der Musikanten ihm aus Gutmütigkeit erlaubte, die Saiten mit dem Finger zu berühren. Eines Abends trennten sich die Musikanten, die einen spielten bei einer Hochzeit, die anderen bei einem Fest von Offizieren der Armee, in einer Kaserne am Rand der Stadt. Sie nahmen Hirsch-Mendel mit, um die Gruppe in den Augen der Offiziere größer aussehen zu lassen. Sie gaben ihm einen großen Baß, und Hirsch-Mendel, dessen Wert in seinen eigenen Augen enorm gestiegen war, nahm auch den kleinen Tirschbein mit zu dem Fest, damit er ihn spielen hörte. Doch die Musikanten hatten Hirsch-Mendels Instrument, ohne dessen Wissen, mit Pech eingeschmiert, damit man sein schreckliches Spiel nicht hörte. Mendel strich hingegeben mit dem Bogen über die Saiten, und Tirschbein stand neben ihm und hörte zu.

Nun bewegte sich Tirschbein auf seinem Stuhl und

setzte sich bequemer hin, rückte an seiner Brille und sagte:

»Auch mein Jiddisch hat man mit Pech eingeschmiert.«

Um die Gedanken an Issler und Nojbisch loszuwerden, war er nun auch bereit, sich etwas von mir vorlesen zu lassen. Ich nahm einen Stapel Briefe und Dokumente zu Tirschbeins Reise nach China von meinem Tisch und rückte meinen Stuhl noch näher zu ihm. Er stellte das Teeglas auf den Boden neben seine Füße, nahm ein Blatt von dem Stapel, hielt es sich vor die Augen und las es. Es war das Empfehlungsschreiben von Lord Rothschild, auf dessen Rückseite Tirschbein die Frage an D. D. notiert hatte, an welchem Datum ihre Liebesnacht mit dem Dichter Leib Dubschin stattgefunden habe. Dieses Empfehlungsschreiben hatte ich der Ankündigung des Theaterstücks »Josche Kalb« beigeheftet, die Tirschbein aus dem New Yorker »Forwerts« in China ausgeschnitten hatte. Morris Schwartz war der Regisseur und spielte zugleich die Hauptrolle. Nach einer dieser Vorstellungen hatte D. D. mit Leib Dubschin geschlafen, und Tirschbein versuchte, anhand der Besprechungen herauszufinden, an welchem Abend die Sache stattgefunden hatte, denn D. D. hatte ihm seine Frage nicht beantwortet.

Die Post wurde damals sehr langsam befördert, und Luftpostbriefe konnten sie sich nicht leisten. Schließlich hatte er es ihr selbst untersagt, Geld zu diesem Zweck zu verschwenden. Er würde geduldig auf einen Brief von ihr warten, sogar einen Monat oder zwei, hatte Tirschbein auf die Rückseite des Empfehlungsschreibens geschrieben, vorausgesetzt, daß sie es so halte wie er und ihm alle fünf Tage einen Brief schreibe. So würden sie die Geduld nicht verlieren. In seinem damaligen Tagebuch hatte er allerdings geschrieben, daß seine Geduld große Risse bekommen hatte. Er zürnte ihr, weil sie seine Fragen nicht beantwortete. »Wieder habe ich lange Zeit damit verbracht, zu überlegen, an welchem Datum diese Nacht stattgefunden hat, diese Nacht des schrecklichen Betrugs.« Solche Eintragungen fand ich häufiger, zusammen mit Klagen über sein bitteres Schicksal, das ihn dazu zwang, einsam in der Fremde umherzuirren. Ganz anders klang es in seinen Briefen an D. D., von denen Tirschbein Abschriften aufbewahrte. Da schrieb Tirschbein, er sei froh, wenn sie das jiddische Theater öfter besuche, ganz besonders in Gesellschaft seines guten Freundes Leib Dubschin. Sie solle sich ihm gegenüber freundlich verhalten.

Tirschbein hob das Glas vom Boden auf, netzte seine Lippen mit dem Rest Tee und wiederholte die letzten Worte, die er in Schanghai auf die Rückseite des Empfehlungsschreibens notiert hatte:

»Wenn es dir gut geht, geht es auch mir gut.«

Er nahm noch andere Briefe und las sie fast auswendig vor. Etliche Abschnitte las er überhaupt nicht, sondern sprach, als geschehe das alles gerade jetzt. Er nannte D. D. »meine Geliebte« und regte sich zugleich darüber auf, daß sie nicht seine Schwester war, denn er wußte nicht das geringste über ihren Vater. Wenn er ihr Bruder wäre, hätten sie doch einen gemeinsamen Vater, und deshalb bat er sie, etwas über ihren Vater zu erzählen. War er wirklich in Persien geboren? Und woher wußte sie, daß ihre Familie bis auf das babylonische Exil zurückzuführen war? Was hatte ihr Vater erzählt, als sie ein Kind gewesen war, was, als sie sechzehn war? Außerdem bat er sie, ihm ein Foto aus der Zeit zu schicken, als sie noch ein Mädchen gewesen war, er müsse sie unbedingt als Mädchen sehen.

Was seinen Freund betraf, den großen Dichter Leib Dubschin, so empfinde er keinerlei Eifersucht, denn dieses häßliche Gefühl habe er sich längst aus dem Herzen gerissen. Auf Dubschin sei er nicht eifersüchtig, hingegen sei er eifersüchtig auf die jungen Männer, mit denen sie getanzt und geflirtet hatte, als sie sechzehn gewesen war. Er nehme sich das Recht, eifersüchtig auf sie zu sein, denn damals, als sie sechzehn Jahre alt war, habe er durchaus noch Eifersucht empfunden. Und wenn sie wirklich seine Schwester sei, müsse er schließlich alles wissen, was mit ihr geschah, sogar zu einer Zeit, als sie noch in der Wiege lag. Er sei eifersüchtig auf jeden jungen Mann, der ihre Locken gestreichelt habe. Doch dann widerrief er seine Bitte. Sie solle ihm kein Bild schicken, denn dann würde er es betrachten und wissen, wie glücklich er war. Er erlaube sich doch nur Leiden, bis er zu ihr nach New York komme. Doch er bat sie, ihrem Brief eine Haarlocke beizulegen. In ihren Liebesnächten in Paris hatte er einige weiße Haare auf ihrem Kopf entdeckt. Er bat sie, diese herauszureißen, sie mit Parfüm zu beträufeln und ihm zu schicken, damit er in Schanghai noch ihren Duft von Paris riechen könne.

D. D. schrieb in einem Brief, daß sie sich nach ihrer Trennung, als er nach Warschau fuhr und sie nach New York, einmal ein Zimmer in einem armseligen Hotel gemietet habe. Dort, zwischen feuchten, ver-

rauchten Wänden, auf einer zerrissenen Matratze, zugedeckt mit einer grauen Militärdecke, habe sie versucht, die Armut in Polen nachzuempfinden, des Hei-
matlands ihres Geliebten. Sie lag nackt im Bett, um ihm
näher zu sein, und habe beides gefühlt, Armut und
Liebe. Als Tirschbein diesen Brief in Warschau las,
wußte er, daß sie die Wahrheit sprach. Sie hatte ihren
Brief datiert, und als er das Datum in seinem Tagebuch
nachschlug, fand er, daß er selbst in jener Nacht kein
Auge zugetan hatte. Er hatte im Bett gelegen und seinen Körper berührt, und D. D. war in seinen heißen,
wilden Träumen bei ihm gewesen. In seinem Brief aus
Schanghai bat er sie, dasselbe doch auch in New York
zu machen, dann würden sie beide die starke Sehnsucht spüren, die die Voraussetzung zu wirklichen
Kunstwerken sei.

Tirschbein wollte D. D. auch etwas über seinen Vater
erzählen. Sie müsse Bescheid wissen, denn sie sei doch
seine Zwillingsschwester. Doch bevor er ihr einen chassidischen Juden in einem Schtetl wie Biała Podlaska
beschreibe, wäre es gut, wenn sie nach Williamsburg
fahre, das sei doch nicht so weit von Manhattan, dort
spazierengehe und sich die Chassidim betrachte. In
jedem einzelnen von ihnen könne sie seinen Vater sehen, auch wenn sich ihre Kleidung in Amerika möglicherweise etwas verändert hätte. Doch sie müsse bald
fahren, denn die Welt ändere sich, und bald fände man
in ihr keinen einzigen Chassid mehr.

»Die jüdische Religion, meine Liebste«, schrieb
Tirschbein in Schanghai, »stirbt allmählich aus.«

Überall habe er Juden gesehen, die vor ihrem Gott
davonliefen. In der transsibirischen Eisenbahn, auf der

Fahrt in die Mandschurei, habe er ein Gedicht darüber geschrieben, in dem er den jüdischen Gott bat, etwas zur Seite zu rücken und den Menschen Platz zu machen. Der Mensch sei jetzt Herr seines eigenen Lebens. Auch andere Religionen würden von der Erde verschwinden, und an ihre Stelle träte der freie Mensch, der aufgrund seines Gewissens zwischen Gut und Böse unterscheiden könne. Wenn er, Tirschbein, nach New York komme, würden er und D. D. sich nie mehr trennen. In langen Nächten, zwischen den Liebesakten, würden sie zusammen die Werke des Philosophen von Königsberg lesen. Bevor er sie in Paris getroffen hatte, sei er viel in Polen herumgereist und habe Vorträge zu dem Thema »Die ganze Welt neigt sich vor Immanuel Kant« gehalten. Nicht »Immanu-El«, sondern »Immanu-Isch«.

Tirschbein griff, ohne hinzuschauen, nach seinem Teeglas und hob es an den Mund. Aber das Glas war leer. Als ich ihm neuen Tee eingoß, hielt er das letzte Blatt aus dem Stapel der Unterlagen zu seiner Chinareise in der Hand. Auf ihm waren zehn Anleitungspunkte für D. D. aufgelistet, für ihre gemeinsame Zukunft. Um die Wahrheit zu sagen, bevor sie sich trafen, habe es auch andere Frauen in seinem Leben gegeben, schrieb er, und bei jeder von ihnen hatte er gedacht, sie sei die vollkommene Frau. Aber am Schluß habe sich herausgestellt, daß all diese Frauen nur Stationen auf seinem Lebensweg gewesen waren. Sogar Sara Jurberg, die Dichterin aus Brisk. Sie habe ihn verlassen. Zweimal habe sie ihn verlassen. Aber beim zweiten Mal mit Tränen in den Augen. Sie habe ihm einen herzlichen Brief nach China geschrieben, mit einer Andeutung, daß ihre Liebe zu ihm wiedererwacht sei. Doch mit seiner Liebe zu ihr sei es nicht so. Als er ihren Brief gelesen habe, habe er gefühlt, daß ihre Hände beim Schreiben gezittert hatten. Sie hätte von ihm geträumt, schrieb sie, und der Traum habe ihr gezeigt, daß ihre Liebe zu ihm neu erwacht war. Tirschbein versprach D. D., ihr in seinem nächsten Brief vom Traum Sara Jurbergs zu berichten.

Natürlich befand sich in der Kiste auch der Brief, in dem Sara Jurberg von ihrem Traum erzählte. Beide, sie und Tirschbein, befanden sich auf einer Straße, die sie nicht kannte, und auf beiden Seiten standen fremde Menschen. Tirschbein lachte aus einem Gefühl inneren Glücks heraus. Er senkte den Kopf und vergrub sein Gesicht an ihrem Hals. In seinem Brief an D. D. fügte Tirschbein hinzu, daß Sara Jurberg einen sehr schönen Hals habe und nach frischem Landbrot rieche. In Sara Jurbergs Traum gingen sie dann weiter, und Tirschbein lachte immer noch, doch über Saras Hals rannen seine Tränen. Die Menschen auf beiden Seiten der Straße dachten, er lache, und nur sie, die Dichterin, wußte, daß er weinte, und seine Tränen liefen über ihre Brust und benetzten ihren ganzen Körper.

Das Blatt mit den zehn Punkten, die er an D. D. geschickt hatte, zitterte in Tirschbeins Hand, während er sie mir vorlas.

1. Du mußt leben und auf dich aufpassen.

2. Du mußt deine Briefe numerieren und mit Datum versehen.

3. Lerne in New York das hebräische Alphabet, dann kannst du mir beim Schreiben meiner großen Bücher eine Hilfe sein.

4. Du wirst der gute Engel sein, die Muse des größten Romans, der je in jiddisch geschrieben wurde.

5. Denke immer an meine große Sehnsucht nach dir, denn du bist mein ganzes Glück.

6. Spare Geld, für den Fall, daß wir nach Polen zurückkehren müssen.

7. In Warschau wirst du mir Schwester und Königin sein.

8. Wenn dein Mann nach New York kommen will, soll er kommen. Ich werde auch kommen.

9. Vergiß nicht, daß mein Leben und mein Tod in deinen Händen liegen. Ein Wort von dir kann mich töten. Sage es nicht, solange ich körperlich so weit entfernt von dir bin.

10. Du wirst leben! Ich werde vor dir sterben.

Plötzlich wurde an die Tür geklopft. Wir schwiegen beide. Tirschbeins Bein begann zu zittern. Auf Zehenspitzen brachte ich das Päckchen mit den Unterlagen zu meinem Tisch, und auch Tirschbein stand leise auf und flüsterte, er müsse wirklich bald Schlomo Bitmans Geld loswerden. Morgen früh würden wir sofort zum Kibbuz Jalon fahren und mit Lea Mar, seiner Stiefschwester, sprechen.

Nun wurde das Klopfen an der Tür von David Dobsons Stimme begleitet, auf hebräisch und auf englisch: »Schema Israel! O hear me Israel.«

24

David Dobson war gekommen, um mitzuteilen, daß es um Hartiner schlecht stehe. Obwohl Hartiners Wohnung nicht weit entfernt war, vielleicht eine Viertelstunde zu Fuß, wollte Dobson uns mit dem Jeep hinbringen, den ihm ein Freund, der zum Reservedienst eingezogen war, überlassen hatte. Tirschbein ging zum Fenster, um sich davon zu überzeugen, daß der Jeep vor dem Haus stand. Sein linkes Bein zitterte immer noch. Als er sich zu uns umdrehte, sagte er, er sehe Geister. Als Dobson eintrat, hätte er geglaubt, sein früherer Freund Leib Dobschin stünde vor ihm. Man sah, daß Dobson betrunken war. In der Hand hielt er sein dickes Glas, in dem noch ein bißchen Bier schwappte. Er ließ sich einen Bart wachsen, und seine Haare hingen ihm lose über den Rücken. Er trug Jeans und ein schwarzes Hemd mit einem engen Ausschnitt, jedoch ohne Ärmel, wodurch man seine tätowierten Arme sehen konnte.

Nachdem er sein Bierglas leergetrunken und es auf den Tisch gestellt hatte, schlug er Tirschbein vor, mit ihm durch die Straßen der Stadt zu fahren, wenn er Lust hätte, sogar bis zur Wüste von Jericho. Mit einem solchen Jeep käme man überall hin, und Tirschbein solle doch die Gelegenheit nutzen, frische Luft zu schnappen. Sie könnten gemeinsam durch das Land der Väter fahren, das Land, das Gott den Nachkommen Abrahams versprochen hatte. Dobson sagte, er kenne junge Leute aus Amerika, die sich in der Wüste angesiedelt hätten. Sie seien gekommen, um Gott zu suchen und ein Leben in der Gemeinschaft zu führen:

jeder Mann mit mehreren Frauen. Für Tirschbein sei es sicher gut, seinen Büchern für eine Weile den Rükken zu kehren. Er, Dobson, habe schon damals gewußt, als Tirschbein in das Haus zog und die Träger eine Kiste nach der anderen hinaufschleppten, daß der neue Nachbar ein außergewöhnlicher Mensch war. Sein eigener Großvater sei ebenfalls ein Bücherwurm gewesen. Tirschbein gab Dobson das Bierglas zurück, und mit der anderen Hand wischte er den nassen Rand weg, den es auf dem Tisch hinterlassen hatte.

»Das Unangenehme wegwischen«, sagte er zu mir, nachdem Dobson gegangen war. Er würde sich nicht zu einem Betrunkenen in einen Jeep setzen, und überhaupt verstehe er nicht, wie sich ein Mensch absichtlich den Verstand verwirre. Für ihn läge im Trinken und Fleischessen eine nichtjüdische Grobheit. Auch mir hatte er verboten, Fleisch in seine Wohnung zu bringen. Sara Jurberg hatte er in einem Brief gefragt, ob sie wirklich erwarte, daß er sie küsse, wenn sie kurz zuvor Hühnerknochen abgenagt hatte. Auch von D. D. hatte er verlangt, daß sie spätestens eine Woche, bevor er von China zu ihr komme, Vegetarierin werden müsse.

Erst nach drei Tagen gingen wir zu Hartiner. Dort trafen wir nicht nur Dobson, sondern auch Issler. Er war wegen eines Testaments gekommen. Wenn Hartiner dem jiddischen Schriftstellerverband seine Wohnung vererbe, würde er, Issler, dafür sorgen, daß der Verband seinerseits sich um Hartiners Schwester Alisa kümmere, solange sie lebe. Er hatte von Dovid-Lejser, wie er Dobson nannte, erfahren, daß kein Testament vorhanden sei. Deshalb bestehe die Gefahr, daß sich die Frommen, wenn Hartiner nicht mehr wäre, die Wohnung unter den Nagel reißen und seine Schwester auf die Straße jagen würden.

Auch diesmal waren die Rolläden in Hartiners Zimmer geschlossen. Er selbst lag in seinem Bett und war bis zum Hals zugedeckt. Sein Gesicht sah gelb aus. Alisa, in ihrem roten Kleid, ging vor seinem Bett auf und ab, und Dobson war dabei, einen zerbrochenen Stuhl zu reparieren. Issler saß neben dem verdunkelten Fenster und sagte, man dürfe Hartiner nicht sterben lassen, ohne daß er ein rechtsgültiges Testament geschrieben habe. Schon drei Tage würde er hierher kommen und am Bett sitzen, doch bisher sei es ihm nicht gelungen, mit dem Kranken darüber zu sprechen. Deshalb habe er auch Dovid-Lejser zu Tirschbein geschickt, damit sie gemeinsam versuchen könnten, ihren sterbenden Kollegen davon zu überzeugen, das Formular zu unterschreiben, das er fix und fertig vom Rechtsanwalt mitgebracht habe. Alles sei schon ausformuliert, es fehle nur noch Hartiners von zwei Zeugen bestätigte Unterschrift.

Issler erzählte auch, daß ein Vertreter des Jüdischen Nationalfonds hier gewesen sei, aber Hartiner habe ihn weggejagt. Die ganzen Jahre hätten sie sich nicht um ihn gekümmert und ihm nur Schwierigkeiten bereitet, und jetzt würden sie kommen, um sich sein Erbe unter den Nagel zu reißen. Issler deutete auf ein mit einem dicken Gummi zusammengehaltenes Bündel Belege und Briefe, das auf einem Brett neben dem Fenster lag, nahm es in die Hand, wie um es zu wiegen, und sagte, er habe das alles in den letzten drei Tagen genau durchgesehen. Ganz ohne jeden Zweifel hätten der

Jüdische Nationalfonds und die Jewish Agency Hartiner an den Hungerstab gebracht. Dutzende von Jahren habe er für sie gearbeitet, und als er in Pension ging, hätten sie ihm nur eine winzige Rente bezahlt. Issler erhob sich und suchte im gelben Gesicht des Kranken nach irgendeiner Reaktion auf seine Worte. Alisa, die ständig hin und her lief, ließ ihn erschauern.

»Was läufst du so herum?« fragte er.

»Zum Spaß«, antwortete sie.

Issler setzte sich wieder auf den Stuhl und sagte, die Vertreter des Jüdischen Nationalfonds fielen wie Heuschrecken in allen jüdischen Gemeinden auf der ganzen Welt ein. Mit ihren scharfen Zungen könnten sie Steine erweichen. Unser Erzvater Moses habe Wasser aus einem Felsen geschlagen, doch diese Leute täten es mit süßen Worten. Sie hätten es auf alte Junggesellen und wohlhabende Witwen abgesehen, auf kinderlose Ehepaare und würden sie in ihren Netzen fangen. Issler stand auf und spielte uns vor, wie eine Spinne eine unschuldige Fliege fing. Er spielte sowohl die Spinne als auch die Fliege und warf dabei Alisa, die nicht aufhörte, hin und her zu gehen, einen Blick zu.

»Zum Spaß?« fragte er.

Hartiner öffnete die Augen, richtete sich auf und schaute sich um. Sein Blick blieb an Tirschbein hängen.

»Glauben Sie, daß ich ernsthaft krank bin?« fragte er.

Tirschbein schüttelte den Kopf und machte eine abwehrende Bewegung mit der Hand. Hartiner sehe sogar besser aus als beim letzten Mal, sagte er. Der Oberkörper des Kranken war nackt, unbehaart wie bei einem jungen Mann. An den Schultern hatte er zwei braune Flecken, an jeder Schulter einen. Er ließ sich zurücksinken und zog die Decke wieder hoch. Dobson hatte inzwischen den Stuhl repariert und schob ihn zu Alisa, damit sie sich hinsetze und ausruhe. Sie warf ihm einen erstaunten Blick zu und versuchte vergeblich, den obersten Knopf ihres Kleides zu schließen, zuckte mit den Schultern und fuhr fort, vor dem Bett auf und ab zu gehen. Issler stand auf und machte den Rolladen hoch, um wenigstens etwas Licht zu haben, doch Dobson stand auf und ließ ihn wieder hinunter. »Sonst gibt's Schwierigkeiten«, sagte er.

Weil er sonst nichts zu tun hatte, begann Issler in dem dämmrigen Raum die Geschichte zu erzählen, wie er selbst vor vielen Jahren von einem Vertreter des Jüdischen Nationalfonds in New York reingelegt worden war. Er, Issler, hatte sich schon mit einem Sozialisten aus Białystok, der in Amerika ein Vermögen gemacht hatte, geeinigt, daß er ein Testament zugunsten der New Yorker Institutionen mache, die sich für eine Zukunft der jiddischen Literatur einsetzten. Doch dann sei ein Vertreter vom Jüdischen Nationalfonds aufgetaucht, und all die Millionen seien an den Staat Israel gegangen.

Issler stand auf, ging zu Alisa und versuchte mit Gewalt, sie auf den Stuhl zu setzen.

»Schluß mit dem Vergnügen!« sagte er.

Alisa blieb einen Moment stehen. »Die Uhr geht nicht richtig«, sagte sie. Sie müsse hin und her gehen, um die Uhr zu reparieren. Sie trug keine Schuhe, sondern lief in schwarzen Strümpfen herum. Issler schob seinen Stuhl näher zu Tirschbein und Hartiner und fuhr mit seiner Geschichte über den Reichen fort, der ihm durch die Lappen gegangen war. Auch seine Prozente habe er verloren. Issler erinnerte sich sogar noch an den Namen des alten Sozialisten, er hieß Niwiadomski, und in New York hatte er seinen Namen in Davis geändert. Er wohnte in einem Haus am Broadway, im neunzehnten Stock, und zu ihm hinaufzukommen war alles andere als leicht. Der Portier gab Issler erst nach einem langen Verhör und einem noch längeren Telefonat mit dem Sozialisten den Hörer. »Mister Davis«, schrie Issler dann. »Hier ist Issler, der bekannte Schauspieler vom jiddischen Theater, Itzik Issler! Erinnern Sie sich? Wir haben uns auf der Wall Street kennengelernt...« David Dobson stand hinter Issler, packte ihn bei den Schultern und schüttelte ihn, damit er aufhöre zu schreien. Hätte er etwa vergessen, daß im Bett ein sterbender Mann liege, vor dessen Bett seine kranke Schwester hin und her laufe? Im Zimmer befänden sich noch mehr Leute, aber alle seien leise.

»Millionen«, sagte Issler leise, um die Ruhe nicht zu stören, aber mit einem Gesicht, als würde er schreien. Hartiner lag mit offenen Augen da, und von Zeit zu Zeit bewegte er einen Finger, um zu zeigen, daß er nicht schlief, sondern zuhörte.

»Mehr als Millionen«, fuhr Issler fort, diesmal noch leiser. Er schaute sich um, als suche er nach einem Beispiel, um die Situation der jiddischen Institutionen zu veranschaulichen, als sie feststellen mußten, daß Davis, ihre große Hoffnung, ihnen entgangen war. Schließlich machte er eine umfassende Handbewegung und sagte: »Wie hier. Ein Schwerkranker im

Bett, seine verrückte Schwester, heruntergelassene Rolläden.«

Hartiner bewegte die Lippen. Er streckte die Hand aus, hielt Alisa an und flüsterte ihr etwas ins Ohr. Alisa streckte sich und ging mit ruhigen Schritten in ihr Zimmer, wobei sie sich den Kragen hochzog, als erwarte sie einen Sturm.

»Jetzt können wir reden«, sagte Issler und rückte mit dem Stuhl näher ans Fenster. Hartiner richtete sich im Bett auf und verkündete mit klarer Stimme:

»Ich bin aber doch schwerkrank.«

Er wartete, bis Issler den Kopf schüttelte, riß dann seine Decke herunter, stützte sich mit dem Ellenbogen auf, packte mit der anderen Hand sein Glied, richtete es auf Issler und pißte ihn in einem weiten Bogen an.

25

Hartiner starb eine Woche später. David Dobson kam mit seinem Jeep, um uns Hartiners Tod mitzuteilen. Er klopfte an die Tür, als wir gerade einen Brief von Lea Mar lasen, Bitmans Stiefschwester. Sie bat Tirschbein, ihr nicht mehr zu schreiben, sie nicht zu besuchen und nicht an den Namen ihres Bruders zu erinnern. Sie habe mehr als genug durch ihn gelitten, als er noch am Leben war. Aus ihrem Gedächtnis wolle sie löschen, was nun in der Erde verborgen sei, schrieb sie, damit das Unheil des Spiegels sie nicht treffe. Tirschbein wunderte sich. »Welches Unheil? Welcher Spiegel?« fragte er gereizt. In diesem Augenblick hörten wir jemanden an die Tür klopfen, und Dobson trat ein.

Er war wie ein Chassid gekleidet und trug unter dem Arm die Todesanzeigen mit den Angaben zur Beerdigung. Wir erkannten ihn kaum. Auf dem Kopf hatte er einen flachen schwarzen Hut mit einer breiten, nach oben gezogenen Krempe. Seine beiden offenen Mäntel waren um die Hüften mit einem Gürtel zusammengehalten, darunter trug er einen Tallit, dessen Schaufäden ihm bis zu den Knien hingen. Seine Hosen steckten in weißen Strümpfen, und in seinen Schuhen waren keine Schnürsenkel. Seinen Pferdeschwanz und seine Schläfenlocken hatte er unter den Hut geschoben. Tirschbeins Erstaunen richtete sich von Lea Mar auf David Dobson.

»How do you like my outfit?« fragte dieser.

Doch er wartete die Antwort nicht ab. Er ließ eine Todesanzeige da und verschwand. Bevor er hinausging, teilte er uns noch mit, daß Berele und ein anderer Totengräber am Grab beten würden. Erst habe Berele es abgelehnt, sich mit Hartiner zu beschäftigen, schließlich war er kein einfacher Totengräber, sondern einer, der nur mit hervorragenden Persönlichkeiten zu tun hatte. Doch er war Dobson zu Dank verpflichtet, weil er ihn im Jeep nach Tel Aviv gefahren hatte, wo er eine Reporterin von »Ha-arez« treffen wollte.

»Diejenige, die er geschlagen hat«, fügte Dobson augenzwinkernd hinzu, »zu einer Versöhnungsmahlzeit.« Dann ging er schnell weg, um die Todesanzeigen noch rechtzeitig an Mauern und Zäune zu kleben.

Wir lasen den Brief Lea Mars zu Ende, doch das »Unheil des Spiegels« wurde darin nicht erklärt, und Tirschbeins Verwunderung blieb. Ich legte die Todesanzeige in Hartiners Mappe, dann gingen wir los, um mit dem Verstorbenen allein zu sein, bevor die Nachbarschaft mit dem üblichen Beerdigungslärm anfing. Nur in diesem Viertel, sagte Tirschbein, könne man eine Beerdigung ausrichten, wie es sich gehöre, und für die Weltlichen sei es gut, wenn sie ihre Lehren daraus zögen. Unterwegs spann er seine Gedanken weiter aus. Beerdigungen hätten hier ein anderes Gesicht, als wären Leben und Tod sich näher. Die Trauer sei nicht so heftig, und so sei es auch bei den Juden in Polen gewesen. In Amerika hingegen verwandle sich die Trauer in Verzweiflung. Man habe ihn verspottet, als er die Juden dort aufforderte, die Jugend an Beerdigungen zu beteiligen. Issler, der Zyniker, habe ihn in der Ben-Jehuda ebenfalls verspottet, als wolle er nur, daß junge Leute an seinem Grab weinen. Er habe Issler nicht geantwortet, weil Nojbisch so feindselig geschwiegen hätte. Er selbst, sagte Tirschbein, habe sich während der ganzen Zeit dort am Tisch gefragt, was mit Schmu'el-Josef Nojbisch passiert war. Wo war sein früherer Glanz? Und was war mit seiner außerordentlichen Begabung geschehen? Frauen und Kunst hatten einmal Nojbischs Leben ausgefüllt. Man hatte ihn den jüdischen Casanova genannt. Tirschbein war nicht neidisch auf ihn gewesen, hatte er sich doch schon längst den grünen Neid aus dem Herzen gerissen, und es war ihm egal, ob es in der jiddischen Literatur einen Schriftsteller gab, der sich selbst Jeremias-Casanova nannte.

»Ein lebender Leichnam«, hatte Issler gesagt und Nojbisch seine Brille zurückgegeben, und diese Worte versetzten Tirschbein noch immer in Panik. Auch jetzt begann sein krankes Bein zu zittern. Aber er lasse sich von keinem Zyniker beeinflussen. Ein Spruch des unglücklichen Philosophen Popper Linkeus gehe ihm nicht aus dem Kopf, nämlich daß die Jugend das Recht habe zu leben und das Alter die Pflicht zu sterben. Schon lange wünsche er, dem Visionär aus Wien zu antworten, daß es die Pflicht aller sei, die das Recht zu leben haben, an den Beerdigungen jener teilzunehmen, die die Pflicht hätten zu sterben. Vor Jahren hatte Tirschbein einen Aufsatz geschrieben mit dem Titel: »Die Beerdigung als Symbol für das Leben des einzelnen und für das Leben des Volkes«. Bei den jüdischen Beerdigungen in Amerika hatte er immer das Gefühl, daß auch die Trauergäste längst gestorben waren, deshalb hatte er seinem Aufsatz einen Untertitel gegeben: »Tote beerdigen Tote«.

Issler wartete bereits in der Wohnung des Verstorbenen auf uns. Zuvor, noch auf dem Marktplatz von Me'a Sche'arim, hatte Tirschbein nach Ankündigungen für die Beerdigung gesucht. Das erste Anzeichen war ein Bettler, der aussah wie ein Tourist. Er hatte ein rasiertes Gesicht und trug einen blau-weißen Hut auf dem Kopf, auf dessen Schirm »Chicago« stand, auf englisch. Seine Hosenbeine waren ihm zu kurz, und er trug keine Strümpfe. Er streckte die Hand aus, auf der einige Münzen lagen, und bat in stotterndem Jiddisch mit sefardischem Akzent:

»Gibs a krankin a neduve. Ch'hob ka esin.«

Weitere Anzeichen für die Beerdigung gab es an diesem frühen Nachmittag noch nicht. Der Gemüsehändler kippte uns Wasser aus einer Kupferschüssel mit zwei Henkeln vor die Füße. Gebückt war er aus seinem Laden getreten, gebückt ging er wieder hinein.

Dem Laden gegenüber war ein provisorischer Tisch aufgebaut, der mit antiquarischen, abgenutzten heiligen Büchern bedeckt war. Tirschbein blieb stehen und blätterte einen braunen, halb zerfledderten Band durch. Die Ecken der Seiten zerbröselten unter seinen Händen. Die braun- und graufleckige Haut im Gesicht des Verkäufers schälte sich. Von tief unter seinem Kinn bis hinauf zu den Backenknochen wuchsen ihm dünne Haarbüschel.

Ein paar Schritte weiter, auf der anderen, schattigen Seite des Marktes, saß eine Araberin, die Beine unter dem langen Kleid untergeschlagen. Neben ihr stand ein Korb, in dem ein paar Kaktusfrüchte lagen. Die Araberin und der Buchverkäufer schauten uns nach, bis wir ihren Augen entschwunden waren. Auf dem Markt duftete es nach Zimt, gemischt mit dem Geruch nach Fisch. Tirschbein fürchtete, die Beerdigung habe bereits stattgefunden. Bis zu Hartiners Haus lag der Markt ruhig da. Die Besitzerin des Lebensmittelgeschäfts stand vor ihrem Laden und kaute an einem Brötchen. Sie tat, als höre sie Tirschbeins Frage nach der Beerdigung nicht. Diesmal trug sie kein schwarzes Kleid, sondern eines mit blauen Querstreifen, die immer heller wurden, je näher sie ihrem Doppelkinn kamen. Ihr Kopftuch war aus dem gleichen gestreiften Stoff. Auch ihrem Gesichtsausdruck war nicht anzumerken, daß jemand vor ihr stand und sie etwas gefragt hatte. Und dann hörten wir Issler, der aus Hartiners offenem Fenster unsere Namen rief. Doch Tirschbein wich nicht vor der Ladenbesitzerin zurück. Sie brachte ihn außer Fassung. Mit dem Finger deutete Tirschbein auf eine Todesanzeige an der Wand und rief:

»Ein Mensch ist gestorben.«

Die Frau schluckte hinunter, was sie im Mund hatte. Ihr Doppelkinn zitterte, als sie den Kopf schüttelte und sagte:

»Nicht unser Tod.«

26

Die Tür zu Hartiners Wohnung stand offen. Issler kam uns entgegen, streckte Tirschbein elegant die Hand entgegen, legte sein längliches Gesicht in ernste Falten und sagte:

»Er hat gepißt und ist gestorben, und ein Testament hat er nicht hinterlassen.«

Tirschbein zog seine Hand zurück, machte einen Schritt rückwärts und gab keine Antwort. Jetzt, nach seinem Tod, war Hartiners Wohnung hell. Die Fenster standen offen, und die Wände waren leer. Da und dort war noch ein Nagel geblieben, doch an der Wand, an der vorher Ziporas Foto hing, fehlten sogar die Nägel, es gab nur zwei kleine Löcher und ein paar Kalkflecke. Der Verstorbene lag in Alisas Zimmer. Sie selbst saß auf einem niedrigen Hocker, den Kopf im Schoß. Man hörte sie nicht einmal atmen.

Issler berichtete, daß zwei Totengräber hier gewesen seien, einen Tallit gebracht und den Toten versorgt hätten. Nun seien sie gegangen, würden aber bald mit dem Auto der Chewra Kaddischa wiederkommen. David Dobson sei nicht da, sicher sei er noch damit beschäftigt, Todesanzeigen an die Wände zu kleben. Er habe sich seit ihrer gemeinsamen Zeit in Zfat sehr verändert, damals sei er ein Misanthrop gewesen, sei vor den Menschen geflohen, hin zu Gott. Hier, bei Hartiner, sei er so etwas wie ein Heiliger geworden, habe für ihn Petroleum und Wasser geschleppt. Er, Issler, hatte von Dobson erfahren, daß Hartiner die Wohnung geerbt hatte und auch, daß Tirschbein in Jerusalem wohne.

Tirschbein trat zurück und begann, in dem erleuchteten Zimmer hin und her zu gehen, wobei er vor sich hinmurmelte:

»Mein Gott, wie traurig, wie traurig.«

Als er sah, daß Issler ans Fenster getreten war und hinausschaute, blieb er neben mir stehen und flüsterte mir zu, daß ihm, zu seinem Leidwesen, gerade klargeworden sei, daß er von Spionen verfolgt würde. Und David Dobson gehörte zu ihnen. Dobson dürfe nicht mehr über seine Schwelle treten. Auf Bitmans Erbe ruhe ein Fluch. In der Nacht habe er geträumt, in seiner Wohnung sei Feuer ausgebrochen, und sein ganzes Archiv sei verbrannt. Als er aufwachte, habe er Schritte auf der Treppe gehört. Vielleicht hätten Bitmans Partner aus der Unterwelt dahinter gestanden, bewaffnet. Vielleicht würde sich herausstellen, ebenfalls zu seinem Leidwesen, daß Issler sich nur einen Witz erlaubt hatte, um ihm Angst einzujagen. So oder so, er müsse das Geld jedenfalls bald loswerden. Heute noch, nach der Beerdigung, würde er sich Issler vorknöpfen und den Friedhof nicht verlassen, bevor er die Wahrheit über das gestohlene Geld erfahren hatte.

»Sie kommen«, verkündete Issler. Er drehte sich um und tauschte seine glänzende Schirmmütze gegen eine weiße Kipa, wie sie von Vorbetern getragen wird. Auch

Tirschbein zog eine Kipa aus seiner Tasche und sagte, sein ganzes Leben sei er vor diesen Kopfbedeckungen geflohen, doch hier, in Jerusalem, hätten sie ihn eingeholt, und er trage immer eine Kipa in der Tasche, damit er nicht mit entblößtem Kopf dastehe, falls ihm zufällig ein Leichenzug begegne. Vorsichtig, als handle es sich um einen zarten, zerbrechlichen Gegenstand, hielt er sie in seiner ausgestreckten Hand und meinte, ihretwegen habe er früher dem jüdischen Volk gegenüber Groll empfunden. Er habe einmal sogar ein Gedicht darüber geschrieben. Er wollte gerade anfangen, es zu deklamieren, als Issler seine Hand mit der Kipa berührte, mit der anderen Hand auf sich deutete, einen Schritt zur Seite trat, die Hände zur niedrigen Decke hob und rezitierte:

»... du hast dein Herz befreit
vom Haß auf deinen Nächsten.
Doch der Haß auf dein Volk ...«

Issler hörte auf, denn in diesem Moment traten zwei Totengräber ein. Berele und Hirsch-Salman gingen ins andere Zimmer, hoben die Leiche auf eine Bahre und trugen sie hinaus, nicht ohne daß Berele uns noch mitgeteilt hätte, daß David Dobson uns mit dem Jeep zum Friedhof fahren würde. »Lejser-Dovid«, sagte er, wie Issler, doch in umgekehrter Reihenfolge. Die Frau, hatte Berele noch hinzugefügt, fahre nicht mit dem Toten zusammen. Hartiner hätte mit ihr bereits zuviel gesündigt. Alisa kam aus dem anderen Zimmer, den Mund zu einem Schrei geöffnet, doch kein Ton kam heraus. Wie angenagelt blieb sie stehen. Issler und Tirschbein schauten von ihrem Platz am Fenster aus den beiden Totengräbern nach. Ich stellte mich zu ihnen. Berele und Hirsch-Salman überquerten die Straße und gingen zum Hof der großen Synagoge. Die Besitzerin des Lebensmittelgeschäfts aß und aß. Ein Vater schob einen Zwillingskinderwagen vor sich her. Der Alte, der die Tüte mit Eiern trug, streckte einem Touristen die freie Hand entgegen. Der Tourist, ein großer, glatzköpfiger Mann mit hellem Gesicht, hob den Fotoapparat, um die beiden Totengräber mit der Bahre zu fotografieren. Hartiner war ein großer, knochiger Mann gewesen, doch nun, vom Fenster aus, wölbte sich sein Bauch unter dem Tallit, in den er gewickelt war.

»Er ist einsam gestorben«, sagte Tirschbein.

»Aber was für ein Pißwerkzeug er hatte, der Alte«, meinte Issler, dann beugte er sich vor und schrie aus dem Fenster: »Davis-Niwiadomski!« Der Tourist erinnerte ihn an den jüdischen Millionär, der ihm damals durch die Lappen gegangen war. Er fing wieder an, von ihm zu erzählen, da tauchte Dobson auf.

Wir saßen bereits im Jeep, Alisa vorn neben Dobson, und wir drei hinten, als Issler sich zu Tirschbein beugte und laut, um das Motorgeräusch zu übertönen, sagte, daß er auch hier, im Land Israel, hinter alten, begüterten Männern her sei.

»Man muß von etwas leben«, sagte er und wiegte den Kopf. Hier lägen zwar die Millionen nicht auf der Straße wie in Amerika, und außerdem sei die Konkurrenz groß, doch wenn es ihm gelänge, einen alten, kinderlosen Liebhaber der jiddischen Sprache dazu zu bewegen, sein Erbe irgendeinem Institut zu hinterlassen, bekäme er, Issler, eine anständige Provision. Issler sprach nicht weiter, denn in diesem Moment machte Dobson den Motor aus, sprang aus dem Jeep und rannte zurück zu Hartiners Wohnung. Inzwischen erzählte Issler weiter. Er habe große Ausgaben, er unterhalte Schmu'el-Josef Nojbisch. Vor einigen Jahren, als er sich in Paris aufhielt, sei er über Nojbisch gestolpert, der betrunken im Regen auf einer Treppe lag. Erst habe sich Nojbisch geweigert, aufzustehen und Issler zu dessen Hotelzimmer zu begleiten. Der passende Platz für einen großen jiddischen Dichter sei heutzutage die Gosse, habe er behauptet. Die jiddische Sprache sei »eine Hure, die sich in ihren Zuhälter verliebt, der sie anspuckt und ihr das letzte Geld abnimmt«. Die wahren Liebhaber der jiddischen Sprache hätten diese Welt verloren, und auch die andere würde sich ihnen verweigern, während die Bundisten und die Zionisten die sterbende jiddische Sprache wie eine alte, tote Katze auf den Abfallhaufen warfen. Issler brachte Nojbisch dann nach Israel und lebte mit ihm zusammen in einer Wohnung.

David Dobson kam zurück zum Jeep. Er trug die Kiste mit Hartiners Büchern und Manuskripten. Zwischen den Büchern lugten Ziporas Foto und die Elegie hervor. Dobson schob die Kiste unter unseren Sitz, sprang wieder in den Jeep und ließ den Motor an. Als sich das Auto in Bewegung setzte, schrie er uns über die Schulter zu:

»Hartiners Erbe.«

Issler steckte seine Kipa wieder ein. Auch Tirschbein nahm die seine vom Kopf. Noch immer war er gerührt von der Tatsache, daß Issler sein Gedicht auswendig wußte. Er hatte es vor vielen Jahren geschrieben, doch er war auch heute noch von seinem Wahrheitsgehalt überzeugt. Issler hatte noch weitere Zeilen des Gedichtes aufgesagt, in denen der Zusammenhang zwischen den französischen Rationalisten des 18. Jahrhunderts und Ba'al Schem tow aufgezeigt wurde.

Dobson machte die Scheinwerfer an, zum Zeichen, daß wir an der Beerdigung teilnahmen. Es war ein offener Jeep, dessen Dach aus drei Metallbögen ohne Plane bestand. Die Sitze waren zwar gepolstert, aber dennoch hart. Wir wurden hin und her geschüttelt. Dobson fuhr schnell und hupte oft. Wenn wir an einer Ampel halten mußten, starrten uns die anderen Autofahrer an. Auch Fußgänger drehten die Köpfe nach uns um. Dobsons chassidische Kleidung erregte Aufsehen, sobald wir Me'a Sche'arim verlassen hatten. Sein Zopf und seine Schläfenlocken flatterten im Fahrtwind. Ab und zu sagte er etwas zu Issler, der hinter ihm saß, und der Wind zerriß seine Sätze. Er habe einen Brazlawer Chassid getroffen, den sie beide aus Zfat kannten, und der sei es gewesen, der ihm von Bitmans Erbe erzählt habe. Dann informierte er uns alle, daß er endlich die Adresse seiner Frau herausbekommen habe und die Scheidung betreiben könne. Doch jetzt müsse er sich beeilen, damit wir rechtzeitig zur Beerdigung kämen. Es sei zu befürchten, daß die beiden Totengräber ihre Aufgabe bereits hinter sich gebracht hätten.

Tirschbein zog sich den Hut tiefer ins Gesicht und sagte, er habe in seinem Leben schon an sehr vielen Beerdigungen teilgenommen, aber an eine solche könne er sich nicht entsinnen. Er erinnere sich noch an die Beerdigung Mellmans, des Warschauer Juden, der in Schanghai mit drei Chinesinnen verheiratet gewesen war. Tirschbein hatte auf einer kleinen Insel neben Sumatra den Kaddisch an seinem Grab gelesen, für eine ansehnliche Spende für ORT-OSE. Er hatte sich damals zwischen Mellmans Spende und den zu erwartenden Spenden der Juden Schanghais entscheiden müssen, denn die Schiffsreise zu der kleinen, abgelegenen Insel dauerte ungefähr zwei Wochen. Die Entscheidung war ihm schwergefallen, deshalb hatte er telegrafisch bei der Direktion in Paris um Rat gefragt. Die Antwort von ORT-OSE war, er solle sich erst erkundigen, wer über mehr Geld verfüge, der Tote oder die Lebenden, und dorthin müsse er sich begeben.

Issler wollte wissen, warum Tirschbein damals Polen verlassen hatte und ausgerechnet nach China gereist sei, um für ORT-OSE Spenden zu sammeln. Gerüchten zufolge habe er seine Frau wegen einer jungen, nicht-jüdischen Frau in Paris verlassen. Er, Issler, erinnere sich an eine Karikatur in einer der Zeitungen, die Tirschbein als Ritter auf einem weißen Pferd neben einer Burg zeigte, in der eine wunderschöne Prinzessin schlief. Er fragte Tirschbein:

»Und hat ORT-OSE das Geld bekommen?«

David Dobson hupte wild und fluchte über einen Motorradfahrer, der vor ihm die Straße überquerte:

»Fucking Jesus Christ.«

»In Paris haben sie sich gefreut, in Schanghai gemault«, sagte Tirschbein. Jahrelang hätten die Juden von Schanghai auf Mellmans Tod gewartet, denn vom lebenden Mellman war nichts zu kriegen, und dann waren sie auch vom toten Mellman noch reingelegt worden. Issler zog seinen Hut tiefer, damit er ihm nicht

weggeweht wurde, beugte sich dicht zu Tirschbein hinüber, legte die Hände an den Mund, damit ihm der
Wind die Worte nicht wegriß, und sagte, daß auch die
Leute, um die er sich hier kümmere, kinderlose Touristen, jenem Mellman glichen. Er finde sie in teuren
Hotels, in Jerusalem, in Tel Aviv, und ihr Erkennungs-
zeichen sei ein stotterndes Englisch, gemischt mit ein
paar Brocken Jiddisch, ein »Wall Street Journal« unter
dem Arm, die mißtrauischen Blicke, die sie nach allen
Seiten warfen, bevor sie sich in einen Sessel setzten und
sich in die Zeitung vertieften. Issler hatte gelernt, die
Leute nach den Artikeln zu beurteilen, die sie lasen, ob
es sich um einen Geizhals handelte, der hier in Israel
wissen wollte, wie es seinen Ersparnissen in New York
ging, oder um einen möglichen Spender. Nicht um-
sonst sei er sein ganzes Leben lang Schauspieler gewesen. Dann nahm er den Hut ab und stellte Tirschbein
noch eine Frage:

»Hast du später, nach dem Krieg, noch etwas von
deiner Frau gehört, die du in Polen zurückgelassen
hast?«

Aus Tirschbeins Archiv wußte ich, daß sie überlebt
hatte. Sie hatte sich bei Gojim versteckt, war konvertiert
und Nonne geworden.

Tirschbein gab keine Antwort. Wir bogen in den
Friedhof von Givat-Scha'ul ein, und Dobson hupte,
damit ihm Berele ebenfalls ein Hupzeichen gebe. Das
hatten sie ausgemacht, für den Fall, daß Dobson sich
verfahren würde. Berele gab keine Antwort, und als
wir das Grab fanden, war es schon aufgeschüttet, und
die beiden Totengräber sammelten ihre Sachen und
die Bahre zusammen. Berele maulte, weil er sich mit

einem Verderber Israels hatte beschäftigen müssen, denn er habe ihn und seine Schwester mehr als einmal gesehen, wie sie Arm in Arm spazierengegangen seien. Er und Hirsch-Salman stiegen ins Auto und fuhren davon.

»Wenn es keinen Minjan gibt, wird kein Kaddisch gesagt«, verkündete David Dobson.

Itzig Issler trat an das frische Grab, in dem ein kleines Schild mit der Aufschrift »Hartiner, Benjamin ben Nathan« und dem Todesdatum steckte. Erst sagte er das Gebet »El male Rachamim«, dann sprach er den Kaddisch. Alisa stellte sich in ihrem roten Kleid und mit einem schwarzen Kopftuch neben ihn. Dobson schob seinen Pferdeschwanz unter den Hut. Sein Gesicht wurde ernst, und seine Nase schien spitzer zu werden. Tirschbein nahm die Brille ab, putzte die Gläser, und als Issler die Gebete beendet hatte, nahm er ihn an der Schulter und sagte, Hartiner sei ein großer Dichter gewesen, den man noch zu Lebzeiten vergessen habe. Noch nicht mal ein Minjan sei erschienen, um ihm die letzte Ehre zu erweisen, und deshalb würde er ein Gedicht lesen, das er auf jiddisch geschrieben habe.

»Bist du ein jiddischer Dichter?« fragte Dobson. Er wartete die Antwort nicht ab und erzählte, daß auch sein Großvater Gedichte auf jiddisch geschrieben habe. »Leib Dubschin hat er sich genannt.«

Tirschbeins linkes Bein begann zu zittern. Auch seine Hände zitterten, ebenso wie die Blätter, die er aus der Tasche zog. Er setzte seine Brille auf, hüstelte, um seine Kehle frei zu bekommen, schaute uns an und fing mit zarter Stimme an zu lesen:

»Wo seid ihr, alle meine Toten...«

Dritter Teil

27

Als ich am nächsten Tag zu Tirschbein kam, stand er schon an seinem großen Tisch und blätterte mit wütendem Gesicht die Morgenzeitungen und die ausländischen Zeitschriften der letzten Wochen durch. Diesmal fand er keinerlei Traueranzeigen oder Nachrufe für Schriftsteller, die er kannte. Das ärgerte ihn, und er mußte sich damit begnügen, den Bericht eines ehemaligen politischen Führers auszuschneiden, der die Regierung unmoralischer Handlungen beschuldigte; daneben noch einen kurzen Artikel über einen indischen Lehrer, der für die nahe Zukunft das Ende der Tage voraussagte; die Meldung, daß der Sohn eines jiddischen Schriftstellers in Chicago seine Mutter ermordet habe; die Nachricht, daß eine Urenkelin Schalom Aleichems einen pornographischen Roman geschrieben habe, der in den Vereinigten Staaten ein Bestseller geworden war.

Es machte ihm keinen Spaß, diese Artikel auszuschneiden, er tat es lediglich, weil er es für seine Pflicht erachtete. Er reichte sie mir, damit ich sie in die entsprechenden Mappen verteilte, und bat mich, heute meine Arbeit zu erledigen, ohne ihn zu stören. Er habe beschlossen, zwei Tage zu fasten und dann zum Kibbuz Jalon, zu Bitmans Stiefschwester, zu fahren. Lea Mar hatte ihn in ihrem letzten Brief zwar gebeten, sie nicht aufzusuchen, doch Tirschbein war überzeugt, daß sie das Geld letztlich mit offenen Händen in Empfang nehmen würde. Heutzutage schlage man keine Erbschaft aus. Er gab mir den Brief, damit ich ihn zu Ende lese, denn er hatte noch immer nicht herausgefunden, was der Spiegel, den sie erwähnt hatte, bedeutete.

»Ein Rätsel«, sagte er und murmelte den Anfang eines Gedichts vor sich hin, in dem ein Mann vom Tod gefällt wurde wie ein Baum im Herbst. Dieses Gedicht, sagte er, habe der Dichter Leib Dubschin geschrieben, der in seinem kurzen Leben viel vollbracht habe. Schon als junger Mann habe er das Geheimnis der Dichtkunst gekannt, und man hatte von ihm gesagt, er gleiche dem edelsten Wein, der dem jüdischen Volk in seiner Generation gegönnt gewesen sei, und zum Glück sei er früh gestorben, bevor der Wein sauer geworden sei. Leib Dubschin schrieb über Vögel, die in Freiheit sangen, und über Könige, die auf ihrem Thron zitterten. Es sei wirklich Zeit, daß wir die Kisten des Archivs leer räumten und die Bücher ins Regal stellten. Wenn ich den Geschmack alten Weins kennenlernen wolle, sagte Tirschbein, dann müßte ich Gedichte dieses Mannes lesen. Einstweilen las ich, was Tirschbein an diesem Morgen geschrieben hatte.

»Brief an meinen Freund Leib Dubschin in der kommenden Welt« war die Überschrift. Vier Seiten lagen auf dem Tisch, neben der Schreibmaschine, ein fünftes Blatt war eingespannt. Tirschbein fragte Dobschin, ob er ihm eine sehr persönliche Frage stellen dürfe. Doch zuvor teilte er ihm das Geheimnis mit, das er mit Sara Jurberg geteilt hatte, der Dichterin aus Brisk, die Dubschin einmal eine hervorragende Dichterin genannt hatte. Vor allem hatte er ihr Gedicht »Stille Nacht, heilige Nacht« gerühmt. Jetzt könne er das Geheimnis wohl lüften, meinte Tirschbein, denn das Gedicht habe nicht Sara Jurberg geschrieben, sondern er selbst,

Tirschbein. Sie hatte das Gedicht mit seinem Einverständnis unter ihrem Namen veröffentlicht, als Zeichen dafür, daß sie beide eins geworden waren, im Körper und im Geist. Damals hatte er geglaubt, es läge in seiner Macht, die jiddische Literatur so zu erheben, daß in ihrem Reich keine Kritiker mehr herrschen könnten, sondern nur Priester. Er sah sich selbst als den großen Priester und Sara Jurberg als die Frau an seiner Seite. Erst war sie dagegen, sie wollte sich nicht mit fremden Federn schmücken und glaubte auch, daß jeder den Betrug sofort merken würde, weil ihr Stil dem seinen nicht glich.

Inzwischen waren fünfzig Jahre vergangen: Viele hatten über dieses Lied geschrieben, und niemand hatte den Unterschied im Stil bemerkt. Um sie zu überreden, hatte Tirschbein damals ihren Körper von Kopf bis Fuß mit Küssen bedeckt und dabei innegehalten, um den Geruch ihrer Achselhaare zu genießen. Heute könnte er über ihre Liebe sprechen, schrieb er, eine Liebe, die trotz allem nur platonisch gewesen sei, denn sie habe mit reiner Freundschaft geendet. Eine Hand von oben, an die er glaubte, obwohl er nicht an Gott glaubte, hatte aufgepaßt und ihnen jeden Liebesakt verdorben. War das nicht ein Hinweis darauf, daß Sara Jurberg, trotz ihrer besonderen Begabung, von Anfang an die falsche Adresse für ihn gewesen war? Sobald er mit ihr geschlafen hatte, waren seine zarten Gefühle für sie auch schon verschwunden, als wäre er ein Tier, ein Vogel, der nur einem Bedürfnis nachgekommen sei.

D. D. hatte mit ihm, als erste Frau, über die Gefühle des Fremdseins gesprochen, die ein Mann nach dem

Beischlaf empfinde. Mit ihr war alles anders. Sie sprachen viel, vor dem Akt und danach. Und sogar während sie Liebe machten, lachte D. D. Ihr Lachen ließ ihn erzittern und berührte seine Seele, und als er sie lachen hörte, wußte er, daß er sie schon in einem früheren Leben gehört hatte. Nie hatte er jemandem davon erzählt, nur Sara Jurberg. Ihr hatte er geschrieben, daß er in D. D. die richtige Frau gefunden hatte. Er schlug beiden Frauen sogar vor, sie sollten sich treffen oder einander schreiben. Beide lehnten das ab. Simple Eifersucht. Ein verachtenswertes Gefühl, das er sich längst aus dem Herzen gerissen hatte. Als er, vor seiner Reise nach China, von D. D. einen Brief bekommen hatte, in dem sie ihre Liebesnacht mit Dubschin nach dem Besuch des Theaters beichtete, hatte er sie gebeten, ihm Einzelheiten dieser Nacht mitzuteilen. Das hatte sie nicht getan, deshalb bat Tirschbein nun Dubschin, er möge doch im Traum zu ihm kommen und ihm von jener Nacht erzählen. Er fragte ihn:

»Hat sie auch bei dir mittendrin gelacht?«

Tirschbein sah, daß ich ein Blatt des Briefes in der Hand hielt, und bat, ich solle mich doch gedulden, bis er damit fertig sei, denn erst dann würde ich seine Bedeutung ganz verstehen.

Als er seinen Auftrag in China erledigt hatte, suchte er nach einer Gelegenheit, Leib Dubschin zu treffen und in einem offenen Gespräch seine Liebesnacht mit D. D. anzusprechen. Doch in einer Großstadt wie New York kümmerte sich jeder um sich selbst, und eine solche Gelegenheit ergab sich nicht so schnell. Er verschob das Treffen mit Leib Dubschin von Woche zu Woche, von Monat zu Monat, und so vergingen Jahre.

Einmal war Tirschbein überzeugt, der rechte Zeitpunkt sei gekommen. Das war auf einem Friedhof in New York, bei der Beerdigung des Dichters Morris Rosenfeld, der alt, blind und verbittert gestorben war. Es waren nur wenige Trauergäste gekommen, doch die Reden waren lang, und zwischen zwei Reden hatte sich Tirschbein Dubschin genähert, entschlossen zu fragen, ob D. D. auch bei ihm mitten im Beischlaf gelacht habe.

Doch statt dessen hatte er etwas anderes gesagt. Er hatte eine Zeile aus einem Gedicht Dubschins zitiert, das unter den Jiddischlesenden Amerikas sehr populär war. Das Gedicht beschrieb das Schicksal des jüdischen Intellektuellen, der von Osteuropa nach Amerika ausgewandert war, um ein neues Leben aufzubauen, sich hier aber verlassen und verloren fühlte. Das Gedicht fing an wie eine Bombe:

> Gott ist nicht mehr bei mir,
> und Freunde, wer hat Freunde?

Auf dem Friedhof in New York sprach Tirschbein nur diese beiden Zeilen, zu D. D. kam er nicht. Als er letzte Nacht aufgewacht sei, sagte Tirschbein, habe er in Gedanken wieder Dobsons Stimme gehört, der an Hartiners Grab seinen Großvater erwähnte, den Namen eines Mannes, der längst gestorben war, und eine alte Furcht habe ihn gepackt, genau wie vor einigen Tagen das junge Mädchen mit den Grübchen in den Wangen und dem frischen Lachen alte Sehnsüchte in ihm geweckt hatte. Die Worte des jungen Mannes hätten all die Verwirrung wieder auferstehen lassen, die D. D. in seinem Leben angerichtet hatte. Er lag wach im Bett und versuchte, sich an die anderen Zeilen des Gedichts über Gott und Freunde zu erinnern, doch es gelang ihm nicht. Da stand er auf, machte das Licht an und setzte sich an die Schreibmaschine.

»Das wird ein langer Brief werden«, sagte er. In seiner Seele hatte damals ein Tohuwabohu geherrscht, und seine Gedanken paßten nicht zu seinen Taten; er betonte, daß die Juden in Polen bleiben müßten, während er selbst weggegangen war, um nie wieder zurückzukehren; in den Aufsätzen, die er in verschiedenen Zeitschriften veröffentlichte, beschrieb er die Vielseitigkeit des jüdischen Volkes, während er zugleich in seinem Tagebuch betonte, daß es so etwas wie das jüdische Volk nicht gab; er predigte die fortschrittlichen Lehren Kants, doch während er auf der ganzen Welt herumzog, wurde er mehr und mehr zum Reaktionär; er, ein fanatischer Vegetarier, hoffte auf den Weltkrieg, in dem sich die Völker gegenseitig umbrächten; er unterwarf sich freiwillig dem Joch guter Taten und verspottete die Habsucht der Ängstlichen, und zugleich betete er, für eine Spende, den Kaddisch an Mellmans Grab.

Auch die Unterlagen und Briefe aus jener Zeit bezeugten seine Unruhe. Er bekam keine Einreisegenehmigung nach Pakistan, nur weil die pakistanische Botschaft in Paris damals in seinem Paß, der randvoll war mit Stempeln ausländischer Botschaften, keinen Platz mehr gefunden hatte, um das Einreisevisum entsprechend zu stempeln. Seine Briefe an D. D. schickte er von allen möglichen Bahnhöfen – Paris, Dänemark, Schweden, Leningrad, Sibirien und aus der Mandschurei, und in jedem Brief bat er sie um Einzelheiten ihrer

Liebesnacht mit Dubschin und betonte, daß er in diesem Vorfall keine Sünde sehe.

Doch in seinem Tagebuch fragte er: Wo ist die Freundschaft? Er selbst, schrieb er an D. D., habe auch eine Dummheit begangen und vor seiner Abreise aus Polen mit einer jungen Reporterin aus New York geschlafen, fünf Jahre jünger als D. D. Sie hätten sich bereits früher einmal getroffen, und er hatte gemerkt, daß sie vom ersten Augenblick nicht gleichgültig ihm gegenüber gewesen war. Sie war nach Polen gekommen, um Material über die Armut in Warschau zu sammeln, und hatte ihn in ihr Hotel eingeladen. D. D. sei ihm gegenüber offen gewesen, deshalb wolle er selbst ebenfalls aufrichtig zu ihr sein. Er tue es aus seiner tiefen Liebe zu ihr heraus. Und er liebe sie deshalb so sehr, weil sie eine große Künstlerin sei. Frauen, die keine Künstlerinnen seien, könne er nicht lieben. Wieder versprach er ihr, daß seine Liebe zu ihr durch diese Affäre nicht geschmälert sei. Er habe nicht gewußt, über was er mit der Reporterin reden konnte, weder vor dem Beischlaf noch danach. War es vernünftig, daß er ihr, D. D., davon erzählte? fragte er. Sie solle es lieber schnell vergessen. Doch immerhin erwähnte er in seinem Brief den Namen der Reporterin, Lara Rabinowitz, ferner ihre Adresse und ihre Telefonnummer, für den Fall, daß D. D. sie treffen wollte. Er sei sicher, sie hätten genug Gesprächsstoff. Den Vorfall in dem Warschauer Hotel dürfe sie jedoch keinesfalls erwähnen, denn Laras Ehemann sei ein bekannter Kritiker, der sein, Tirschbeins, erstes Buch sehr gelobt und es mit Balzac verglichen hatte. Deshalb müsse sie immer daran denken:

»Vergessen! Vergessen! Vergessen!«

Nach seinem Treffen mit Lara Rabinowitz hatte er in seinem Tagebuch notiert, sein Gewissen habe ihn geplagt. Drei Tage später, als er die Reporterin wieder in ihrem Hotel aufgesucht hatte, schrieb er, sein Gewissen habe ihn dreimal geplagt.

Später, in China, bat Tirschbein D. D. sehnsüchtig, sie möge ihm doch die Mahlzeiten beschreiben, die sie täglich esse. Wenn er sich in die Liste ihrer Mahlzeiten vertiefe, verringere sich der ungeheure Abstand zwischen ihnen. Er schickte ihr ebenfalls eine Liste der Mahlzeiten, die er in der letzten Woche zu sich genommen hatte. Die Abschrift dieser Liste fand ich im Archiv und verglich sie mit der Liste, die in seiner Küche an der Wand hing. Auf beiden Listen aß er am Sonntag Käseplätzchen, am Montag Pilze mit Rahm, am Dienstag Erbsensuppe mit Mandeln, am Mittwoch Karotten und Nudeln, am Donnerstag Reisbrei mit Erdnüssen, am Freitag geriebenen Rettich mit Milchklößen und am Schabbat Borschtsch. Auf der Liste aus China war Reis die tägliche Beilage, in Jerusalem waren es Kartoffeln. Sowohl in China als auch in Jerusalem gehörten zu jeder Mahlzeit Schwarzbrot und Milch, freitags und an den Schabbatot Chala, dazu noch Salat und Obst nach Jahreszeit. Orangen gehörten an beiden Orten täglich dazu. Der Liste aus China hatte er eine Bitte an D. D. zugefügt, sie solle beim Lesen ihre Phantasie anregen.

Wenn sie diese Liste in ihre Küche hänge, würde sie beim Essen an ihn denken. Sie solle ihre ganze Phantasie einsetzen, so wie sie es damals getan hatte, als sie von Freunden in deren Sommerhaus am Meer eingeladen war und sich eines Morgens, als alle das Haus verlassen hatten, nackt ans Fenster stellte, auf das Meer hinausschaute und laut seinen Namen rief. Als sie sich dann wieder ins Bett legte, sei Tirschbein bei ihr gewesen, habe sie geschrieben. Als er damals den Brief gelesen hatte, in Warschau, hatte er sich in seiner Phantasie neben sie gestellt und sie in den Hals gebissen, bis sie blutete.

»Ich esse sehr viel Karotten«, hatte er auf den Rand der chinesischen Liste geschrieben, und wenn er nach New York komme, sei er kräftig genug für vierzig Jahre Liebe. Es mache ihn traurig, schrieb er noch, daß sie ihm nicht die weißen Haare schickte, um die er sie gebeten hatte, und daß sie auch nicht mit dem kleinsten Hinweis seine Fragen bezüglich ihrer Liebesnacht nach der Aufführung von »Josche Kalb« beantwortet hatte. Auf der Fahrt mit der sibirischen Eisenbahn habe er sich neue Arten der Liebe ausgedacht, und wenn er nach New York komme, würden sie wohl die Türen der Wohnung verschließen und erst wieder öffnen, wenn sie verrückt geworden wären vor Liebe. Doch zuvor würden sie über ihre Zukunft sprechen, dann über ihren Tod. Er würde vor ihr sterben, denn seine Liebe zu ihr sei stärker als ihre Liebe zu ihm. An ihrer Seite würde er leichten Herzens dem Tod entgegengehen. Vierzig Jahre Glück würden sie erwarten, zusammen mit den Werken, die er, mit ihr als Muse, schreiben würde. Er würde ihren Namen auf der ganzen Welt bekannt machen.

Er habe von ihr geträumt, auf seiner Reise durch Sibirien. Im Traum ging er mit der Reporterin Lara Rabinowitz durch Warschau spazieren, auf der Tlomezkastraße, als ihnen D. D. entgegenkam. Schon von weitem erkannte er, daß sie beim Gehen lautlos weinte. Auch Sara Jurberg hatte einmal in seinem Traum lautlos geweint. D. D. solle doch einmal in die 34. Straße fahren, Ecke 4. Avenue. Dort sei ein Restaurant, in dem sich jiddische Schriftsteller und Journalisten trafen. Auch Lara Rabinowitz könne sie dort treffen, und wenn sie seine Affäre mit Lara noch immer nicht vergessen hätte, solle sie sich doch einmal mit ihr unterhalten. Auch Leib Dobschin gehöre zu den regelmäßigen Gästen dieses Restaurants. Tirschbein wußte das aus den jiddischen Zeitungen, die ihn in Schanghai erreichten. In einer habe er ein neues Gedicht von Dobschin entdeckt, ein Gedicht voller Kraft und Schönheit. So müsse ein Dichter unserer Zeit schreiben, realistisch mit einem metaphysischen Anklang. Er bat D. D., Dobschin, wenn sie ihn treffe, auszurichten, daß er, Tirschbein, das Gedicht von dem Wanderer, der durch die ganze Welt zog und Gott suchte, auswendig gelernt hatte. Doch vielleicht habe sie ja auch schon aufgehört, ihn zu treffen.

Er habe der Zeitung entnommen, daß die Inszenierung von »Josche Kalb« abgesetzt wurde. Ein solches Drama könne man sich mehr als einmal anschauen. Er selbst habe es zweimal gesehen, in Warschau, und er erinnere sich noch genau an das letzte Bild des ersten Aktes: Malkele, die vierte junge Frau des Rabbi von Nischow, hatte Josche Kalb dazu verführt, sie zu lieben und dann den Hof des Rabbi anzuzünden. Wenn er, Tirschbein, nach New York komme, würde auch ihre Liebe brennen wie jenes Feuer. Ob sie die Vorführung auch zweimal gesehen habe, mit Leib Dobschin? In welcher Sprache hätten sie sich eigentlich in ihrer Liebesnacht unterhalten? Er sei zwar glücklich gewesen, als sie ihm von ihrem Glück erzählte, aber er wäre noch glücklicher gewesen, wenn sie auf ihn gewartet und sich nicht seinem Freund Leib Dobschin hingegeben hätte. Im Zug, in den Weiten Sibiriens, habe er sie Tag und Nacht vor sich gesehen, nackt, zusammen mit Leib Dobschin.

Im nächsten Brief, versprach er, wolle er ihr von den Städten erzählen, die er in Rußland gesehen hatte, von Kolchosen und jüdischen Kolonien. In Paris habe es ihr doch gefallen, die Namen der jüdischen Schtetl in Polen zu hören, in denen er Vorträge über die Philosophie Immanuel Kants gehalten hatte. Damals hätte sie versprochen, ihn in Polen zu besuchen. Wie schön sie gewesen sei, als sie ihm das versprach. Er habe sie damals vor lauter Glück in den Finger gebissen, und ihre schönen Augen hätten sich mit Tränen gefüllt. Doch sie sei ja nie nach Polen gekommen, weil sie sich vor der Armut und den verwanzten Betten fürchtete. Irgendwann später würden sie einmal zusammen nach Polen fahren. Er würde ihr Biała Podlaska zeigen, und sie würden zusammen auf dem alten Friedhof spazierengehen und am Grab des Rabbi stehenbleiben. Erinnere sie sich noch daran, daß Tirschbein dessen Namen trug?

»Du sollst an Reinkarnation glauben«, verlangte er in seinem nächsten Brief von ihr, und dann erzählte er von den Kolonien und den Kolchosen, in denen sich Juden eine neue Zukunft aufbauten. Ihretwegen war er losgezogen, um Geld zu sammeln. Die Gesellschaft ORT-OSE unterstütze sie, gute und nützliche Bürger zu sein. Wie schade, daß sie nicht Jiddisch könne und daher nicht in der Lage sei, den Artikel zu lesen, den er zu diesem Thema geschrieben hatte. Einstweilen gebe er sich damit zufrieden, ihr die Namen der Ortschaften in der Ukraine zu nennen, auf der Krim und in anderen Gegenden, die alle vom großen Freund des jüdischen Volkes unterstützt würden – von Kalinin. Ob sie diesen Namen schon einmal gehört habe? Die Ansiedlungen trügen Namen wie: Roter Oktober, Hammer und Sichel, Roter Stern, Heldenhafter Pionier, Litwinow, Freies Leben, Frühling, Arbeit, International – Namen, die die Hoffnung auf eine neue Welt ausdrückten. Tirschbein besuchte die Kolchose, die den Namen des jiddischen Dichters Morris Wintschewski trug. Überall dort lebten Juden, deretwegen er seine großen Werke in jiddischer Sprache schreiben wolle. Die Namen der Siedlungen allein seien schon Poesie für ihn. Er bat D. D., diese Namen auswendig zu lernen, schließlich würde sie ja als erste seine Werke lesen.

»Bitte, lies mein Buch!«

Er erinnerte sie noch einmal an die tausend Wege der Liebe, die er sich auf der Fahrt durch Sibirien ausgedacht hatte, und in China wäre ihm der tausendundeinte eingefallen. Mit dieser Stellung, der tausendundeinten, würde er zu ihr nach New York kommen.

28

Als ich die Küche verließ, nachdem ich die Speisefolgen miteinander verglichen hatte, stand Tirschbein an meinem Tisch und hielt einen Artikel in der Hand, den er aus einer Tel Aviver jiddischen Zeitung ausgeschnitten hatte, über ein Komitee, das sich gebildet hatte, um die Feier zum achtzigsten Geburtstag des größten lebenden jiddischen Dichters vorzubereiten – Schmu'el-Josef Nojbisch. Er legte den Ausschnitt auf meinen Tisch, zog ein Taschentuch heraus und wischte sich den Schweiß vom Nacken.

»Man schmiedet ein Komplott gegen mich«, sagte er und warf einen schnellen Blick auf die Unterlagen, die ich auf meinem Tisch ausgebreitet hatte. Er nahm ein Häufchen Dokumente, die nicht in sein Buch aufgenommen werden sollten, blätterte sie durch und entschied, er wolle sie doch verwerten. Es waren das englische Empfehlungsschreiben des Lord Rothschild aus London; Aufrufe von ORT-OSE an die Juden von Kobel in Polen, armen Kindern zu helfen; eine Spenderliste von Medan auf Sumatra; die Adressen von Menschen in anderen Orten des Kantons; die Namen möglicher Spender in Singapur, Hongkong, Kalkutta und Bombay. Zu den Listen legte er Briefe der Direktion von ORT-OSE, die er in Tientsin, Harbin und Schanghai bekommen hatte.

Nach Harbin hatte ihm die Direktion einen besorgten Brief geschrieben, weil sie längere Zeit nichts von ihm gehört hatte. Hatte etwa der Zug, den er genommen hatte, unterwegs nicht gehalten? Doch nachdem sie die Karte, die er im Februar schickte, bekommen hatten, beruhigten sie sich und drückten ihre Freude aus, daß er glücklich angekommen war und sich sofort daran gemacht hatte, Geld zu sammeln. Sie gaben zu, daß er recht gehabt hatte, sich nicht von Gerüchten über einen möglichen Krieg im Fernen Osten zurückhalten zu lassen. Doch die europäischen Journalisten hörten nicht auf, darüber zu schreiben, daß die Mandschurei ein Vulkan sei, der jeden Augenblick auszubrechen drohe, und ein Krieg dort sei nicht zu verhindern. Deshalb wollten sie von ihm erfahren, ob etwas Wahres daran wäre. Außerdem hofften sie, daß es ihm gelänge, in Harbin die in Paris festgelegte Summe von tausendfünfhundert Dollar zu sammeln, bevor die Unruhen ausbrächen. Wenn er nach Beendigung seiner Aktion die Stadt verlasse, solle er das Geld nicht beim örtlichen Komitee zurücklassen, denn es könne verschwinden. Und er solle ein Telegramm nach Paris schicken, keinen normalen Brief.

Tirschbein schrieb ihnen ausführliche Berichte, damit sie einen Eindruck davon bekamen, was sich in den jüdischen Gemeinden in China abspielte. In Harbin zum Beispiel hatte er nach seiner Ankunft ein Komitee zum Sammeln von Spenden gegründet, doch sofort habe sich ein Gegenkomitee konstituiert, das behauptete, jeder gesammelte Dollar werde für die eigene Gemeinde von etwa tausend Menschen gebraucht. Paris hatte große Hoffnungen auf einen gewissen Nathan, den Besitzer etlicher Kohlenbergwerke, gesetzt, doch dieser Nathan, so schrieb er, sei einen Tag vor Tirschbeins Ankunft nach London abgefahren, um dort seinen Cousin zu treffen, einen Angehörigen des Parlaments, der ebenfalls Nathan heiße. Warum, fragte Tirschbein, habe der Harbiner Nathan eine Aufforderung bekommen, zum Büro der Londoner ORT-OSE zu kommen und seinen Spendenanteil abzugeben? Das sei eine große Taktlosigkeit gewesen, diesen Mann so zu beschämen, statt ihm zu schreiben, ein Vertreter von ORT-OSE beehre sich, ihn in London aufzusuchen. Dieser Nathan jedenfalls habe ein Telegramm nach Harbin geschickt, man solle ORT-OSE auch nicht einen einzigen Dollar spenden. Auf dem Höhepunkt seiner Sammelaktion war Tirschbein gezwungen, aus Harbin zu fliehen. Man hatte ihn bei den Behörden angezeigt, er sei Kommunist, und die Organisation ORT-OSE unterstütze heimlich Stalin. Die Namen der Ehrenpräsidenten, Albert Einstein und Lord Rothschild, die den Briefkopf der Organisation zierten, machten auf die Behörden von Harbin keinerlei Eindruck.

Ein anderer langer Brief, den Tirschbein aus Schanghai schrieb, und den er wichtig genug fand, ihn seinem Buch beizufügen, begann folgendermaßen:

»ORT-OSE

Paris

Sehr geehrte Herren, liebe Direktoren,

Um die Wahrheit zu sagen, ich würde am liebsten weinen.«

Tirschbein fragte mich, ob ich diesen Brief bereits gelesen hätte, doch er wartete meine Antwort nicht ab. Er zog seinen Stuhl näher zu mir, setzte sich, wischte sich wieder den Schweiß vom Nacken, legte den Stapel Blätter mit dem Brief umgedreht auf den Tisch, auf den Zeitungsausschnitt zu Nojbischs Geburtstag, und sagte, er wolle es mir lieber erzählen, was sich damals in

Schanghai ereignete. Ein mündlicher Bericht besitze eine Intimität, die Geschriebenem fehle. Auch sein Buch wolle er so schreiben, als sitze er mit einem guten Freund zusammen und erzähle ihm seine Lebensgeschichte. Außerdem brauche er keinen Brief, der vor fünfzig Jahren geschrieben wurde, um sich an diese Angelegenheit zu erinnern, die ihm in allen Einzelheiten im Gedächtnis geblieben sei. Er zerknüllte das Taschentuch in den Händen und begann zu erzählen.

Als Tirschbein damals von Mellmans Beerdigung nach Schanghai zurückkehrte, schlossen die Mitglieder der jüdischen Gemeinde ihre Türen vor ihm. Das Komitee zum Sammeln der Spenden, das er gegründet hatte, zerstreute sich, und keiner wollte ihn mehr sehen. Die Leute der Gemeinde wußten von Mellmans Wunsch, auf dem verlassenen Friedhof, weit weg von allen lebenden Juden, begraben zu werden. Sie wußten auch, daß Mellman in seinem Testament eine beträchtliche Summe der Organisation vermacht hatte, wenn sie einen Juden schickte, der an seinem Grab den Kaddisch betete. Daher hatte die Gemeinde bereits einen aschkenasischen Juden dazu bestimmt, den Kaddisch zu sagen, und noch einen sephardischen, als Stellvertreter.

Beide Gemeinden liebten Mellman nicht, waren aber bereit, ihn wegen seines Reichtums zu ehren. Die aschkenasische Gemeinde verachtete ihn wegen seines groben Charakters und weil er ihnen dadurch, daß er drei Chinesinnen heiratete, Schande gemacht hatte. Keiner von ihnen weinte eine Träne wegen des Mordanschlags, der auf ihn verübt worden war und an dessen Folgen er eine Woche später starb. Im Gegenteil, sie freuten sich über seinen Tod, denn sie hatten das Geld schon für wohltätige Zwecke bestimmt. Mit des toten Mellmans Hilfe hoffte die aschkenasische Gemeinde, ihr Ansehen gegenüber der sephardischen zu steigern. Beide Gemeinden wahrten Distanz und heirateten untereinander nicht. Die sephardischen Juden waren reich und schauten auf die aschkenasischen hinunter. Die Familie Esra zum Beispiel führte ihre Abstammung bis auf die Propheten Esra und Nehemia zurück, und die aschkenasischen Juden von Schanghai waren in ihren Augen nichts anderes als Pöbel von zweifelhafter Herkunft. Und nun war ein Gesandter von ORT-OSE gekommen und hatte den Schanghaier Juden am helllichten Tag das Geld gestohlen. Ein Apotheker aus Lemberg, von dem erwartet wurde, er würde Tirschbein bei der Sammlung helfen, schickte ihn zur Familie Esra. Wenn sie ihm die Türen öffneten, würde auch er es tun.

Tirschbein wickelte sich das Taschentuch um die linke Hand, als verbinde er eine Wunde, und sagte, er habe damals sehr gelitten. Schanghai sollte der Höhepunkt der ganzen Sammelaktion sein. Dort lebten die reichsten Juden von China. Wenn sie ihn empfingen, würde er anschließend ganz China erobern können, und sein Weg nach New York wäre leicht und glatt: Die Direktoren von ORT-OSE würden ihm die Tore für Nord- und Südamerika öffnen. So schrieb Tirschbein an D. D. Er schrieb auch an die Direktoren in Paris, daß er Schanghai als Leuchtturm seines Auftrags im Fernen Osten betrachte. Doch aus dem Leuchtturm wurde ein Turm der Finsternis. Schanghai war die Hölle.

Tirschbein hob den Stapel Briefe hoch, den er zuvor

auf den Zeitungsartikel über Nojbisch gelegt hatte, und überflog einige Zeilen. Was er damals an die Direktion geschrieben hatte, faßte er mit wenigen Worten zusammen. Schon damals hatte er in Paris angefragt, ob jemand der Herren die »Göttliche Komödie« gelesen habe, denn in Schanghai herrsche Dantes Hölle. Und D. D. bat er, nach Manhattan zu fahren, zur öffentlichen Bibliothek in der fünften Avenue, und zu lesen, wie ein Schriftsteller in der Mitte seines Lebenswegs in einen dunklen Wald kommt und sich verirrt. Seine Seele, schrieb Tirschbein, habe sich verdunkelt, und der gerade Weg sei krumm geworden. Es bleibe ihm nichts anderes übrig, als sich selbst dem Tod zu überantworten oder nach Polen zurückzukehren, zu seiner Frau. Eigentlich sei der Weg schon krumm geworden, bevor er seine Frau verließ, nämlich damals, als sie einen Liebhaber nach Hause brachte, sich mit ihm im Schlafzimmer einschloß und es Tirschbein überließ, sich draußen vorzustellen, was drinnen geschah.

»Liebe ist schön«, hatte sie nachher zu ihm gesagt.

Bis zu diesem Zeitpunkt habe er ihr, D. D., nichts von diesem Vorfall erzählt, doch jetzt wolle er, daß sie alles wisse. Und nun solle sie fortfahren, die »Göttliche Komödie« zu lesen. Die Beschreibung des Wolfs, des Löwen und des Hundes könne sie überspringen, dann komme sie an den Abschnitt, in dem der Dichter aus den Tiefen der Finsternis aufsteigt, die Augen hebt und den Weg sieht, am Fuße eines vergoldeten Berges, der in überirdischem Glanz erstrahle und alle Wege gerade mache. Auch in der Hölle gebe es einen Weg aus der vollkommenen Verzweiflung, das habe er in Schanghai entdeckt.

Ein junger Sepharde, ein Sohn der Familie Esra, Herausgeber einer Wochenzeitung in englischer Sprache, war gekommen, um ihn wegen des Kaddisch, den er an Mellmans Grab gebetet hatte, zu interviewen. Sie unterhielten sich lange und schieden als Freunde. Der junge Esra machte seinen Einfluß geltend, und Tirschbein wurde in das Haus seiner Eltern eingeladen, um dort den Schabbat zu verbringen. Eine kleine Nachricht darüber erschien in der englischen Wochenzeitung – zwei Zeilen, nicht mehr –, doch wie der Glanz aus einer anderen Welt fielen sie auf den Berg der Finsternis. Noch bevor der ersehnte Schabbat herangekommen war, kam der Apotheker aus Lemberg und verkündete Tirschbein, daß das Komitee zur Unterstützung der Spendensammlung von ORT-OSE sich zusammengefunden habe und bereit sei. Leute würden ihn, den Apotheker, anrufen und fragen, ob das, was in der Zeitung stand, stimme. Auch er selbst habe zuerst seinen Augen nicht getraut: Eine sephardische Familie, noch dazu die Familie Esra, öffnete ihr Haus einem aschkenasischen Juden? So etwas habe es in Schanghai noch nie gegeben. In ganz China nicht. Ein Fremder wie er könne das überhaupt nicht ermessen. Das Ansehen der aschkenasischen Juden sei gestiegen, und Spender würden bei ORT-OSE Schlange stehen. Er selbst, versprach der Apotheker, würde sich bei seiner Spende nach der Familie Esra richten, die etwa dreihundertmal reicher sei als er.

Als der Schabbat vorbei war, beeilte sich Tirschbein, nach Paris zu telegrafieren, daß die Spendensumme der lebenden Juden die des Toten sogar noch übersteige. Im Haus der Familie Esra hatte es ihm gefallen.

Er hatte ihnen die Philosophie Immanuel Kants vorgestellt und ihnen von der jiddischen Literatur erzählt, von dem weltbekannten Dichter Schalom Asch und von Leib Dubschin, der eines Tages den Nobelpreis erhalten würde. Die Familie Esra zeigte sich nicht sonderlich beeindruckt von Immanuel Kant. Sie handelten mit Waffen, und der ewige Friede war nicht nach ihrem Geschmack. Auch Schalom Asch rührte sie nicht sehr. Esra, der Sohn, Redakteur des Wochenblatts, hatte noch nie von einem Schriftsteller dieses Namens gehört. Hingegen interessierten sie sich für Tirschbeins Vater, den Chassid von Kubrin, und für seine Mutter, die Bäckerin. Daß Tirschbein nach einem großen Zaddik genannt war, gefiel ihnen außerordentlich, ebenso daß seine Verlobte, die ihn in New York erwartete, Tochter eines persischen Juden war, der seine Abstammung bis auf die Tage von Achaschverosch zurückführen konnte.

Sie luden Tirschbein ein, noch einen Schabbat ihr Gast zu sein, und er beschloß, seinen Aufenthalt in Schanghai zu verlängern. Die aschkenasischen Juden zeigten ihm ein freundliches Gesicht und hörten sogar auf, mit ihm zu handeln. Keiner wollte wissen, wieviel die Sepharden gespendet hatten. Der Apotheker wußte allerdings, was die Esras zu geben versprochen hatten, und während er in seiner Apotheke beschäftigt war, führte der junge Esra Tirschbein zu den jüdischen Häusern Schanghais. Er war, wie er Tirschbein bekannte, in eine junge Schöne aus Wilna verliebt, doch seine Eltern würden nie im Leben die Erlaubnis zu einer Hochzeit geben. Tirschbein versprach, bei seinem nächsten Besuch bei seinen Eltern ein gutes Wort für ihn einzulegen, doch der junge Redakteur kam ihm zuvor und bat seine Eltern um die Erlaubnis zu heiraten. Die Eltern verboten ihm, sich mit der jungen Frau zu treffen, und zogen die Einladung an Tirschbein zurück.

Zu seinem Glück befanden sich die Spenden bereits in den Händen des Komitees, doch gerade dann begann der große Zusammenbruch. Die beliebteste Bank der Stadt, die American Oriental, meldete Konkurs an, und nicht nur die Mitglieder des Komitees verloren viel Geld, der Apotheker zum Beispiel hunderttausend Dollar, und was die Familie Esra verlor, wagte man gar nicht zu denken – sondern auch alle Schecks für ORT-OSE waren bei dieser Bank eingezahlt worden. Niemand kümmerte sich nun um Tirschbein, nur der junge Esra, der ihn bat, die junge Schöne zu treffen und sie davon abzuhalten, etwas Unüberlegtes zu tun. Es war nicht einfach, die junge Schöne zu beruhigen. Sie wollte sich rächen, und gegen Abend ging sie zum Hafen, entschlossen, sich dem ersten chinesischen Matrosen hinzugeben, der ihr über den Weg lief. Tirschbein ging mit ihr. Einen Matrosen traf sie nicht, doch sie und Tirschbein trösteten sich dann gemeinsam.

An D. D. schrieb er, sie müsse sofort vergessen, was er ihr gerade erzählt hatte. Er sah in der Sache einen unvermeidlichen Zwischenfall, das Ergebnis von Schmerz und Schande. Zwei einsame Geschöpfe in der Millionenstadt Schanghai; ein verlassenes Mädchen und ein Mann in mittleren Jahren, mit einer langen Liste von ungedeckten Schecks in der Tasche, hatten beieinander etwas Ermutigung gesucht.

Auch an D. D. schrieb Tirschbein, daß er Lust hätte

zu weinen, und er drängte sie, ihm verächtliche Worte zu schreiben, die ihn beleidigten und ihm weh täten. Sie solle ihm befehlen, etwas zu tun, was er nicht wollte, doch das alles würde ihn nicht davon abhalten, sein Leben lang ihr ergebener Sklave zu sein. D. D. sei seine große Liebe. Seine Schwester. Sie sei das überirdische Licht in Dantes Tal der Finsternis. In diesem Brief geschah es, das einzige Mal, daß er die Buchstaben D. D. änderte. Er nannte sie B. B.: Beatrice! Beatrice!

29

Auch über Schmu'el-Josef Nojbischs achtzigsten Geburtstag hatte er Lust zu weinen. Er ließ den Artikel bei mir, den er aus der Zeitung ausgeschnitten hatte, und ging zu seinem Tisch, doch auf dem Weg blieb er an der Schreibmaschine stehen, betrachtete genau, was auf der fünften Seite seines Briefes an seinen Freund Leib Dubschin geschrieben stand, setzte sich auf den Stuhl und schrieb die Zeile eines Gedichts, das Bialik auf Jiddisch geschrieben hatte:

Glußt sich mir wejnen geschmaker fun harzn.

Sein Herz weinte über Schlomo Bitmans Erbe und dessen Folgen. Nojbisch erinnerte ihn an Issler und Issler an die Verbrecher in Paris. Der Gedanke an die Mörder hatte sich in seinem Kopf festgesetzt. Tagsüber beherrschte er sie, doch nachts träumte er von Feuersbrünsten. Im Traum wanderte er durch die Höfe von Me'a Sche'arim, wo man Chamez verbrannte, und während er weiterging, züngelten die Feuerhäufchen, und die Flammen ergriffen seine Kleidung. Männer ohne Gesichter folgten ihm und versteckten sich hinter Pfosten.

Tirschbein hörte auf zu tippen, drehte sich zu mir um und sagte:

»Issler ist mein Unglück.«

Einen Tag vorher, auf dem Friedhof, hatten sich beide umarmt und geküßt. David Dobson und Alisa waren schon durch das Tor gegangen und warteten draußen auf uns, während wir zum Wasserhahn gingen, um uns die Hände zu waschen. Mit nassen Händen packte Issler Tirschbein an den Schultern und sagte, er sei bereit, Wort für Wort sein Gedicht über die Gestorbenen aufzusagen. Um keine kostbare Zeit zu vergeuden und weil er keine Gelegenheit auslassen wollte, zog er schnell ein kleines Etui mit Farben aus der Tasche und schminkte sich das Gesicht, sprang mit einem Satz auf das Steinmäuerchen, das die Wasserstelle umsäumte, breitete seine langen Arme aus wie Flügel, mit einer Bewegung, die den ganzen Friedhof umfaßte, und bewegte seinen Körper im Takt der ersten Zeile:

»Wo seid ihr, meine Toten?«

Als er das Gedicht zu Ende gesagt hatte, sprang er von der Bühne und fiel direkt in Tirschbeins offene Arme.

Issler habe dem Gedicht einen neuen Klang verliehen, eine frische Bedeutung. »Wie ein Lichtstrahl in einem dunklen Wald«, sagte Tirschbein, während er Issler zuerst in den Jeep steigen ließ.

Alisa weinte lautlos. Sie drehte den Kopf und fragte: »Und was wird mit mir sein?«

David Dobson schob seinen Pferdeschwanz wieder unter den Hut und sagte, die Satmarer Chassidim würden die Wohnung bekommen und Alisa in einem Krankenhaus unterbringen, das eine Art Altenheim sei. Sie müsse züchtige Kleidung und eine Perücke tragen und sich wie eine gute Tochter Israels verhalten. Er hupte, fuhr rückwärts, und als er dann wendete, rutschte die Kiste mit Hartiners Büchern unter meinen Sitz. Einen Moment lang kam es mir so vor, als sei Hartiner noch unter uns und schiebe die Kiste mit seinen Büchern hin und her wie immer. Tirschbein bückte sich, nahm die Kiste mit beiden Händen und zog sie an ihren früheren Platz zurück. »Was für ein Glück«, sagte er, »das Glas von der Elegie und Ziporas Foto ist nicht zerbrochen. Der Tod hat keine Macht über einen echten Dichter. Hartiner war im Leben vergessen, aber jetzt werden seine Bücher auferstehen. Man wird einen Teil seiner Bücher wieder auflegen, ohne die Änderungen. Die Hure wird wieder eine Hure sein und der Dieb ein Dieb.« Tirschbein hielt die Kiste mit seinen Beinen an ihrem Platz und erzählte Issler, wie in einer Geschichte Hartiners sich Nachbarn treffen; ein Viehhändler unterhält sich mit seinem Nachbarn, einem Pferdehändler, über den Zaun hinweg, und während sie sprechen, streichelt er die Zaunlatten, als handle es sich um den warmen Bauch einer Kuh.

Issler wischte sich mit einer Papierserviette die Schminke vom Gesicht, knüllte die Serviette zu einem Ball, den er dann in die Tasche steckte. Er nickte und sagte, wie der Viehhändler in Hartiners Erzählung habe Tirschbein gerade eine bestimmte Angelegenheit berührt, die ihm auf dem Herzen liege. Bitmans Erbe. Er sprach langsam und laut, um die Motorgeräusche des Jeeps zu übertönen, und bat Tirschbein, er solle doch aufhören, sich in Immanuel Kants Amtstracht zu hüllen. Mit Bitmans Geld könnten sie Bücher veröffentlichen, die zu den grundlegenden Werken jiddischer Literatur gehörten: Hartiners Bücher, drei Bände von Isslers Werken – Schauspiele und Monologe – und die große Trilogie, die Nojbisch schreiben würde. Wenn Nojbisch erfahre, daß Geld vorhanden wäre, um seine Bücher zu publizieren, würde er aus seiner Depression auftauchen und seinen Roman beenden, den er nach dem Krieg begonnen hatte.

Tirschbein schwieg während des Rests der Fahrt. Auch Alisa sagte nichts. Dobson sang, pfiff und hupte, als käme er von einer Hochzeit zurück. Er ließ uns an der Jo'elstraße aussteigen und fuhr weiter die Me'a-Sche'arim-Straße entlang, um Alisa nach Hause zu bringen. Issler war schon vorher ausgestiegen, am Busbahnhof, er hatte es eilig, wieder nach Tel Aviv zu kommen.

In dem Bericht aus der jiddischen Zeitung, den Tirschbein ausgeschnitten und aufgehoben hatte, hatte Issler geschrieben, Nojbisch sei ein junger Mann von achtzig geworden. Mit achtzehn habe er einen Roman über jüdische Schmuggler veröffentlicht, und schon damals habe man über ihn geschrieben, er sei zu Großem bestimmt. Er habe die Erwartungen nicht enttäuscht. Man nenne ihn den jüdischen Tschechow. Sofort nach dem Zweiten Weltkrieg, schrieb Issler, habe Nojbisch die Verpflichtung empfunden, den Untergang der polnischen Juden zu beschreiben. Die Toten

verlangten das von ihm. Er, Issler, habe den Vorzug
genossen, die ersten Kapitel des unvollendeten Romans
zu lesen, und nach seiner bescheidenen Meinung verbinde Nojbisch den epischen Atem Leo Tolstois mit der
dramatischen Spannung Fjodor Dostojewskis und –
wenn man das sagen dürfe – der seherischen Kraft des
Propheten Jeremias.

»Was sind achtzig Jahre?« fragte Issler und antwortete, Nojbisch sei, obwohl er dieses Alter erreicht habe,
ein anmutiger Jüngling geblieben. Habe Goethe nicht
den zweiten Teil seines Faust vierzig Jahre nach der
Vollendung des ersten geschrieben? Und der griechische Dramatiker Sophokles hatte seine unsterblichen
Stücke geschrieben, als er hundert war. Am Schluß des
Artikels stand ein Aufruf an alle Freunde der jiddischen
Kultur, zahlreich zur Geburtstagsfeier zu erscheinen.

30

Tirschbein hatte die fünfte Seite seines
Briefes an Leib Dubschin beendet, spannte eine sechste
ein und tippte immer schneller. Einen Moment hörte
er auf, drehte sich zu mir um und sagte, wir hätten
Hartiners Blechkiste im Jeep vergessen. Er habe sich
daran erinnert, als er Leib Dubschin von dessen Enkel
erzählt habe, David Dobson. Dann schrieb er weiter,
begleitet von Selbstgesprächen. Er berichtete von Dobsons Gewohnheiten, seinem Benehmen, seiner Kleidung, dem Bierglas und den Versen des Propheten
Jesaja. Eine zugleich unschuldige und verirrte Seele,
die über beiden Welten schwebe. Mehr als einmal be-

zeichnete er Dobson in seinem Brief mit den Initialen D. D., wobei er sich unsicher war, ob Leib Dubschin in der anderen Welt Freude über seinen Enkel empfand. Als er anfing, über die Tänzerin zu schreiben, benutzte er ebenfalls ihre Initialen.

Ich steckte Isslers Artikel in die Mappe mit seiner Korrespondenz und fuhr fort, die Briefe der Chinareise zu ordnen. In einem Brief an Paris bat Tirschbein die Direktoren von ORT-OSE, sie sollten ihren Ärger über seinen Mißerfolg in Schanghai vergessen. Mehr als sonst sei er nun auf Ermutigung angewiesen, um seinen Auftrag weiter auszuführen. Doch er selbst war wütend auf D. D., die offenbar aufgehört hatte, ihn zu lieben, denn sie schickte ihm nicht die grauen Haare, die er in Paris auf ihrem Kopf entdeckt hatte. Er drängte sie, ein Theater zu finden und fortzufahren zu tanzen, weil er sonst aufhören würde, sie zu lieben. Schon immer habe ihn die Kunst berührt, und er könne keine Frau lieben, die sich nicht der Kunst widme. So habe damals auch seine Liebesaffäre mit der Dichterin Sara Jurberg begonnen, weil ihre Gedichte ihn berührt hätten. Er habe D. D. ja schon einmal von ihrem ersten Zusammentreffen erzählt, und nun, in Schanghai, habe er zufällig in einer Zeitschrift einen Bericht über diese Begegnung gelesen, aus der Sicht Sara Jurbergs. Tirschbein berichtete D. D., was die Dichterin geschrieben hatte. Der Gast sei langsam durch ihre Wohnung geschritten, ernst, wie es einem berühmten Dichter und Anhänger der Philosophie Kants gebühre. Der weite Mantel, der ihm über die Schulter hing, sein schwarzer Bart, betonten, daß er ein Dichter war.

Der plötzliche Besuch habe sie verwirrt, denn die große Welt habe damals verächtlich auf das Familienleben herabgeschaut. Und da stand auf einmal in ihrem provinziellen Heim, bei einer Frau, deren Mann Geflügelhändler war, ein Vertreter der europäischen Kultur, ein Aristokrat mit einem schwarzen Hut, ein stolzer Zyniker, der auch, als er sich gesetzt hatte und schwieg, nicht die ernste, nachdenkliche Miene verlor. Sie fühlte sich, als stünde ihre ganze Poesie auf dem Prüfstand. Tirschbein, so meinte sie, bedauerte, überhaupt hergekommen zu sein, er langweilte sich in dieser kleinbürgerlichen Welt und versteckte hinter seinem Bart ein Gähnen. Vielleicht hatte er sich deshalb einen Bart wachsen lassen, um sich in solchen Fällen zu schützen? Aber in Wirklichkeit wartete Tirschbein nur darauf, daß das Dienstmädchen aus dem Zimmer ging und ihn mit der Gastgeberin allein ließ. Er kam zu ihr, küßte sie leicht auf den Hals und zitierte eine Zeile aus einem ihrer Gedichte:

»Schenk uns Träume, Träume die Fülle...«

Dann sagte Tirschbein, er sei gekommen, um sich vor der Dichterin zu verneigen, die in einem ihrer Verse einen jungen Mann sprechen ließ, der seine Schwester zur Braut begehrte.

In seinem Brief an D. D. zitierte Tirschbein Stellen aus Sara Jurbergs Briefen. Er hatte alle Briefe mitgenommen nach China, zusammen mit seinen Briefen an sie, die sie ihm zurückgegeben hatte, als ihre Liebe zu Ende war. Sie fürchtete, ihr Mann könne sie eines Tages finden, wenn sie sie behielte. In den Zeiten ihrer Liebe hatte sie, wenn ihr Mann auf Reisen war, mit einem Brief Tirschbeins auf dem Herzen geschlafen. Kam er zurück, versteckte sie die Briefe im Korb mit der schmutzigen Wäsche. Damals schrieb sie an Tirschbein, sie sei die glücklichste Frau der Welt, so viel Glück mache es ihr unmöglich, weiterzuleben und zu schreiben. Aber auch zum Sterben fehle ihr die Kraft, wenn Tirschbein das nicht wolle. Ihr eigener Wille schmelze wie Wachs im Feuer seiner Liebe zu ihr. Sie versprach ihm, ihn mit ihrer Liebe nächtelang zu strafen, wenn sie zusammen wären,und bat ihn im voraus um Verzeihung für die Leiden, die sie ihm zufügen würde, denn sie sei unfähig, auf andere Art zu lieben.

Eines Tages fuhr sie nach Warschau und stand plötzlich vor seiner Tür. Als sie in seinem Zimmer waren und sich umarmten, klopfte plötzlich seine Frau an die Tür. Sie schauten sich an und warteten, ob Tirschbeins Frau noch einmal klopfen oder ob sie weggehen würde. Er war sehr blaß, und Sara Jurberg fühlte sich schuldig, weil sie gekommen war, um sich ein paar kurze Augenblicke des Glücks zu verschaffen. Diese Minute des Wartens, die ihr wie ein Stachel im Herzen verblieb, dehnte sich wie eine Ewigkeit. Alles schrumpfte zusammen. Wenn es ihr damals vergönnt gewesen wäre, nur eine halbe Stunde allein mit ihm zu sein, wäre alles anders gekommen. Doch seine Frau bewachte sie damals wie eine Diebin, und Sara Jurberg fuhr zu ihrem Haus in Brisk zurück und war bereit, sich damit abzufinden, daß die Jahre vergingen und sie älter wurde, und daß der Mann, den sie liebte, nie erfahren würde, was ihr junger Körper ihm bieten könnte.

Bei ihrem Besuch hatte sie vergessen, ihm zu erzählen, daß er ihr zwei Wochen vorher im Traum erschienen war und sie sich wie zwei kleine, nackte, aus dem Nest geworfene Vögel geliebt hatten. Am Tag darauf war sie glücklich herumgelaufen und hatte gebetet, daß Tirschbein ihr wieder im Traum erscheine. An jenem Tag des Glücks wollte ihr Mann mit ihr schlafen, doch sie wies ihn brutal ab. Sie wollte offen zu ihm sein und sagte, sie würde jeden fremden Mann ihm vorziehen. Doch ihr Mann reagierte ebenfalls grausam und nahm sie mit Gewalt. Plötzlich hatte sie das Gefühl, ihr Körper sei mit Asche bedeckt. Sie bat Tirschbein, in einem Gedicht über ihre unglückliche Liebe die Asche von ihrem Körper zu wischen, und versprach, ihm in ihrem nächsten Brief zu erzählen, was eine Frau empfand, wenn ein Mann sie grenzenlos liebte. Sie hatte ihr Versprechen nicht gehalten.

Nun, in China, bat Tirschbein D. D. in New York, sie solle ihm erzählen, was Sara Jurberg nicht erzählt hatte. Er zitierte lange Passagen aus deren Briefen, damit D. D. lerne, im selben Stil zu antworten. Von da an tat er das in allen seinen Briefen. Er hoffte, diese Zitate würden es ihm leichter machen, D. D.s Liebesnacht mit Leib Dubschin zu vergessen, und vielleicht würde sogar D. D. sie vergessen. Einige Zeit lang grübelte er darüber nach, wie er es erreichen könnte, daß sie sich nicht mehr an jene verfluchte Nacht erinnerte. Einmal stellte er sich vor, daß die Tür aufginge und D. D. plötzlich vor ihm stünde. Er legte sie auf das Bett, stellte sein Knie auf ihre Brust und drückte zu. Das tat ihr sehr weh, doch sie schwieg, denn sie wußte, daß sie nur so seinen Schmerz spüren konnte. Er drückte weiter, bis er sie sagen hörte: »Nie mehr.« Wenn er nach

New York komme, schrieb er ihr, würde sie wieder sagen: »Nie mehr! Nie mehr!« und ihm die Hand hinhalten. Nur eine Hand. Und er würde sie eine ganze Nacht lang streicheln, als sei diese Hand ihr ganzer Körper, bis sie wisse, daß er jedes Atom ihres Körpers liebe. Denn sie war seine Geliebte, seine Schwester, seine Mutter. Für ihn sei sie die Weiblichkeit der ganzen Welt. Er brauche sie noch nicht einmal zu berühren. Ihr Lachen allein wecke starke erotische Gefühle in ihm. Dann bat er sie erneut, sie möge ihm das erzählen, was Sara Jurberg nicht erzählt hatte, und sie solle ihm doch so schöne Briefe schreiben, wie jene es getan hatte.

D. D.s Antwort war kurz:

»Ihre Liebe ist schön in Briefen, im Bett ist meine schöner.«

31

Den langen Brief mit den Zitaten aus Sara Jurbergs Briefen hatte Tirschbein auf dem Weg nach Hongkong geschrieben. Einige Stunden bevor er das Schiff betreten hatte, hatte er ein Schreiben aus Paris erhalten, in dem seine erbärmlichen Ergebnisse gerügt wurden. Die Herren warfen ihm Einmischung in die örtliche Gemeindepolitik vor. Hatte er nicht damals, noch in Polen, versprochen, sich absolut unpolitisch zu verhalten? Was gingen ihn die Liebesgeschichten und die Streitereien zwischen sephardischen und aschkenasischen Juden in Schanghai an? Deshalb hätten sie ihn nicht nach China geschickt. Sie hielten ihm zwar zugute, daß er sich beeilt hatte, das Geld des ermordeten

Mellman telegraphisch nach Paris zu überweisen, und nicht darauf gewartet hatte, daß irgendeine Bank in China in Konkurs ging, aber das Geld des toten Mannes sei keine Entschädigung für die verlorenen Schecks der Lebenden. Er dürfe nie vergessen, daß Paris enttäuscht sei von Schanghai.

Auch Tirschbein war enttäuscht. Weniger von dem Fiasko als von den Rügen. Der Konkurs der Bank war wie ein Hurrikan über alle hinweggefegt. So etwas hatte es noch nie gegeben, hatten sie gesagt. Die Wirtschaft war wie gelähmt und Tirschbein ebenfalls, denn er hatte die zusätzlichen dreißig Pfund Sterling nicht bekommen, die ihm die Direktion zum Begleichen seiner täglichen Ausgaben versprochen hatte. Zweimal hatte er telegrafiert, doch das Geld kam nicht. Er war gezwungen gewesen, sich von einem Bekannten etwas zu leihen, um die Fahrkarte nach Hongkong zu bezahlen. Sie hätten ihn nicht in diese Lage bringen dürfen, denn in Schanghai eine Privatperson um Geld anzugehen, war wie ein Spiel mit dem Feuer. »Verehrte Herren, das war ein Fehler Ihrerseits.«

Zum Glück habe er in Schanghai, der Stadt der verlorenen Hoffnungen, noch einen wahren Freund, den Sohn der reichen Familie Esra, Geliebter der jungen Schönen aus Wilna. Von ihm habe er auch das Geld für die Fahrt bekommen, so daß für die Herren kein Grund bestünde, ihn wegen der geplanten Heiratsvermittlung zu tadeln. Schließlich habe er nicht aus niedrigen Motiven gehandelt, sondern aus seiner philosophischen Einstellung heraus. Er erinnere die Herren daran, daß er sich bereits bei ihrem ersten Zusammentreffen als Schüler Kants vorgestellt habe. Müsse er noch hinzufügen, daß es die Essenz von Kants Lehre sei, der Welt ewigen Frieden zu bringen? Warum sollten sich aschkenasische und sephardische Juden hassen? Er habe mit klarem Kopf und unschuldigem Herzen gehandelt, und was das Fiasko betreffe, habe er ein reines Gewissen.

Außerdem sei das noch nicht das Ende der Angelegenheit. Aus verläßlicher Quelle habe er erfahren, daß die beiden Liebenden sich heimlich getroffen hatten, und es bestehe die begründete Hoffnung, daß dieses Treffen Früchte tragen würde, sowohl für das junge Paar als auch für ORT-OSE. Deshalb bitte er noch einmal, die Herren mögen ihren Tadel zurückziehen und aus seiner Personalakte löschen. Die Lage würde sich dadurch nicht verändern, doch für ihn, Tirschbein, wäre es eine Art moralischer Unterstützung bei der weiteren Ausführung seines Auftrages. Schließlich warteten noch Städte wie Pinang, Rangun, Kalkutta und Bombay auf ihn. Schanghai hätte die Funktion eines Leuchtturms übernehmen sollen, die Städte neigten dazu, abzuwarten, was die anderen taten, und nichts war leichter, als einer Stadt zu folgen, die nichts gespendet hatte. Das war Tirschbein bereits in Schanghai klargewesen, deshalb hatte er beschlossen, nach dem Konkurs der Bank noch zu bleiben und von vorn anzufangen, diesmal mit einer anderen Diplomatie, einer alten, erprobten Vorgehensweise: Er wollte die Menschen gegeneinander aufstacheln. Warum, fragte er das neue Komitee, das er gegründet hatte, sollt nur ihr für ORT-OSE spenden, während die anderen sich mit Konkurs herausreden? Dieses Argument fiel auf fruchtbaren Boden.

Er benutzte weder das Empfehlungsschreiben von Einstein noch das von Lord Rothschild, denn es hatte sich herausgestellt, daß sie ihm nur schadeten. Legte er sie einem wohlhabenden Menschen vor, so war dieser beleidigt, daß Lord Rothschild sich nicht mit einem persönlichen Brief an ihn gewandt hatte, und sagte, das interessiere ihn nicht. Wenn Lord Rothschild ihn persönlich bitte, würde er darüber nachdenken. Diese Ausrede hatten viele benutzt. Doch das, fügte Tirschbein in seinem Brief an ORT-OSE hinzu, müsse man geheimhalten, es dürfe um Gottes willen Lord Rothschild nicht zu Ohren kommen, denn dann würde er sich zurückziehen und keinerlei Empfehlungsbriefe mehr für ORT-OSE unterschreiben. Mit Menschen wie ihm müsse man vorsichtig umgehen. Deshalb habe er diesmal auch Sir Victor Sassoon und Sir Eli Kadouri nicht aufgesucht. Nach dem Konkurs tauchten ihre Namen nicht mehr auf der Spenderliste auf, denn beide würden aus Prinzip nichts für Juden spenden. Eli Kadouri wegen seines hohen Alters und Victor Sassoon wegen der vielen Feinde, die er sich in den letzten Jahren gemacht hatte und von denen er sich mit Hilfe großer Spenden für die verschiedensten Organisationen loskaufte. So habe er den Einwanderern aus Weißrußland dreißigtausend Dollar für eine Kirche gespendet und die Hälfte dieser Summe für den Bau eines Offizierskasinos. Vor Juden hatte Sassoon keine Angst, deshalb sehe er auch keinen Grund, von diesem seinem Prinzip abzuweichen. Eli Kadouri hingegen habe sich zwar einmal drängen lassen, ein Mitglied des Komitees zu empfangen, doch dann habe er den Mann an seine Söhne verwiesen. Diese hätten zwar einen Scheck unterschrieben, doch ihre Unterschrift wurde von der Bank nicht anerkannt.

»Meine sehr verehrten Herren«, fuhr Tirschbein fort und entschuldigte sich für die Länge seines Briefes. Schließlich wisse er genau, daß nicht die *Haggada* das Wichtigste wäre, sondern die *knejdlech,* und in diesem Punkt sei er mit ihnen einer Meinung. Doch bevor er seinen Rechenschaftsbericht vorlege, erlaube er sich, eine alte Volksweisheit zu zitieren: Wenn die Dunkelheit zunimmt, nimmt auch das Strahlen der Sterne zu. Ein strahlender Stern, der die Dunkelheit Schanghais erleuchtete, war ein sephardischer Jude, ein gewisser Ibrahim, ein steinreicher Mann mit einem von seinem Vater ererbten Groll gegen die Familie Esra. Er nahm die erneute Sammelaktion für ORT-OSE unter seinen Schutz. Er selbst spendete zwar nicht. Er habe viel Geld verloren, und sein Grundkapital rühre er aus Prinzip nicht an. Eigentlich hatte er kein Interesse an der Spendenaktion, doch nachdem er vom Verhalten der Familie Esra erfahren hatte, wollte er demonstrieren, daß in der Stadt nicht alle nach ihrer Pfeife tanzten. Zuerst begleitete er Tirschbein durch die Stadt und zeigte ihm die Armut der jüdischen Gemeinde. Einhundertzwanzig hungrige Kinder, die von der Gemeinde jeden Tag ein Frühstück und ein Mittagessen bekamen wie in Polen. Dazu kam eine Krankenstation für Bedürftige, deren Unterhalt die örtliche Bnei-Brit-Loge zweitausend Dollar kostete, und außerdem erwartete man einen Strom jüdischer Flüchtlinge aus Harbin. Deshalb stelle sich die Frage: Warum soll die jüdische Gemeinde von Schanghai sich um fremde Arme in Polen und Rußland kümmern, um so mehr, als zu befürchten war, das gesammelte Geld könne den Kommunisten in die Hände fallen?

Dem neu gegründeten Komitee erzählte Tirschbein nichts von der Armut in Schanghai, das wußten sie selbst. Doch die Mitglieder waren beeindruckt von Tirschbeins Freundschaft mit dem reichen Sepharden und ermutigten ihn, bei den Juden der Stadt anzuklopfen. Er habe vierzig Familien besucht, berichtete Tirschbein den Herren in Paris, und achtzehn hätten gespendet. Hundertfünfzig Dollar habe er zusammengebracht, und deshalb gebühre ihm kein Tadel, sondern Lob. Nun, da er die Hölle von Schanghai verlassen habe und sich auf dem Weg nach Hongkong befinde, ausgestattet mit hervorragenden Empfehlungsschreiben, fehle ihm nur eines – Hoffnung. In Hongkong wehe ein ähnlicher Wind wie in Schanghai, und die nahe Zukunft liege im Nebel. Hoffentlich finde er wenigstens bei seiner Ankunft das vor, was man ihm versprochen habe: dreißig Pfund Sterling.

Tirschbein legte seinem Brief eine lange Namensliste von Menschen bei, denen ORT-OSE Dankesbriefe schicken müsse. Als erstes einen Dankesbrief an den sephardischen Herrn Ibraham, nicht für eine Spende, denn er hatte ja nichts gegeben, sondern für seine entschiedene Haltung in der Frage, wer in der Stadt den Ton angab. Bestimmt würde er bei einer nächsten Sammelaktion wieder bereit sein zu helfen. Auch dem Präsidenten des Kunstvereins gebühre Dank. Er habe zwar gerade sein Vermögen verloren, jedoch nicht seine freundschaftlichen Gefühle. Ein Dankschreiben verdiene auch ein gewisser Dr. Sterzl, der Tirschbein mit seinem Auto an den Tagen herumchauffiert hatte, an denen Ibraham beschäftigt war, ebenso Herr Krepfeld, ein Kaufmann und Journalist. Er habe ansonsten zwar keinen Finger gerührt, doch man müsse sich unbedingt bei ihm bedanken. Auch Doktor Segal verdiene Dank, vor allem seine Frau, die ihr Heim für Sitzungen des Komitees zur Verfügung gestellt habe. Von Doktor Segal selbst, einem Juden aus Österreich, staatlicher Angestellter mit einem großen Einfluß in der Stadt, sei in Zukunft allerdings keine Hilfe zu erwarten, er verberge seine jüdische Herkunft.

Danken müsse man auch Frau Tonig, die sich um die Organisation der Spendenaktion gekümmert habe, obwohl sie es gewesen war, die die verlorenen Schecks nicht rechtzeitig eingereicht hatte. Simon Sipicki solle man nur einen kurzen Dank zukommen lassen, denn eigentlich verdiene er gar keinen. Bei Mister Cabbit hingegen müsse man sich aufs herzlichste für die nützlichen Ratschläge bedanken, die er Tirschbein gegeben hatte. An Dr. Levin solle man einen Dankesbrief auf russisch schicken. Und auf keinen Fall dürfe man Esra, den Sohn, vergessen, den Redakteur der englischen Wochenzeitung, der einen Artikel über ORT-OSE veröffentlicht hatte. Der Brief an ihn müsse in französischer oder englischer Sprache abgefaßt sein. Falls er die junge Schöne aus Wilna heiratete, könne er ORT-OSE bei kommenden Sammelaktionen nützlich sein. Künftige Vertreter der Organisation hätten es leicht, man würde ihnen nicht mehr mit der gleichen Verachtung gegenübertreten wie ihm. Am Schluß sei er krank geworden und habe eine Woche im Bett gelegen, und dann hätte er sich vor Beginn der Fahrt auch noch eine Spritze gegen schwarze Pocken geben lassen müssen, wegen einer in Hongkong herrschenden Epidemie. Wer könne es ihm verübeln, daß er mit düsterer Seele und leeren Händen dort ankommen würde.

»Meine Herren, überweisen Sie telegrafisch die dreißig Pfund Sterling!«

32

Wieder spannte Tirschbein ein neues Blatt in die Schreibmaschine und sagte, dies würde einer der längsten Briefe, die er je geschrieben hätte. Die Idee, an Dubschin zu schreiben, hätte er schon lange gehabt, er habe nur noch auf eine gute Gelegenheit gewartet. Als Dobson seinen Großvater erwähnte, hätte er ihn wahrhaftig vor sich gesehen: großgewachsen, mit hagerem Gesicht, einem sensiblen Mund, gescheiten Augen, aber ohne Dobsons Pferdeschwanz und seine Schläfenlocken. Er, Tirschbein, hätte in New York keine Gelegenheit gehabt, Dubschin nach D. D. zu fragen, doch jetzt müsse er wegen seines Buches einige Details erfahren. Zum Beispiel, wie sich D. D. in New York gekleidet hatte. Er wußte, daß sie sich eine Woche lang im Sommerhaus von Freunden aufgehalten hatte – mit wem war sie dort gewesen? Hatte Dubschin sie je tanzen gesehen? Außerdem gab es die Fragen wegen ihrer Liebesnacht. Wenn er sich bemühe und seinen ganzen Willen einsetze, sagte Tirschbein, würde ihm Dubschin im Traum erscheinen.

Das alles passe natürlich nicht zu den Lehren Kants, der die dunkle Seite der Seele abgelehnt hatte. Doch Kant hatte nie die Grenzen seiner Heimatstadt verlassen, und er, Tirschbein, sei durch das Reich des Bösen gewandert. In gewisser Hinsicht hatte er sich in China verändert. Gefühle, von deren Existenz er keine Ahnung gehabt hatte, waren erwacht und immer stärker geworden. Zuerst in Kanton: Zahnschmerzen. Ein Staubkorn im Auge. Eine leichte Erkältung. Ein Stechen in der Schulter. Eine verschlossene Tür. Eine durchwachte Nacht. Und überall lauerte der Tod. In seiner Vorstellung sah er die Frauen, die er einmal geliebt hatte, an seinem Grab weinen. »Auch ich weinte«, fügte er in seinem Tagebuch hinzu. Er hatte in China auch etliche Testamente geschrieben. Und danach kamen die großen Ängste: Weltkatastrophen. Daß D. D. sterben könnte, bevor er nach New York kam. Er begann, auf seine Gefühle bezüglich eines Lebens nach dem Tod zu achten. Wenn es kein Leben nach dem Tod gäbe, schrieb er an D. D., dann wäre die ganze Schöpfung ein Chaos und jedes höhere Streben vergeblich. »Paß ja auf, daß du nicht krank wirst«, schärfte er ihr ein. Die Artikel, die er für Zeitungen schrieb, waren voller Leben, nicht aber seine Tagebucheintragungen und seine Briefe an ORT-OSE.

»Verehrte Direktoren«, schrieb er, »Sie müssen wissen, daß der Ferne Osten ein Hexenkessel ist, in dem alle herumlaufen wie vor einer Sintflut und um jeden Preis versuchen, ihre eigene Haut zu retten.«

Die Hölle von Schanghai warf ihren Schatten auch auf die anderen Städte. Wenn die Juden dort nur den Namen ORT-OSE hörten, hielten sie sich die Ohren zu. Tirschbein führte zwei Bankiers als Beispiel an, den Sepharden Helis Heis und den Aschkenasen Herman Kornfeld, denen er Empfehlungsschreiben aus Paris überreichte. Als Kornfeld hörte, daß Tirschbein Romancier und Schüler Kants war, überhäufte er ihn mit schönen Worten, doch als der Name ORT-OSE fiel, wurde er blaß und sagte, er habe neulich erst fünfhunderttausend Dollar verloren. Er würde fünfzig Dollar spenden, sagte er, aber er würde sie nicht Tirschbein geben, sondern seinen Scheck an die Schatzmeisterin des Komitees schicken: eine alte Taktik und ein eindeutiges Indiz, daß der Scheck nie ankommen würde. Als Helis Heis davon erfuhr – von wem und wie war nicht zu eruieren – freute er sich, denn somit brauchte er noch nicht mal einen halben Dollar zu spenden. Bei jedem von ihnen war Tirschbein zweimal und redete stundenlang auf sie ein, und der Erfolg – null. Paris müsse einen Dankesbrief an eine Frau in Java schreiben, Ida Goldberg, die ihn aus örtlichen Intrigen gerettet hatte. Hätte sie nicht zu dieser Zeit gerade die Stadt verlassen, hätte er mit ihrer Hilfe ein ständiges örtliches Spendenkomitee für ORT-OSE gründen können, obwohl ihr Mann, Max Goldberg, davon überzeugt sei, daß ihre kleine jüdische Gemeinde sich in Bescheidenheit üben solle.

Tirschbein bat die Herren in Paris, dennoch seinen Auftrag nicht zu beenden. Er sei voller Pläne für neue Reisen und zusätzliche Sammelaktionen. Sie sollten ihn doch nach New York schicken, um dort seine Aktionen fortzusetzen, oder nach Argentinien oder Brasilien. Vielleicht fänden sie auch einen Posten für ihn in Europa? In einem folgenden Brief bat er sie, alles wieder zu vergessen. Er hatte sich über D. D. geärgert, die womöglich nach Paris zurückgekehrt war oder zu ihrem Mann nach Brasilien. Vielleicht hatte sie sich aber auch einer Tanzgruppe angeschlossen, wie sie in einem Brief angedeutet hatte, und war mit ihr nach Argentinien gereist. Denn D. D. hatte aufgehört, ihm zu schreiben. Er hatte ihr ein Telegramm geschickt, sie möge ihm, nur als Darlehen, hundert Dollar schicken, denn die dreißig Pfund, die ihm ORT-OSE aus Paris überwiesen hatte, waren irgendwo unterwegs steckengeblieben, und er saß ohne jeden Pfennig da. Die Direktoren in Paris hatten ihm untersagt, Ortsansässige um ein Darlehen zu bitten, denn darunter hätten zukünftige Delegierte zu leiden. Außerdem hatten sie ihm noch empfohlen, sich Max Goldbergs Maxime zu Herzen zu nehmen und die Spendensammlung bescheiden und unauffällig zu betreiben. Tirschbein hatte D. D. aufgefordert, New York nicht zu verlassen, noch nicht einmal die Grenzen von Manhattan, denn sein Auftrag wäre möglicherweise plötzlich zu Ende, und dann könne er viel früher als vorgesehen zu ihr kommen. Dann würde er ihr auch sofort die hundert Dollar zurückgeben, um die er sie gebeten habe. Er würde Vorträge halten, und wenn sie dann etwas Geld gespart hätten, würden sie zusammen nach Argentinien fahren. Er habe sich für Argentinien entschlossen, damit sie näher bei Brasilien sei und somit auch in der Nähe ihres Mannes, für den Fall, daß sie ihn sehen wolle, oder er sie. Er habe sich sogar schon überlegt, ob sie nicht alle drei zusammenleben könnten.

Inzwischen würde er seinen Reiseplan einhalten, es sei denn, ein Krieg breche aus und zwinge ihn, nach Polen zurückzukehren. Falls das passiere, würde sich der Abstand zwischen ihnen verringern. Warschau sei nicht so weit weg von New York, und sie könne zu ihm kommen. Mit ihrem französischen Paß würde sie sogar in Kriegszeiten ein Einreisevisum nach Polen bekommen. Ein französischer Paß öffne alle Türen und würde viele Leute in Polen beeindrucken. Viele Jahre lang habe die polnische Literatur unter dem Einfluß der französischen gestanden. Ob sie sich noch daran erinnere, wie sie in Paris das Haus des großen polnischen Dichters Mickiewicz gesucht hatten?

Manchmal sah er sie vor sich, wie sie das Haus von Leib Dubschin in der vierten Avenue verließ und die Männer ihr begehrliche Blicke nachwarfen. Das hatte sie ihm selbst geschrieben. Es gebe Momente, wo er, in der Fremde, völlig durcheinandergerate und jede Hoffnung verliere, sie lebend wiederzusehen. Immer wieder flehte er sie an, Jiddisch zu lernen und seine Bücher zu lesen. Wie wolle sie ihn sonst zum Schreiben seiner großen Werke inspirieren? Man hatte ihm die Gelegenheit geboten, in einem chinesischen Club einen Vortrag über die jüdische Religion zu halten, erzählte er, und als er zufällig die Stadt New York erwähnte, konnte er plötzlich nicht weitersprechen. Vielleicht, fragte er in seinem Brief, vielleicht habe D. D. gerade in diesem Augenblick an ihn gedacht? Nach der Veranstaltung habe er angezogen auf dem Bett gelegen und an ihre Liebesnächte in Paris gedacht, an ihre vollkommene Hingabe, als sie vor Liebe zu ihm geblutet hatte, und da habe er sich wieder vollkommen eins mit ihr gefühlt.

Etwas Ähnliches, schrieb er, habe er neulich mit Sara Jurberg erlebt, ausgelöst durch einen Brief, den er von ihr bekommen hatte und in dem sie ihre frühere große Liebe heraufbeschwor. Erst jetzt, nachdem sie andere

Männer getroffen habe, verstehe sie, wie groß Tirschbeins Liebe gewesen war. Saras Körper, schrieb Tirschbein an D. D., habe nach Brot gerochen, ein Duft, nach dem er sich manchmal sehnte. Beim Lesen dieses Briefes habe er Lust bekommen, nach Polen zurückzukehren. Schade, daß er D. D. diesen Brief nicht schicken könne, sie würde weinen, wenn sie ihn läse. Sara Jurberg habe ein Gedicht beigelegt, über einen Mann, der seine Geliebte verließ, ihr aber die Seele eines Dichters schenkte. Tirschbein zitierte einige Zeilen:

> Stille senkt sich über die dunkle Straße,
> und sie ist so weit.
> Langsam öffnet sie die Augen,
> und lächelt ihn an, den Geliebten,
> der von ferne gekommen ist.

Doch in Wahrheit wolle er die Dichterin vergessen, schrieb Tirschbein, und bald zu D. D. kommen. Deshalb bitte er sie auch, Geld zu sparen und, wenn es nötig wäre, auch ihre Juwelen zu verkaufen. Was nützen sie dir? fragte er. Sie müsse sich von den Steinen befreien, damit sie für den Notfall Bargeld habe. Es sei zu befürchten, daß er bei seiner Ankunft in Amerika Geld vorzeigen müsse, um zu beweisen, daß er dem Staat nicht auf der Tasche liegen würde. Deshalb müsse sie ihm unbedingt bald das Geld schicken. Er würde es ihr dann, wenn er komme, zurückgeben, wenn ihn die Regierung nicht zwinge, eine Rückfahrkarte nach Polen vorzuweisen. Sie solle ihm das Geld schicken und auf ihre Gesundheit achten. Außerdem bat er sie, sein Romanmanuskript »Salz des Lebens« gut zu hüten, das er ihr aus Polen geschickt hatte, und es keinem fremden Menschen in die Hand zu geben. Es sei ihm so kostbar wie ihr die Juwelen, von denen sie sich, das wisse er wohl, aus lauter Geiz nicht trennen würde.

»Doch auch deinen Geiz liebe ich«, fügte er hinzu.

Ich stand auf, ging zu ihm hinüber und zeigte ihm den Brief, denn ich wollte unbedingt wissen, ob ihm D. D. »Salz des Lebens« zurückgegeben hatte. Er überflog das Geschriebene, nahm, ohne ein Wort, die Schere und schnitt das Gedicht von Sara Jurberg aus. Er legte es auf den Tisch und zitierte auswendig einige Abschnitte aus einem anderen ihrer Gedichte, in dem sie die Stadt Brisk beschrieb:

> »Die alte Stadt,
> sie ist gestorben wie Troja und Athen,
> in Aprilstürmen, schrecklich wie immer.
> Windmühlenflügel fallen müde herab,
> und leere Straßen gähnen.
> Kochend fließt Tee aus glänzenden Samowaren
> über Schabbatkerzen, Großmütter und Enkel.
> Im Hintergrund Soldaten und Offiziere,
> die alles Jüdische vernichten.«

Tirschbein stand auf, nahm vom Regal die chinesische Dose mit seinen Schätzen – der Brief, die Mesusa, die Haarlocke –, und legte das gerade ausgeschnittene Gedicht von Sara Jurberg hinein.

33

Tirschbein ging ins andere Zimmer und blieb einige Minuten dort, dann kam er zurück, eine Mappe in der Hand, und lächelte. Im Archiv ging nichts verloren. Während er an Leib Dubschin schrieb, hatte er sich plötzlich daran erinnert, daß er einmal einen Brief von ihm bekommen hatte, in Kalkutta. D. D. hatte ihm seine Adresse gegeben, ein Zeichen dafür, daß sie sich auch nach jener Liebesnacht noch getroffen hatten.

In der Hitze, die damals in Kalkutta herrschte und die einem kaum zu atmen erlaubte, hatte sich Tirschbein aufgemacht, um das zu tun, um was Dubschin ihn gebeten hatte.

»Lies«, sagte er und gab mir den Brief.

In dem kurzen Brief hatte Dubschin die Adresse einer Apotheke in der Stadtmitte angegeben. Tirschbein solle dort hingehen, dort würde er eine etwa dreißigjährige, dunkelhäutige Frau treffen, mit langem Hals und Augen und Haaren, die wie schwarze Seide glänzten. Er solle sie anlächeln, sich verbeugen und leise seinen Namen sagen: Leon Dobson. Dann solle er auf ein Zeichen warten, daß sie verstanden hatte. Tirschbein müsse ihm unbedingt schreiben, welches Zeichen die Frau gegeben hatte, damit er, Dubschin, wisse, daß es die richtige Frau gewesen war. Sie sei ein Mischling, ihr Vater ein holländischer Industrieller, ihre Mutter eine indische Volkssängerin. Leib Dubschin hatte sie in New York kennengelernt, und sie sei zum Stern geworden, der sein Leben erhellte. Er hatte ihr seinen Gedichtband »Sand« gewidmet. Tirschbein solle, bat Dubschin, seine Antwort als Einschreibebrief schicken, damit niemand davon erfahre. Er habe Tirschbein sein Geheimnis aus Dankbarkeit dafür mitgeteilt, daß dieser ihm so großzügig die Tänzerin überlassen hatte. Man könne Tirschbein nur um seinen Geschmack, was Frauen betraf, beneiden.

»Wie ein echter Aristokrat«, drückte er es aus.

Tirschbein antwortete mit ähnlichen Lobpreisungen und beichtete Dubschin dann, daß D. D. in seinen Augen eine biblische Erscheinung sei, eine Prinzessin aus alten Zeiten. Als Tochter armer Eltern geboren, wurde sie eine Tänzerin, der man großes Talent bescheinigte, obwohl sie bisher ihren großen Traum noch nicht verwirklicht hatte. Seine eigene Welt verstehe sie nicht ganz, aber ihr Lachen wecke in ihm Kräfte, die ihn dazu befähigten, mit einem Umweg über China zu ihr nach New York zu reisen.

Als ich Tirschbein den kurzen Brief zurückgab, sagte er, das, was sich in Kalkutta ereignete, nachdem er sich lächelnd vor der Apothekerin verbeugt hatte, könnte ich in seinem langen Brief an Leib Dubschin lesen, wenn er ihn endlich fertig hätte. Aus seinem damaligen Tagebuch wußte ich, daß er nicht zögerte, Dubschins Bitte zu erfüllen. Er bedauerte zwar, daß er so bereitwillig tat, was andere wollten, daß er fremde Weinberge bestellte, während sein eigener brach lag. Seine Liebe zu D. D. hatte er in einem Brief an sie mit den Jahresringen eines Baumstamms verglichen, der jedes Jahr dicker wurde, sie hingegen verglich er mit einem verschlossenen Garten. Eigenhändig hätte er Dubschin das Tor geöffnet. Nun hätte er zahllose Fragen an sie, als hätte sie sich, seit sie sich getrennt hatten, so verändert, daß er sie nicht mehr kannte. Ob sie geschwätzig sei, fragte er. Oder hysterisch? Hatte sich ihr Verhältnis zu Geld geändert? Sie bräuchte keine Angst vor ihm zu haben und müsse nichts verbergen, denn auch ihr Geiz habe angefangen, ihm zu gefallen, und er würde sich sogar in ihre krankhafte Gier nach Geld verlieben. Wenn sie jemanden haßte, wie lange würde dieses Gefühl anhalten? Er bedauerte, daß er sie um ein Darlehen gebeten hatte, und versprach, daß eine solche Torheit nicht mehr vorkäme, auch wenn er verhungern müßte. Die dreißig Pfund aus Paris seien immer noch nicht angekommen. Zu ihrer Information legte er eine Liste seiner Ausgaben der letzten zwei Wochen bei.

Außer Nahrungsmitteln standen auf der Liste ein Paar Stoffschuhe, eine Unterhose, zwanzig Briefumschläge, ein Hut und die chinesische Dose. Ferner waren die Ausgaben für das Reparieren von Schuhen angegeben und die milde Gabe, die er einem chinesischen Bettler gegeben hatte. Dieser hatte ihm erzählt, daß er früher ein reicher Mann war, doch als er erfuhr, daß seine Söhne und Töchter nur auf seinen Tod warteten, teilte er sein Vermögen unter sie auf und ging als Bettler auf die Straße. Tirschbeins Ansicht nach war das bereits Stoff für einen Roman.

Geräusche von draußen störten uns bei der Arbeit. David Dobson schrie vom Dach zur Straße hinunter, zu Berele, er käme gleich zurück, und als Tirschbein ihm die Tür öffnete, hob er Hartiners Blechkiste von seiner Schulter. Er müsse den Jeep wieder seinem Eigentümer zurückgeben, sagte er, und es wäre schade, wenn Hartiners Erbe einfach herrenlos irgendwo herumstünde. Erst heute morgen, als er den Jeep für die Fahrt nach Tel Aviv herrichtete, hätte er die Kiste unter dem Rücksitz entdeckt.

»Wir fahren zu der Reporterin«, sagte er. Er trug die Kleidung, die er sonst in der Fußgängerzone anhatte, auf der Ben-Jehuda: eine Kipa, ein ärmelloses schwarzes T-Shirt mit einem engen Halsausschnitt, Jeans und weiße Turnschuhe. Sein Pferdeschwanz wurde von einem vergoldeten Ring zusammengehalten, seine Schläfenlocken hingen weich hinter seinen Wangen hinab. Tirschbein bat ihn, die Kiste unter den Tisch zu schieben, und sagte, er solle doch mal zur Schreibmaschine gehen. Er nahm den Stapel Blätter in die Hand und sagte:

»Das war in Kalkutta.«

Er bat Dobson, auf dem gepolsterten Stuhl Platz zu nehmen, änderte aber sofort seine Meinung und sagte, er solle lieber stehen bleiben, im Stehen sei die Ähnlichkeit zwischen ihm und seinem Großvater ausgeprägter. Mit der freien Hand nahm er Dobson an der Schulter und sagte, wenn es eine Unsterblichkeit der Materie gäbe, gäbe es zweifellos auch eine Unsterblichkeit der Seele, und daher müsse man auch an Reinkarnation glauben. Er würde ihm gerne etwas aus dem Brief vorlesen, den er an seinen Großvater, den großen jiddischen Dichter, geschrieben hatte. Dobson befreite sich von dem Griff, sprang zum Fenster und schrie hinunter, Berele solle im Jeep auf ihn warten, sie würden bald fahren. Berele hätte es immer sehr eilig, wenn sie zu dieser Reporterin fuhren, erzählte Dobson. Unterwegs würde er schimpfen und toben, das Gebet für eine Reise sprechen und von seiner schwangeren Frau erzählen. In Tel Aviv müsse er, Dobson, dann draußen auf Berele warten.

Tirschbein unterbrach ihn. Er hatte gar nicht zugehört, er wollte, daß Dobson etwas über seinen Großvater erführe. Ein andermal würde er ihm den ganzen Brief vorlesen, jetzt nur die Passage, die von Kalkutta handelte. Als Tirschbein der Apothekerin den Namen seines Freundes, des Dichters, genannt hatte, bemerkte er zu seinem Schrecken eine zweite Frau, die in diesem Moment aus einem hinteren Zimmer trat – die Zwillingsschwester der Apothekerin. Beide hatten einen langen Hals und Haare und Augen wie schwarze Seide.

Von draußen war Bereles Stimme zu hören. Dobson rannte zur Tür, und bevor er sie hinter sich schloß, rief er:

»Sie rasiert sich die Haare zwischen den Beinen.«

Tirschbein schloß die Tür ab, reichte mir den Stapel Blätter, stellte sich ans Fenster und betrachtete den Inhalt der chinesischen Dose. In dem unvollendeten Brief an Dubschin hatte er beschrieben, welche Bitterkeit er gefühlt hatte, als er von D. D. einen Brief bekam, in dem, eingewickelt in parfümiertes Papier, ein Büschel ihrer Schamhaare war. Die heißen Nächte in Kalkutta, der Geiz ihrer Einwohner, die Direktoren von ORT-OSE in Paris, die immer mehr Geld forderten, die schreckliche Einsamkeit – all das verband sich und trieb ihn dazu, zu onanieren. Vor seinem geistigen Auge sah er D. D., wie sie ihr Kleid hob und ihm ein Zeichen gab, sich zu bücken und mit dem Finger über den Schlitz zwischen ihren Beinen zu fahren. Er tat es, hörte auf ihr Lachen, und als er sich aufrichtete, wußte er nicht, ob er er selbst oder Leib Dubschin war.

Tirschbein schaute aus dem Fenster, dem Jeep nach, kam dann zum Tisch, stellte die chinesische Dose hin und schrieb auf ein neues Blatt Papier mit großen Buchstaben:

»Der Sexus – der Feind Nummer eins der Menschheit.«

34

Drei Tage arbeitete ich nicht, und dann, als ich wieder zu Tirschbein kam, fand ich ihn, wie er gerade die Holztür zu seiner Wohnung durch eine Metalltür ersetzte. Er war von einer »fixen Idee« besessen, so nannte er in seinem Tagebuch die Sache mit Bitman. Bitman selbst tauchte in seinen Träumen auf, einmal in Grün, wie Issler, ein andermal wie ein Matrose angezogen. Bitman stand draußen und hob Säcke voller Münzen durch das Fenster, und Tirschbein schob sie unter sein Bett. Um Zuflucht vor seinen Träumen zu finden, fuhr Tirschbein mit dem Brief an Leib Dubschin fort. Was hatte ihnen ein ganzes Leben voller Plackerei in diesem Jammertal gebracht? Beide hatten sie Bücher geschrieben, beide hatten sie die Welt verändern wollen, aber die Welt war gleich geblieben. Die Welt war ihm fremd. Er ging durch die Straßen und war allein mit seinen Gedanken. Alles war ihm fremd: die Erde, der Himmel, die Menschen. Vergeblich suchte er nach einem Rest des Zaubers, den er in seiner Jugend empfunden hatte. Die Reste eines umherirrenden Volkes waren durch falsche Führer in das Land Israel gebracht worden, nur damit sie von einem Meer aus Haß umgeben waren, das drohte, sie alle zu verschlingen. Als er neulich in der Cafeteria saß, in der Ben-Jehuda, eine Tasse Kaffee in der Hand, ertappte er sich dabei, daß er den Vorübergehenden zurief:

»Meine Märtyrer! Meine Märtyrer!«

Seiner Meinung nach waren sie alle auf dem Altar des Heiligen geopfert, Tote, die nur vorgaben, lebendig zu sein, und die sich mit Kleinigkeiten beschäftigten: Lebensunterhalt, Wohnung, Aufzucht von Kindern, Tätigkeiten, denen nichts Erhabenes eigen war. Ob er, fragte Tirschbein Dubschin, ein Beispiel aus der Vergangenheit anführen dürfe: ein junger Mann aus Pinsk, der bat, man möge ihm helfen, sich in der großen Stadt Warschau niederzulassen, sonst würde er aufhören, Gedichte zu schreiben und irgend etwas Verzweifeltes unternehmen. Den Namen des jungen Mannes habe er vergessen, aber er erinnere sich an das unernste Zwinkern. Er zwinkerte nicht mit beiden Augen auf einmal, sondern abwechselnd. Er, Tirschbein, hatte ihm damals geraten, er solle, bevor er anfange zu dichten, erst einmal aufhören zu zwinkern. Nun fragte er Dubschin, ob er wohl erraten könne, was für eine Verzweiflungstat dieser Zwinkerer vorgehabt hatte, damals, in den frühen Dreißigern in Polen. Von den Passanten in der Ben-Jehuda oder den Einwohnern von Me'a Sche'arim, die immerfort auf dem Weg von oder zur Synagoge seien, käme bestimmt keiner auf die Absicht des jungen Mannes.

Eines Tages, schrieb Tirschbein, würde er noch in der Fußgängerzone auf einen Schemel steigen und laut verkünden, daß die Verzweiflungstat, mit der der Zwinkerer aus Pinsk damals in Warschau gedroht hatte, darin bestand, nach Hause zurückzukehren, eine brave Frau mit einer anständigen Mitgift zu heiraten und Familienvater zu werden. Damals hätte man nach Höherem gestrebt. Er selbst hatte von Sara Jurberg verlangt, zu werden wie er und keine Kinder in die Welt zu setzen. Beide wollten sich auf dem Altar der jiddischen Literatur opfern, dem geistigen Heimatland der Juden. Und was hatte Herr Herzl gedacht? Daß er die Juden von zweitausend Jahren Diaspora erlöste, indem er ein Haus nach dem anderen, eine Siedlung nach der anderen baute? Auf diese Art habe er aus den Juden ein Volk von Soldaten gemacht. Tejbele Zuker, deren Gedichte ihm wie Perlen vorgekommen waren, habe den Weg eingeschlagen, mit dem der Zwinkerer gedroht hatte. Jahre später hätte er die Dichterin aus Bendin in Brasilien wiedergesehen, und die Perlen um ihren dicken Hals seien ohne Poesie gewesen. Wie die amerikanischen Juden war sie in einem Sumpf von Gold versunken.

Als ich nach drei freien Tagen wiedergekommen war, hatte ich auf dem Tisch die Mappe mit den Briefen von Tejbele Zuker gefunden, daneben einen Umschlag mit ihrem Foto. Der Umschlag hatte sich vorher in einer langen, schmalen Blechschublade gefunden, die früher zu einem Metallspind gehört hatte und nun, in alphabetischer Ordnung, die Fotos aller Personen enthielt, deren Briefe sich im Archiv befanden. Auf dem Foto ähnelte sie der Reporterin von »Ha-arez«. Ein Zopf betonte ihren langen Hals. Tirschbein zitierte aus einem Brief den Ausspruch des Priesters Kalinka. Er selbst, Tirschbein, sei ebenso widersprüchlich. Ein Schüler Kants und zugleich ein Sklave seiner Begier-

den, Tyrann und Demokrat, Frosch und Prinz, Weltbürger in einer Welt, die ihm fremd sei.

»Was bin ich sonst noch?« fragte er in seinem Brief
an Dubschin und antwortete: gläubig und profan,
hochmütig und kriecherisch wie ein Wurm, verächtlich
Geld gegenüber und zugleich außerordentlich wach-
sam, wenn es um das Geld von Betrügern geht. Noach
Naftali Tirschbein, das Resümee von zweitausend Jahren Judentum in Polen.

Damit, sagte Tirschbein, nähere er sich dem Ende
des Briefes, und dann würden wir zum Kibbuz Jalon
fahren und Bitmans Stiefschwester besuchen. Ich war
noch immer mit den Unterlagen von seiner Chinareise
beschäftigt, doch ich würde bald fertig sein. Seine letzten Briefe an die Direktoren von ORT-OSE waren kurz
und sachlich. Ihrem Wunsch gemäß überweise er
ihnen telegrafisch alle gesammelten Spenden. In Bombay hätte er keine Aktion gestartet, denn es sei unerträglich heiß, und alle wohlhabenden Juden befänden
sich um diese Zeit auf Urlaub in Europa. Die Empfehlungsschreiben Einsteins und Rothschilds seien daher
überflüssig, er würde sie mit normaler Post nach Paris
schicken, damit andere Delegierte sie verwenden
könnten. Er müsse einen Monat länger in der Stadt
bleiben, weil er auf die dreißig zusätzlichen Pfund
warte, die noch immer nicht gekommen seien. »Schicksal«, schrieb er damals in sein Tagebuch und setzte
einen Punkt dahinter. Er wolle nicht fragen, warum sie
ihm das Geld auf dem Seeweg überwiesen.

Pläne für die Zukunft würde er erst nach seiner
Ankunft in New York fassen. Die jüdische Gemeinde in
Cleveland, die davon gehört hatte, daß er nach Ame-

rika kommen wolle, habe ihm angeboten, eine jiddische Schule zu leiten und ein kulturelles Zentrum aufzubauen. Außerdem sei ihm ein Posten als Redakteur
einer Wochenzeitung der anarchistischen Bewegung
New York angeboten worden. Dem Idealismus der
jüdischen anarchistischen Bewegung habe er sich
schon immer sehr nahe gefühlt. Vielleicht würde er
auch erst einmal mit einer Reihe von Vorträgen durch
Amerika reisen. Schließlich habe er genug über die
jüdischen Gemeinden im Fernen Osten zu erzählen.
Es sei sogar möglich, daß er nach Polen zurückkehre.
Dort warte eine große Dichterin auf ihn. Wenn es sich
ergebe, sei er allerdings bereit, wieder für ORT-OSE zu
reisen. Vielleicht könne er dann selbst die Empfehlungsschreiben Einsteins und Rothschilds verwenden.
Diskret fügte er hinzu, daß all seine Pläne keine Rolle
mehr spielen würden, wenn er in New York die Frau
träfe, die er liebte, eine französische Tänzerin persi-
scher Abstammung, von der er sich nie trennen
würde.

Seine Briefe an D. D. waren nicht so kurz. Er zitierte
weiterhin Passagen aus Sara Jurbergs Briefen. Einmal
schrieb er sogar einen ganzen Brief ab, in dem die
Dichterin beschrieb, wie sie mit einem fremden Mann
geschlafen hatte. Immer hätte sie die Männer benei-
det, die, ohne wirkliche Liebe, mit einer Frau schlafen
konnten, und hatte wissen wollen, ob auch sie dazu in
der Lage wäre. Nun wisse sie, daß sie dafür nicht gebaut sei, und sie bat um Verzeihung. Wenn er zu ihr
zurückkäme, würde sie mit den Lippen, die den Fremden geküßt hatten, seine Füße küssen. Damals war er
ihr sehr nahe, denn er war in seine Heimatstadt gefah-

ren, nach Biała Podlaska, um seinen kranken Vater zu pflegen und um seinen Roman zu vollenden.

In seinen folgenden Briefen an D. D. kam ihm der Gedanke, sie könne von den Zitaten aus Sara Jurbergs Briefen schon genug haben, deshalb hörte er damit auf und begann statt dessen, aus den Briefen zu zitieren, die er selbst in der Zeit ihrer Liebe an Sara Jurberg geschrieben hatte. Einer war seine Antwort auf Sara Jurbergs Beichte, daß sie mit einem fremden Mann geschlafen hatte. Er fragte sie, ob sie nun zu einer bürgerlichen Hausfrau geworden sei, die ihr Leben mit belanglosen Liebesabenteuern interessanter machte. Und um ihr das traurige Gefühl, das er selbst dabei hatte, zu erklären, erzählte er ihr von seinem Bruder Mendel, der die Musik so liebte. Als ihn die Musikanten damals wieder einmal mitgenommen hatten, ein Jahr nach dem Fest der Offiziere, hatte er eine Flasche Petroleum in der Tasche. Er entfernte das Pech von den Saiten, wartete auf eine Pause und spielte ein Solo. Sie verprügelten ihn, und er lag dann im Bett und schwieg; nicht wegen der zerbrochenen Knochen, sondern weil sein Herz einen Riß bekommen hatte. So groß wie Mendels Liebe zur Musik sei auch Tirschbeins Liebe zu der Dichterin, und mit ihrem Betrug seien die Saiten in ihm gerissen und fortan keine Musik mehr zu hören.

In seinem Brief an D. D. fragte sich Tirschbein, warum er überhaupt seine Antwort an Sara Jurberg für sie abgeschrieben hatte. Vermutlich verberge sich dahinter der Wunsch, sie solle sich, in ihren Briefen, in Sara Jurberg verwandeln, aber im Bett D. D. bleiben.

Vierter Teil

35

Zu Beginn des Winters fuhren wir dann wirklich nach Jalon, kehrten aber am nächsten Tag schon nach Jerusalem zurück.

»Ein Reinfall«, schrieb Tirschbein in sein Tagebuch und begann, ziellos in den Straßen herumzulaufen. Wir tranken Kaffee in der Ben-Jehuda. Wir schauten einem Zauberer zu, lauschten einer Gitarrespielerin und einem Mann, der Gebete sprach. Junge Leute transportierten eine riesige Kabelrolle der Elektrizitätsgesellschaft. Issler ließ sich nicht sehen. Er hatte eine Einladung zu Nojbischs Jubiläum geschickt, danach ließ er nichts mehr von sich hören. Tirschbein argwöhnte, daß sich hinter seinem Schweigen nichts Gutes verbarg. Lea Mar hatte Issler mit einem Skandal gedroht, er würde die Untaten ihres toten Bruders in der Zeitung veröffentlichen.

Auf der Fahrt nach Jalon hatte Tirschbein sich vorgestellt, uns erwarte eine kleine, vertrocknete und ängstliche Frau. Doch Lea Mar hatte uns gutgelaunt und lärmend empfangen. Sie stellte Tirschbein ihren Kolleginnen in der Näherei als einen Mann aus ihrer Heimatstadt vor, einen Touristen aus Amerika und einen bekannten Schriftsteller. Sie lachte wie ein junges Mädchen, und manchmal zupfte sie Tirschbein am Ärmel und kniff ihn mit der anderen Hand in den Arm, um ihn daran zu erinnern, daß er nur ja nicht den Namen ihres Bruders und auf gar keinen Fall sein Geld erwähnen sollte. Sie lud uns zum Mittagessen in den Speisesaal ein, danach tranken wir bei ihr Kaffee. Unsere Sachen hatten wir in der Wohnung gelassen, die sie für uns zum Übernachten organisiert hatte, die einzige freie Wohnung im Kibbuz. »Eine Wohnung mit einer Geschichte«, hatte sie uns auf dem Weg dorthin erzählt. Sie war stehengeblieben und hatte uns, damit wir niemandem den Weg versperrten, von dem schmalen Gehsteig auf den Rasen gezogen. Sie müsse die Geschichte unbedingt erzählen, bevor Tirschbein die Wohnung sehe. Eine alte, unverheiratete Frau hatte darin gewohnt, ein langjähriges Kibbuzmitglied. Bevor sie starb, hatte sie verlangt, daß die Wohnung ein ganzes Jahr leerstehen sollte. Drei Monate vor ihrem Tod hatte sie die Rolläden heruntergelassen, sich in einem Sessel ans dunkle Fenster gesetzt und darauf gewartet, daß ihr Liebhaber aus der anderen Welt komme. Sechs Monate seien jetzt vorbei, und kein Kibbuzmitglied wage es, in diese Wohnung zu ziehen. Doch Tirschbein, ein Philosoph und Dichter, sei doch wohl nicht abergläubisch.

Auch ihr wäre das alles lächerlich vorgekommen, sagte Lea Mar, hätte sich etwas Ähnliches nicht schon einmal ereignet, ein Vorfall, in den sie, ihr Mann und ein anderes bereits verstorbenes Mitglied des Kibbuz verwickelt gewesen waren. Sie und ihr Mann sollten in die Wohnung ziehen, die durch den Tod jenes Kibbuzmitglieds frei geworden war, weil sie ihnen aufgrund ihrer Vorzugspunkte zustand. Eine Woche vor dem geplanten Umzug waren sie allerdings gezwungen, auf die Wohnung zu verzichten, denn der Verstorbene war ihr im Traum erschienen und hatte gedroht, wenn sie in seine Wohnung zögen, würden sie keine ruhige Nacht mehr erleben. Deshalb hätten sie auf ihr Recht verzichtet und wären in ihrer dunklen Baracke geblieben. Ihr verstorbener Mann hätte sich fast aufgefressen vor Groll, wohingegen sie beschlossen hatte, nur in eine Wohnung für Alteingesessene zu ziehen, wenn diese neu gebaut war und noch niemand in ihr gewohnt hatte, egal, ob er noch lebte oder gestorben war. Es wäre besser, sich nicht mit Geistern aus der anderen Welt anzulegen, hatte sie damals gesagt. Inzwischen waren fünfundzwanzig Jahre vergangen, doch sie hatte ihre Meinung noch nicht geändert. Damals war sie jung gewesen, fuhr mit einem Traktor und pflügte die Erde. Als sie dann in eine Wohnung für Alteingesessene umzogen, hörte sie auf, auf dem Feld zu arbeiten, denn ihre Haut trocknete im israelischen Klima aus und wurde von Flecken übersät. Tatsächlich war ihre Haut noch immer trocken und fleckig, und der Wind schien in ihren Falten zu liegen.

Tirschbein zu Ehren hatte sie sich festlich hergerichtet. Sie trug eine weiße Bluse und einen schwarzen Rock und hatte ihre weißen, von schwarzen Strähnen durchzogenen Haare zu einem dünnen Zopf geflochten und wie eine Krone um den Kopf gelegt.

Tirschbein rührte nachdenklich in seinem Kaffee, den er mit zwei Zuckerwürfeln gesüßt hatte, und sagte, er sei mit seinen Gedanken noch immer in Jalon, obwohl der Besuch drei Tage her wäre. Seit unserer Ankunft in Jerusalem könne er sich nicht mehr konzentrieren. Selbst den Brief an Leib Dobschin hatte er nicht zu Ende geschrieben. Als wir nach Jalon aufgebrochen waren, hatte er sich sehr wohl gefühlt. Beim Packen des Koffers – zwei Pyjamas, ein Handtuch, eine Zahnbürste, ein schmales Bändchen mit der Zusammenfassung der Lehren Kants, die chinesische Dose, ohne die er nie verreiste – hatte er gesagt, der alte Wanderer sei noch immer in ihm lebendig. Lea Mars Einverständnis, ihn zu treffen, hatte er als ihre Zustimmung zum Antritt des Erbes genommen und hatte geglaubt, er würde ihr das Geld übergeben, und damit wäre dann das Kapitel Bitman und seine Hinterlassenschaft endgültig vorbei. Erneut hatten ihn Ängste gepackt: Wenn es Abend wurde, bildete er sich ein, Schritte auf dem Dach zu hören. Einen Mann mit einem grauen Hut, der ihn auf der Straße ansprach und etwas fragte, hielt er für verdächtig. David Dobson schob einen Zettel unter der Tür hindurch und teilte mit, daß Berele, sein Freund, einen interessanten Vorschlag bezüglich Bitmans Geld zu machen hätte und daß sie beide Tirschbein bald aufsuchen würden. Und er träumte wieder von Feuersbrünsten und davon, daß Issler in der Uniform eines Feuerwehrmanns eine Glocke schwang. Eine Flasche Wein fiel Tirschbein aus der Hand und zerbrach, und als er eine Scherbe aufhob, stieg ein Geruch nach Petroleum von ihr auf.

»Dabei bin ich doch Vegetarier und trinke keinen Wein«, sagte er und rührte weiter in seinem Kaffee. Von unserem Platz vor der Cafeteria aus konnten wir den Zeitungsverkäufer sehen. Ein Stück weiter war es den jungen Leuten inzwischen gelungen, die Kabelrolle vom Lastwagen zu laden. Jetzt waren sie dabei, die Öffnung mit Brettern zu verschließen. Senkrecht stehend sah die Rolle aus, als sei sie doppelt so hoch wie das junge Mädchen daneben. Tirschbein erkannte sie. Er hörte auf zu rühren und sagte, sie sei die Schauspielerin mit den Grübchen, die ihm einmal ein Kohlblatt gegeben hatte. »Dina«, fügte er hinzu. Dann schrieb er zweimal den Anfangsbuchstaben ihres Namens auf eine Papierserviette: D. D. Er steckte die Serviette und den Stift in die Tasche, wischte sich den Mund ab, nachdem er einen Schluck getrunken hatte, und sagte mit einem Blick auf die Schauspieler, daß ihm das, was Lea Mar über die Vorzugspunkte im Kibbuz gesagt hatte, immer noch nicht klar sei. Abends hatte er vor dem Schlafengehen in der Wohnung der verstorbenen Junggesellin auf dem schmalen Bett gesessen, hatte den elektrischen Heizofen näher zu sich gezogen, damit er wenigstens warme Füße bekam, hatte den flachen Koffer auf die Knie genommen – in dem Zimmer stand nämlich kein Tisch – und alles aufgeschrieben. Ich las die Seiten im Autobus, auf der Rückfahrt nach Jerusalem. Er hatte seinen Bericht in mehrere Punkte unterteilt: 1. Der große Spiegel in Lea Mars Wohnung. 2. Der morgendliche Spaziergang durch Jalon. 3. Die Hühnerställe. 4. Was bleibt von dir, mein teurer Bruder Immanuel Kant? 5. Der Mann mit dem Kainszeichen auf der Stirn. 6. Geisterstimmen der ersten Sünde.

Lea Mar staunte über Tirschbein. Ein Schriftsteller in Israel, der nichts vom Kibbuzleben wußte! Der nicht wußte, daß man je nach Zugehörigkeit zum Kibbuz und nach Lebensalter Punkte bekam, die einem das Recht auf eine neue Wohnung, neue Möbel und Ähnliches gaben, oder daß man, wenn man ein kostbares Geschenk bekam, verpflichtet war, es dem Kibbuz mitzuteilen, denn das Leben in der Gemeinschaft beruhe auf absoluter Gleichheit. Wenn der Verdacht aufkam, jemand verstecke ein Geschenk, wurde nachgeforscht. Auch sie hätte eine solche Durchsuchung erlebt. Jetzt hätten sich die Zeiten geändert, sagte sie, aber früher hätte man genau aufgepaßt. Tirschbein sagte, er habe in Ben-Gurion immer einen gefährlichen Abenteurer gesehen, und vor dem Krieg habe er das auch einmal in einer öffentlichen Diskussion mit Ze'ev Jabotinsky gesagt. Am Eingang vom Speisesaal blieb er stehen, versteckte die Hände hinter dem Rücken, als fürchte er, daß sie ihn wieder kniff, und sagte:

»Die zionistische Idee, liebe Freundin, ist mir nie in den Kopf gegangen.«

Wir bedienten uns selbst mit Gemüse. Aus Solidarität mit dem Gast wählte auch Lea Mar eine vegetarische Mahlzeit. Als wir unsere Tabletts zu einem Tisch gebracht hatten und uns setzten, prüfte sie die Gewürze, die dort standen, ob auch nichts fehlte, während Tirschbein schon anfing, die wohlschmeckende Suppe zu essen, damit sie nicht kalt wurde. Lea Mar fand alles in Ordnung und zupfte ihn am Ärmel, um ihn auf einen Esser aufmerksam zu machen, der allein am Nachbartisch saß. »Der dort, der mit dem Mal auf der Stirn«, flüsterte sie, »der hat meinen Mann umgebracht.«

Zwanzig Jahre hatte sie kein Wort mit ihm gewechselt, und auch sein Name, Nachman Licht, kam ihr nicht über die Lippen. Zwischen einem Löffel Suppe und dem anderen erzählte sie eine kurze Zusammenfassung der Geschichte. Am Anfang des Winters, in einer kalten Nacht, war Nachman Licht in der Siedlung der Alteingesessenen aufgetaucht, um sich bei ihnen umzuschauen. Dieser Licht hatte einen sechsten Sinn dafür, versteckte Geschenke aufzuspüren: Radios, elektrische Wasserkessel, teure zusammengerollte Teppiche unterm Bett. Efraim, ihr verstorbener Mann, ging hinaus, um draußen in der Dunkelheit und der Kälte zu warten, bis Licht seine Nachforschungen beendet hatte, weil er es unerträglich fand. Wenn er wenigstens etwas Warmes angezogen hätte. Er war schon vorher erkältet gewesen und hatte gehustet, und bis Nachman Licht seine Suche beendete, hatte sich ihr Mann bereits eine Lungenentzündung zugezogen. Einen Monat lag er im Bett, dann war er unter der Erde. Lea Mar stand auf, holte sich noch eine Portion Suppe und sagte, Jalon sei berühmt für seine Suppen.

»Hat er etwas gefunden?« fragte Tirschbein und warf einen verstohlenen Blick auf den Mann, der ein olivengroßes Mal auf der Stirn trug.

»Blödsinn«, antwortete Lea Mar. Efraim sei es nicht um den Teppich gegangen, den Licht unter dem Bett gefunden hatte, nicht deshalb habe er draußen gestanden und gezittert. »Bei einem Teppich«, sagte sie, »wären nur ein paar Punkte verlorengegangen.« Sie hob die Finger, um die Zahl der Punkte anzugeben. Der Spiegel war es, der war das Unglück ihres Lebens. Sie hatte ihrem Mann von Anfang an gesagt, daß dieser Spiegel alle Punkte auffressen würde, die sie in der Vergangenheit gesammelt hatten, ebenso alle, die sie in Zukunft sammeln könnten. Man konnte ihn im Fall einer Durchsuchung auch nicht verstecken. Er würde Nachman Licht geradezu ins Auge springen.

Aber Efraim war ein Dickkopf. Wenn er nun schon eine neue Wohnung hatte, wollte er unbedingt in seinem Wohnzimmer einen Spiegel, so groß wie eine ganze Wand. In ganzer Höhe und ganzer Breite. Das Geld dafür hatte er sich von Verwandten im Ausland erbeten. In den ersten Monaten war er abends nicht aus dem Haus gegangen, hatte an keinen allgemeinen Versammlungen teilgenommen und nicht an irgendwelchen Vergnügungen, sondern er saß nur im Sessel und betrachtete den Spiegel. Als er zehn war, erzählte er ihr, und seine Mutter im Haus des reichsten Mannes der Stadt putzte, hatte er sie begleitet und dort einen Spiegel gesehen, so groß wie eine Wand. Schon damals hatte er beschlossen, daß er später in seiner Wohnung auch einen solchen Spiegel haben wollte, wenn er erst einmal groß und reich wäre. Als er dann eine neue Wohnung in der Siedlung der Alteingesessenen bekam, erfüllte er sich seinen Traum.

In der Ben-Jehuda-Straße wurde es immer lauter. Man klatschte dem Zauberer Beifall, der Flaschen in die Luft warf und Feuer schluckte. Die jungen Schauspieler hatten inzwischen die Öffnung der riesigen Kabelrolle verschlossen, und durch ein kleines Loch, das sie freigelassen hatten, füllten sie sie mit Steinen und mit Metallabfällen. Dina kletterte mit einer Leiter hinauf und lud mit Hilfe eines Megaphons die Vorübergehenden ein, sich ein neues Stück anzuschauen. Auf der Seitenwand der Rolle stand in großen Buchstaben »Straßentheater«. Unten spannten sich die jungen Leute vor die Rolle, und als sie in eine Trompete blies, fingen sie an zu ziehen. Sie zogen und zogen, doch das Rad bewegte sich nicht. Diesmal waren sie alle wie Banker und Rechtsanwälte angezogen, und auch Dina, oben auf dem Rad, trug eine schwarze Krawatte um den Hals.

»Ich war auch einmal jung«, sagte Tirschbein. Auch Lea Mar, in Jalon, habe ihn durch die Überraschung, die sie ihm gegenüber ausdrückte, an seine Jugend erinnert. Als wir den Speisesaal verlassen hatten und auf dem Weg zu ihrer Wohnung waren, hatte sie gesagt: »Eine Liebesgeschichte zwischen Bruder und Schwester.« Mit diesen Worten hatte sie sich bei ihm eingehängt. Tirschbein, der müde von der langen Reise und der Mahlzeit war, hätte sich gern ein bißchen hingelegt, und sie versprach ihm, daß sie ihn gleich nach dem Kaffeetrinken in Piutas Wohnung bringen würde, so hatte die verstorbene Junggesellin geheißen. Sie ging auch sofort in ihre Küche, und wir blieben im Wohnzimmer. Erst auf den zweiten Blick bemerkten wir den Spiegel, der eine ganze Wand einnahm. Beim Eintreten ins Zimmer war es uns nur überaus groß und reich möbliert vorgekommen, sonst war uns nichts aufgefallen.

»Ich habe den Spiegel erst gar nicht gesehen«, sagte Tirschbein zu Lea Mar, die mit einem Tablett und Keksen in der Hand ins Zimmer trat. Sie stellte das Tablett auf dem niedrigen Tisch ab, ging wieder in die Küche und brachte den Kaffee. Als alles fertig war, ging sie zu Tirschbein, nahm ihn am Ärmel, lachte wie ein junges Mädchen und sagte:

»Auch Nachman Licht hat ihn nicht bemerkt. Er ist im Wohnzimmer herumgegangen, stand neben dem Spiegel, sah sich selbst darin, schrieb den Teppich auf, den er mit dem Fuß unter dem Bett herausgeschoben hatte, und den Spiegel schrieb er nicht auf.«

»Wieso?« fragte Tirschbein und hob erstaunt die Hand.

»Weil er den Spiegel nicht im Kopf hatte«, sagte Lea Mar und erzählte, ihr verstorbener Mann sei sehr verletzt gewesen, als er das hörte. Bis zu seinem letzten Tag habe er nicht aufgehört, darüber zu sprechen. Noch vor seinem Tod mußte sie ihm schwören, daß der Spiegel an der Wand bleibe.

»Und das Unglück hatte kein Ende«, fügte sie hinzu. Denn wegen des Spiegels könne sie einen engen und teuren Freund nicht in die Wohnung einladen. Ein sensibler Mann, Lehrer, ein echter Pionier, der auch während all der Wandlungen im Kibbuzleben ein wahrer Sozialist geblieben war. Einmal wäre sein Blick auf den Spiegel gefallen, und sein Gesicht hätte sich verdüstert. Er wolle kein kleinbürgerliches Haus betreten. Deshalb hatte sie auch darauf bestanden, daß Tirschbein ihren toten Bruder und dessen Geld nicht erwähnte. Sie hätte ihren Mann wegen eines Spiegels verloren, sagte sie, und jetzt wolle sie auf keinen Fall ihren Liebhaber wegen unrechtmäßig erworbenem Geld verlieren.

Noch bevor wir unseren Kaffee getrunken hatten, legte Lea Mar ein Buch mit einem grauen, abgenutzten Einband auf den Tisch und verkündete laut: »Die Sünde, von Noach Naftali Tirschbein.« Zwei Tage vor unserem Kommen hatte sie im Keller der Bücherei gestöbert, zwischen den alten Büchern, die dort aufgestapelt waren, um in die Papierfabrik nach Chedera geschickt zu werden, und dort den Roman gefunden, den sie in ihrer Jugend gelesen hatte. Sie hatte es sogar geschafft, die ersten Kapitel noch einmal zu lesen, über den Bruder und die Schwester, die in zartem Alter getrennt worden waren und sich später, als sie erwachsen waren, zufällig wiedertrafen, nichts über ihre Verwandtschaft wußten, sich ineinander verliebten und heirateten. Erst als die junge Frau schwanger war, erfuhren sie die Wahrheit und mußten entscheiden, ob die Frucht ihrer Liebe leben sollte oder nicht. Lea Mar wollte nun von Tirschbein wissen, ob die Geschichte ausgedacht war oder auf einen wirklichen Fall zurückging.

Tirschbein antwortete ihr nicht. Er weigerte sich auch, das Buch zu berühren, das plötzlich wie aus dem Totenreich vor ihm aufgetaucht war. Erst jetzt in der Fußgängerzone, nicht weit von der Kabelrolle, die sich nicht von ihrem Platz rührte, murmelte er:

»Alles ist aus dem wirklichen Leben.«

Wir wären weiter sitzengeblieben und hätten zugeschaut, wie andere Schauspieler kamen und jene ersetzten, die von dem Ziehen schon ganz erschöpft waren, wenn nicht plötzlich Itzik Issler aufgetaucht wäre. Er stellte sich auf seinen Schemel und deklamierte ein Gedicht über einen Betrunkenen, der, als er gestorben war und im Grab lag, wieder aufstand und ins Gasthaus ging, um Bier zu trinken. Ein Musiker mit einem grauen Hut begleitete ihn mit traurigen Klängen auf dem Saxophon.

»Ein Gedicht von Leib Dobschin«, sagte Tirschbein, und wir hörten zu, wie Issler den Betrunkenen fragte, warum er nicht in seinem Grab bleibe. Der Betrunkene antwortete auf jiddisch, mit einer heiseren, wütenden Stimme:

»Ch'hob di erd in dr'erd.«

Die Melodie des Saxophons wurde lauter und klagender. Wir standen auf und gingen weg. Neben dem Zeitungsverkäufer, der wie gewöhnlich auf einem mit einem Stück Sack bedeckten Karton auf dem Gehsteig saß, blieben wir stehen. Auch diesmal hatte er die Beine ausgestreckt, eines dicht ans andere gepreßt, und um ihn herum lagen die Stapel Zeitungen.

»Wie immer?« fragte er.

»Alle«, antwortete Tirschbein.

Fünf Tage hatte er keine Zeitung gelesen und hatte das Gefühl, nicht mehr zu wissen, was auf der Welt passierte. Vielleicht war sie untergegangen, ohne daß er es wußte. Was ihn betraf, sei sie ohnehin schon längst untergegangen, und wir torkelten darin herum wie der Betrunkene in Dobschins Gedicht. Wir sprachen über den Betrunkenen, während wir heimgingen. Er würde Issler bald treffen, sagte Tirschbein, nämlich an Nojbischs achtzigstem Geburtstag. Er hätte zwar keine Lust, nach Tel Aviv zu fahren und sich mit Schriftstellern und alten Bekannten zu treffen, doch ihm war klar, daß er trotzdem fahren würde. Der Musiker, der Issler begleitete, war vermutlich der Mann mit dem grauen Hut, den er im Treppenhaus getroffen hatte, sagte er. Seinetwegen und wegen der anderen verdächtigen Ereignisse hatte Tirschbein ein zusätzliches Schloß an seiner Wohnungstür angebracht, aber das beruhigte ihn immer noch nicht. Und sobald wir das Haus verlassen hatten, fing er an zu überlegen, ob er auch abgeschlossen hatte. Doch dafür hatte er eine Lösung gefunden.

Wenn er ging, schrieb er auf einen Zettel: »Ich habe die Tür abgeschlossen« und steckte ihn in die Tasche. Doch auch das half nicht viel. Wenn ihn die Zweifel packten, zog er den Zettel aus der Tasche, las ihn und wußte dann nicht mehr, ob er ihn heute geschrieben hatte oder vielleicht am Tag zuvor. Deshalb begann er, das Datum und die Uhrzeit, wann er das Haus verließ, dazuzuschreiben. Er beichtete mir eine Sache, die er bis dahin sogar vor sich selbst nicht eingestehen wollte. Als sie von New York in die Schweiz gefahren waren, er und Bitman, hatte ihm dieser gesagt, daß noch zwei Leute von dem Geld wüßten. Damals war es ihm nicht eingefallen, weiter nachzubohren. Doch als Issler anfing, ihm nachzuspionieren, hatte er in seinem damaligen Tagebuch geblättert, in der Hoffnung, irgendeinen Hinweis zu finden, vielleicht Namen.

Er hatte auch gehofft, daß die beiden auf die Annoncen in den Zeitungen reagieren würden, deshalb hatte er auch Bitmans vollständigen Namen hingeschrieben. Könnte es denn sein, daß Issler einer der beiden war und mit ihm spielte wie eine Spinne mit der Fliege? Wenn er sich schlapp und müde fühlte und in schlaflosen Nächten, tauchten die beiden Männer auf und krochen wie Spinnen seinen Rücken hinauf. Sofort nach der Geburtstagsfeier in Tel Aviv würde er nach Nazareth fahren und den beiden alten Leuten die Erbschaft aushändigen, sagte er. Die Fahrt nach Jalon wollte er vergessen. Der Kibbuz war ihm sehr fremd, die kleinen Häuser, die schmalen Gehwege, die ausgedehnten Rasenflächen. Die Ruhe dort hatte ihn nervös gemacht. So hatte er es in Piutas kleiner Wohnung aufgeschrieben.

Ihr Name stand auf einem Holzschild an der Wand der Eingangsveranda. Lea Mar hatte erzählt, daß Piuta sich immer danach gesehnt hatte, den Kibbuz zu verlassen und an der Hebräischen Universität in Jerusalem zu studieren. Im Tod hatte sie sich ihren Wunsch erfüllt, sie hatte ihre Leiche der Wissenschaft gestiftet und war so zur Universität gekommen. Die Tür zum zweiten Zimmer ihrer Wohnung, in dem sich ihre Sachen befanden, war mit zwei Brettern zugenagelt. In dem Zimmer, das wir bewohnten, standen zwei Betten an zwei gegenüberliegenden Wänden, schmale Betten von der Jewish Agency, und auch die dünnen, abgenutzten Matratzen sahen aus, als stammten sie noch aus der Zeit der Staatsgründung. Es gab weder Tisch noch Stuhl in dem Zimmer. Lea Mar brachte von ihrer Wohnung Bettwäsche, Decken und Kopfkissen, und wir waren ihr beim Tragen behilflich. Außerdem brachte sie auch einen Besen und einen elektrischen Heizofen. Trotz der angenehmen Witterung draußen war es in dem Zimmer kalt und dunkel, denn die Rolläden waren seit Piutas Tod geschlossen, und Tirschbein wollte sie aus Pietät der Verstorbenen gegenüber nicht hochziehen. Abends wurde es noch viel kälter in dem Zimmer. Tirschbein wickelte seine Beine in die Decke, zog sich den Heizofen näher und schrieb in dem schwachen Licht der einzigen Glühbirne, die an einem kurzen, braunen Kabel schief von der Decke hing. Auch der Vorhang vor dem Fenster mit den heruntergelassenen Rolläden war kurz und von Motten zerfressen. Die Wände waren nackt, nur auf einem Brett hatte Tirschbein einen alten Kalender mit Bildern auf jeder Seite gefunden.

»Französische Maler«, sagte er.

Als ich den Staub zusammengekehrt hatte, entdeckte ich unter meinem Bett ein Buch auf englisch. Dostojewskis »Aufzeichnungen aus einem Totenhause«. Das Buch war zerfleddert, und viele Seiten fehlten. Auf der Innenseite des Einbands waren zwei Stempel, in arabisch und englisch: »El-Faruki Bücherei, Kairo«. Tirschbein blätterte in dem, was von dem Buch übriggeblieben war, und sagte, während seines Studiums in Frankfurt habe dieses Buch von Dostojewski immer neben seinem Kopfkissen gelegen. Dieser zornige Russe habe ein unendliches Mitleid mit den Menschen gehabt, sogar mit den schlimmsten unter ihnen.

Tirschbein öffnete auch seine chinesische Dose, nahm die Gegenstände einzeln heraus und legte sie dann wieder zurück. »Das alles«, sagte er, »sind Symbole für die verschiedenen Epochen meines Lebens.« Aber sein Leben sei ihm fremd geworden. Als Lea Mar sein erstes Buch auf den Tisch gelegt hatte, »Die Sünde«, hätte er sich geekelt, vor sich selbst und vor allem, was er getan hatte. Dabei hatte ihr das Buch gefallen. Sie hatte es in ihrer Jugend gelesen und alles vergessen. Und jetzt wollte sie wissen, was aus den beiden und ihrem Kind geworden war. Besonders beeindruckt war sie nun, nachdem sie den Anfang wiedergelesen hatte, von den Passagen, wo die beiden jungen Leute einander suchten. Jeder von ihnen stand an Deck eines Schiffes, an die Reling gelehnt, doch die beiden Schiffe fuhren in entgegengesetzter Richtung, aneinander vorbei, und in diesem Moment sahen sich die beiden an, ohne zu wissen, daß sie Bruder und Schwester waren. Tirschbein wollte das nicht hören. Jedenfalls nicht aus dem Mund Lea Mars. Er wechselte das Thema und sprach von der Erbschaft. Lea Mar sagte, sie könne nie im Leben verstehen, warum er und Bitman Freunde gewesen seien. Dann bat sie uns, sehr früh zu frühstücken. Sie würde uns anschließend zur Autobushaltestelle an der Hauptstraße begleiten. Tirschbein solle bitte nicht wieder nach Jalon kommen.

Als wir aufstanden, war es noch dunkel. Wir hatten schlecht geschlafen. Der Heizofen brannte noch, doch im Zimmer war es kalt. Sehr bald waren wir draußen und gingen in der Dämmerung in Richtung Kuhstall und Hühnerställe. Am Abend zuvor waren wir mit Lea Mar dort spazierengegangen, die uns unbedingt die Tiere zeigen wollte, für die Jalon bekannt geworden sei. Es bestehe eine große Nachfrage nach Bullensamen und Küken vom Kibbuz, sagte sie. Sie führte uns durch einen neuen Hühnerstall, und als wir am anderen Ende wieder hinausgingen, sagte Tirschbein, er sei eigentlich ein großer Freund der Hühner, er würde nämlich kein Fleisch essen. Allerdings hätte er zwei Hühner bemerkt, die ein drittes blutig gehackt hätten. Bisher habe er nicht gewußt, daß auch Hühner Raubtiere sind. Lea Mar lachte und meinte, sie habe viele Jahre im Hühnerstall gearbeitet und halte sich, obwohl sie Hühner geschlachtet und auch gegessen habe, für eine große Freundin dieser Tiere. Sie deutete auf kleine Hühnerställe auf der anderen Seite des Weges, neben den großen neuen, und sagte, diese hätte man aus der Gründungszeit des Kibbuz stehen lassen, damit die kommenden Generationen wüßten, wie man anfangs in Jalon gelebt hätte.

Diesmal schwiegen wir beide. Der Himmel war bewölkt, da und dort sah man noch einen Stern, und nichts störte die Stille. Die Kühe lagen auf der Seite, die Beine unter den Bauch gezogen. Von weitem sahen sie aus wie schwarze Felsen. In einem beleuchteten Gebäude hatten sie schon angefangen zu melken. Neben dem Surren der Melkmaschinen hörte man das Singen eines jungen Mannes, das manchmal von einem Rufen unterbrochen wurde.

Neben einem der leeren alten Hühnerställe blieben wir stehen. Tirschbein legte seine Hand auf den krummen, zerrissenen Maschendraht, berührte eine Feder, die an dem feuchten, verrosteten Draht hängengeblieben war, atmete tief und sagte, die kühle, feuchte Luft tue seinen Lungen gut. Als er neun war, sagte er, hätte er ein paar Tage bei einem Onkel, einem Kutscher, in einem Dorf in der Nähe von Biała Podlaska verbracht. Im Morgengrauen habe er auf dem vollgeladenen Wagen gesessen und die Zügel gehalten, und die Luft sei ganz ähnlich gewesen wie jetzt, kühl, frisch und angenehm.

»Ob ich wohl ewig lebe?« fragte er sich jetzt.

Als wir zu den Wohnhäusern zurückkehrten, sahen wir eine gebeugte Gestalt, die auf einer Terrasse Gummistiefel anzog, doch wir konnten nicht erkennen, ob es sich um einen Mann oder eine Frau handelte. Der Speisesaal war dunkel, nur auf die breiten Treppen, die zu ihm hinaufführten, fiel Licht von den Laternen vor dem Gebäude. Wir gingen hinein und lasen die Mitteilungen auf dem Schwarzen Brett. Leute trugen sich ein für eine Wanderung in der Wüste: Reiten auf einem Kamel und Mahlzeiten in Beduinenzelten. Verloren: Channa B. hat eine dunkle Brille verloren, mit vergoldetem Gestell. Die Schüler der zehnten Klasse wollten ein Theaterstück aufführen und brauchten dazu einen Tallit und Tefillin. Warnung: Licht darf nicht unnötig angelassen werden, man müsse unbedingt Strom sparen. Eine Bitte an die Mitglieder, jemand möge etwas über die verstorbene Piuta schreiben. Das Komitee für Kultur wolle eine Broschüre zu ihrem ersten Todestag herausbringen.

Wir gingen die Wand entlang und lasen Ankündigungen von Sitzungen der verschiedensten Komitees. Der Kassenwart wollte nach Jerusalem fahren. Im Auto waren noch drei Plätze frei, Interessierte sollten sich eintragen. Er würde um fünf Uhr morgens losfahren und am selben Tag zurückkommen. Aufruf zur Orangenernte unter der Überschrift: Mobilmachung! Mobilmachung! Mobilmachung! Rina Mor wurde gebeten, nach Hause zurückzukommen. Das Sekretariat würde ihren Fall entscheiden. Zeitungen und Broschüren dürften aus dem Club Goldenes Alter nicht entfernt werden. Ganz am Rand fanden wir den Arbeitsplan. Die Namen der Arbeitenden waren nach Berufen aufgeführt. Lea Mars Namen fanden wir gemeinsam mit denen der anderen Näherinnen: Mina G., Sahava K., Amalia. Tirschbein konnte die Namen den einzelnen Frauen nicht zuordnen, obwohl Lea Mar sie ihm vorgestellt hatte.

Als wir uns von der Näherei entfernt hatten und außer Hörweite waren, hatte Lea Mar eine ihrer Kolleginnen »Raubvogel« genannt, weil sie einen kurzen Hals und hochgezogene Schultern hatte, und ihre Nase sah aus wie der Schnabel einer Schleiereule. Von einer anderen sagte sie, sie hätte in den letzten fünfundzwanzig Jahren nicht aufgehört, zu kauen und zu summen. Ihr Mann sei gestorben, ihr ältester Sohn gefallen, ihre geschiedene Tochter im Ausland verschwunden, und das alles hätte nichts verändert, weder an ihrem Kauen noch an ihrem Summen. Auch über die dritte hatte Lea

Mar etwas zu sagen. Um die Schmerzen in ihrem Knie zu heilen, trinke sie manchmal ein halbes Glas von ihrem eigenen Urin. Deshalb hatte Lea Mar faltbare Trennwände um ihre Nähmaschine gestellt, damit sie bei der Arbeit nicht die Gesichter der anderen anschauen müsse.

Eine Frau, gekleidet wie ein Mann, ging an uns vorbei, ohne uns anzuschauen, und betrat den Speisesaal, als schlafe sie noch. Tirschbein folgte ihr mit den Augen, bis sie im dunklen Saal verschwunden war, und erst dann bemerkte er, was über dem Eingang geschrieben stand:

»Was du nicht willst, daß man dir tu, das füg auch keinem andern zu.«

»Wer hat das gesagt?« fragte er.

Jetzt, in Jerusalem, auf dem Heimweg, als wir die Jaffastraße überquerten und in die Straußstraße einbogen, bat er mich, die Zeitungen einen Moment zu halten. Er putzte seine Brille und sagte, er hätte, bevor wir Jalon verließen, sich vor Lea Mar auf die Knie werfen und sie um Verzeihung bitten müssen.

»Ich hatte einen Traum«, sagte er. Im Traum ging er zum dritten Mal auf dem Weg zwischen den Hühnerställen, diesmal allein, und sah von weitem, wie Lea Mar, Nojbisch und Issler ihm entgegenkamen. Er wollte einem Zusammentreffen mit ihnen ausweichen und schlüpfte in einen der alten Ställe. Alle drei blieben stehen und schauten schweigend durch den Maschendraht zu, wie er von einem Hühnerstall zum anderen ging. Issler winkte ihm, er solle herauskommen. Als er durch ein Loch im Zaun trat, deutete Issler auf ein weißes Tuch, das in ganzer Länge vor die leeren alten

Hühnerställe gespannt war und auf dem geschrieben stand:

»Alle Werke Immanuel Kants.«

Ich gab Tirschbein die Zeitungen zurück. Als wir uns der Kreuzung der Hanaviimstraße näherten, zögerte er einen Moment und überlegte offenbar, ob er vor der Kirche und der Synagoge stehenbleiben solle, doch dann sagte er schnell, er hätte von den beiden Gebäuden langsam genug. Er würde nicht mehr vor ihnen stehenbleiben und schweigen. Auch sie, wie die Schriften Immanuel Kants, seien zu leeren Hühnerställen mit löchrigen Zäunen geworden. Hatte er, Tirschbein, nicht in seiner Jugend in einen Winkel seines Herzens den Vorsatz geschrieben, nie im Leben zu seinem eigenen Nutzen einem Mitmenschen ein Leid zuzufügen? Und was war seine Absicht gewesen, als wir nach Jalon fuhren? Bitmans Geld sei zum großen Unglück seines Lebens geworden, und er war zu Lea Mar gefahren, die in diesem Geld die Hand des Teufels sah, mit der Absicht, seine Sorgen loszuwerden und ihr aufzuladen. Er hätte sagen müssen: Liebe Freundin, deine Seele ist rein. Zu der wunderbaren Dichterin Sara Jurberg hätte er das nicht sagen können, denn sie hatte sich geweigert, ihr kleinbürgerliches Verhalten aufzugeben. Auch nicht zu Tejbele Zuker aus Bendin, die die Perle ihrer Seele gegen Perlen um ihren dicken Hals verkauft hatte. Und D. D. weigerte sich, sich von den Juwelen zu trennen, die sie von ihrem Mann bekommen hatte. Doch diese Lea Mar, diese scharfzüngige Frau, die kein gutes Wort für ihre Nächsten übrig hatte, ausgerechnet vor ihr hätte er in die Knie fallen und den Staub zu ihren Füßen küssen müssen. Er habe von sich selbst Idealismus und eine hohe Moral verlangt, und vielleicht war das alles ein Irrtum. Er hätte in seiner Jugend Pionier werden sollen, nach Israel einwandern und in einem Kibbuz ein Leben ohne Ideale führen, in aller Frühe aufstehen, auf der Terrasse Gummistiefel anziehen und dann Kühe melken sollen. Er hätte sich mit Klatsch, mit hübschen Wohnungen und großen Spiegeln beschäftigen sollen. Das waren vielleicht die wirklichen Ideale und der moralische Standard, nach dem das jüdische Volk leben müsse. Er sei nach Jalon gefahren, um Bitmans Geld loszuwerden, denn er wußte, daß er nur dann seine Liebesgeschichte mit D. D. aufs Papier bringen könnte. Auch Bitman hatte ähnlich gesprochen, als er das Geld nach Cleveland brachte. Er hatte gesagt, er müsse sich von dem Geld befreien, damit er eine Vision verdiene. Und eigentlich war es nicht Bitman, der ihm ein Fenster zur Hölle geöffnet hatte, sondern Issler, der hinter dem Erbe her war.

Wir blieben stehen und drehten uns um, ob er nicht auch hinter uns her war. Es hatte eine Zeit gegeben, da hätte Issler sein Leben für seine Kunst gegeben. Schon als sie sich zum ersten Mal trafen, als Tirschbein Issler nach Biała Podlaska eingeladen hatte, war seine Vorstellung mit einer nicht geringen Selbstaufopferung verbunden gewesen. Issler hatte Tirschbein nicht verziehen, daß er nach der Pause weggegangen war und sich die Vorstellung nicht bis zu Ende angehört hatte. Wenn sie sich im Lauf der Jahre irgendwo in der Welt trafen, ließ Issler keine Gelegenheit aus, ihn an seine Untat zu erinnern, doch Tirschbein hatte ihm nie den wahren Grund für sein Verschwinden gesagt. Er würde es auch in Zukunft nicht tun, weil er ihn nicht verletzen wolle. Die Polizei war in die Sache verwickelt gewesen. Man hatte sie beide angezeigt, sie wären Revolutionäre, und die Polizei war gekommen, um Issler zu verhaften. Issler war ihnen mit Hilfe einiger Bewunderer nach der Aufführung entschlüpft, doch er, Tirschbein, war, als er in der Pause hinausging, der Polizei direkt in die Arme gelaufen.

Es gab noch eine Geschichte über Issler, doch inzwischen waren wir an Tirschbeins Haustür angekommen, und er wollte nicht, daß ich ihn hinaufbegleitete. Er wollte eine Woche allein sein. Wir standen also am Eingang. Er legte den Stapel Zeitungen auf den Boden und deutete mit der nun freien Hand auf die Synagoge gegenüber, aus der die Stimmen der Betenden zu hören waren und durch deren Tür Chassidim aus und ein gingen, und sagte, in der anderen Geschichte um Issler spielten Chassidim eine Rolle. Nicht die Chassidim von Satmar, sondern Chassidim von Bels.

Er hob das Paket mit den Zeitungen auf und erinnerte mich daran, daß ich erst in einer Woche zu ihm kommen solle. Er denke noch immer über das Rad der jungen Leute auf der Ben Jehuda nach, sagte er, das, wie sein Roman über D. D., keinen Zentimeter vorwärts komme. Noch in der Ben Jehuda, bevor wir uns erhoben und gingen, hatte er die Papierserviette herausgezogen, auf der er zweimal den ersten Buchstaben von Dinas Namen geschrieben hatte, und hinzugefügt:

»Das Rad und der Spiegel«.

36

Mitten in der Woche rief mich Tirschbein zu sich. Er habe sich im Datum von Nojbischs Geburtstag geirrt, und wir müßten nach Tel Aviv fahren. Issler hatte ihm eine Mitteilung zur Erinnerung geschickt und ihn eingeladen, nach den Reden zu ihm nach Hause zu kommen, um sich ein Stück anzuhören, das er in der Art eines Straßentheaters geschrieben habe. Tirschbein, aufgeregt wegen des Treffens mit einem jiddisch lesenden Publikum, nahm vor der Fahrt ein heißes Bad, um sich zu beruhigen. Die Badewanne in seiner Wohnung war tief und lang, eine altmodische Wanne mit geschwungenen Füßen, die Löwenpranken glichen. In der letzten Zeit, sagte er, habe er sich angewöhnt, nicht nur abends zu baden, sondern auch tagsüber. Das Wasser, das seinen Körper umspüle, schärfe seine Gedanken. Wie schade, daß es in Jerusalem kein Meer gäbe. Wenn es nicht so kalt wäre, würde er seinen Aufenthalt in Tel Aviv für ein Bad im Meer nutzen. Vielleicht würde er im nächsten Sommer umziehen, nach Tel Aviv. Ich hörte ihn im Badezimmer singen.

Im Zimmer sah ich überall Stapel von Zeitungen: auf dem gepolsterten Stuhl, auf meinem Tisch, auf seinem Tisch. Er hatte sie gekauft und nicht gelesen. Er hatte sie noch nicht einmal durchgeblättert und Traueranzeigen ausgeschnitten. Auch den Brief an Dubschin hatte er nicht fertiggeschrieben. Ein neues, fast leeres Blatt war in die Schreibmaschine gespannt. Auf dem Stapel mit den Büchern Immanuel Kants lag ein Brief von den beiden alten Leuten aus dem oberen Nazareth, Markus und Rosa Glaser. Sie wollten wissen, warum er ihnen nicht das Geld ihres Verwandten, des verstorbenen Schlomo Bitman, überwies. Sie könnten schlecht nach Jerusalem kommen, wegen der Fahrtkosten und ihres hohen Alters, außerdem wüßten sie auch nicht die Adresse des Mannes, der das Geld verwaltete. Sie waren wirklich rührend. Neben Kants Werken lagen drei Häufchen mit Briefen und Unterlagen aus seiner Zeit in New York, als er seine Arbeit für ORT-OSE beendet hatte. Ich hatte die Häufchen zum Katalogisieren vorbereitet, und Tirschbein hatte sie während meiner Abwesenheit auf seinen Tisch geräumt. Ich nahm einen Brief, den D. D. an ihn geschrieben hatte, als er noch in China war, den sie aber nie abgeschickt hatte. Sie nannte ihn N. N. und fragte sich, was geschähe, wenn sie zu ihrem Mann zurückginge, und was wäre, wenn sie in New York bliebe und auf Tirschbein wartete. Und was er ohne sie machen wolle. Und warum waren ihre wenigen Juwelen in seinen Augen zu glänzendem Blech geworden. War sie in seinen Augen etwa auch schon eine falsche Adresse geworden? »Du hast in Schanghai einen geizigen Juden getroffen, und schon bist du bereit, die ganze Welt zu verfluchen.«

Ich las den Brief nicht zu Ende, denn Tirschbein kam aus dem Badezimmer, rasiert, in einem weißen Hemd mit roter Krawatte, bereit zur Fahrt. Er trug denselben grauen Anzug, den er getragen hatte, als wir uns zum ersten Mal trafen. Er setzte den Hut auf und sagte, das Rad aus der Fußgängerzone gehe ihm nicht aus dem Kopf und habe sogar angefangen, sich in ihm zu drehen. Zum ersten Mal entdeckte ich in seinen Augen, hinter den Brillengläsern, ein Lächeln. Er legte ein Päckchen mit Briefen von D. D. zur Seite und griff nach einigen Blättern darunter, die seine Handschrift zeigten. Als er einmal badete, hatte er, als er im Wasser lag und zum tausendsten Mal die ersten Sätze von »Gesicht in den Wolken« murmelte, sich plötzlich ganz klar an die Geschichte erinnert, die sich hinter der Überschrift verbarg, welche sein Vater eines Tages nach dem Ausgang des Schabbat aufgeschrieben hatte: »Der Rekrut kommt zurück.« Er war aus der Badewanne gestiegen und hatte alles aufgeschrieben, und jetzt schlage er vor, daß ich es auf der Fahrt nach Tel Aviv lese. Als wir die Wohnung verließen, bat er, ich solle nachschauen, ob er auch alle Schlösser der Tür abgeschlossen hatte. Neulich, fügte er hinzu, hätte er das Gefühl gehabt, gleichzeitig in mehreren Zeiten zu leben.

Wir setzten uns hinten in den Autobus, weit weg von dem lärmenden Radio, und während Tirschbein durch das Fenster schaute und die Landschaft um Jerusalem und die neuen Wohnviertel betrachtete, die man um die Stadt herum gebaut hatte, zog ich die Blätter heraus und begann zu lesen.

In der Erzählung hieß sein Vater Abraham und hatte einen Bruder, drei Jahre jünger als er selbst, mit Namen Benjamin. Ihr Vater, ein Kutscher, war jung gestorben. Seine Mutter, die junge Witwe, verkaufte die Pferde und bezahlte viel Geld, damit die beiden Waisen, Abraham, der elf Jahre alt war, und der achtjährige Benjamin, bei bekannten Lehrern lernen und sich mit den Söhnen guter Familien befreunden konnten. Eines Tages, an einem Vormittag, erschien einer der Kinderfänger von Biała Podlaska in Benjamins Cheder, Simel der Säufer. Er stand in der Türöffnung, betrachtete die Schüler, und sein Blick blieb an Benjamin hängen. Damals wurden viele Kinder gefangen, jüdische Knaben von etwa acht, neun Jahren, die dann nach Sibirien geschickt wurden, wo sie bei Bauern Schweine hüten mußten. Dort vergaßen sie ihre Religion, und wenn sie achtzehn waren, wurden sie zur Armee des Zaren eingezogen. In Biała Podlaska trieben sich damals drei Fänger herum, und Simel der Säufer war einer von ihnen. Der Rabbi packte die Leuchter der Rebbezn und drohte dem Säufer, die Rebbezn schwenkte ihr Nudelholz und schrie. Simel der Säufer erschrak und lief davon. Doch von diesem Tag an wachte Abraham über seinen jüngeren Bruder, brachte ihn morgens zum Cheder und holte ihn gegen Abend wieder ab. Nachts versteckten sie Benjamin bei einem Nachbarn, ebenfalls einem Kutscher, einem kräftigen und mutigen Mann, bei dem kein Fänger bei Nacht einfach eindringen konnte. Doch die Gemeindevorsteher überlegten, ob man Benjamin nicht besser hergeben sollte, denn seine Mutter war Witwe, und niemand würde ein großes Geschrei anfangen. Wenn man den Fängern Benjamin gäbe, würde man damit andere Kinder retten.

Drei Wochen später wurde Benjamin nachts von Sehnsucht nach seiner Mutter ergriffen, er öffnete das Fenster, sprang hinaus und wollte heimlaufen. Da wurde er von Simel dem Säufer gepackt. Nichts half. Zwei Wochen lang war er in einer kleinen Hütte eingesperrt, die sich im Hof der großen Synagoge befand, und weinte bitterlich. Seine Mutter stand draußen und weinte ebenfalls. Dann erschien der Polizeichef mit zwei Polizisten. Sie holten Benjamin aus der Hütte, und als er sich wehrte, schlugen sie ihn und banden ihm Hände und Füße zusammen. Mit einem Wagen brachten sie ihn nach Brisk. Seine Mutter mietete einen Wagen und fuhr ihnen nach, doch sie wurde sofort nach Biała Podlaska zurückgebracht.

Fast ein Jahr später, an Chanukka, erschien in Biała Podlaska eine Kompanie Soldaten, bei denen sich Benjamin befand. Tirschbeins Vater, inzwischen zwölf Jahre alt, rannte von einem einflußreichen Bürger zum anderen und flehte sie an, sie sollten sich doch bei dem obersten Offizier der Kompanie dafür einsetzen, daß dieser seinen Bruder freilasse. Der Offizier wurde bestochen, und schließlich schickte er Benjamin unter der Aufsicht von zwei Soldaten zu einem Besuch nach Hause. Der Junge trat barfuß ein, in einem langen Bauernhemd bis zu den Füßen, ohne Hosen, ohne Mantel. Sein Gesicht war geschwollen und blaß. Abraham berührte seinen Bruder und rief:

»Benjamin! Benjamin!«

Aber der Junge antwortete nicht. Einer der Soldaten erzählte, daß Benjamin, als man ihn mit den anderen jungen Rekruten weit ins Innere des Landes geschickt hatte, nicht aufgehört hatte zu weinen und auch nichts mehr aß. Vor lauter Weinen und Hunger sei er verblödet, und erst dann hatte er aufgehört zu weinen und angefangen zu essen. Daraufhin wurde er aus dem Krankenhaus entlassen und ihrer Kompanie übergeben. Die Soldaten zogen von Stadt zu Stadt, und der Junge mit ihnen. Und so war der Rekrut nach Hause gekommen.

Im Schriftstellerhaus in Tel Aviv wurde Tirschbein mit großem Hallo empfangen. Ein alter Mann mit einem kindlichen Gesichtsausdruck geriet völlig aus dem Häuschen vor lauter Ehrerbietung und rief dem Publikum, das aus etwa zwanzig alten Männern und Frauen bestand, zu, sie sollten den großen Schriftsteller würdig empfangen.

»Tischman, der Autor unvergänglicher Werke!« verkündete er und stellte sich selbst als Mister Rudin aus Cleveland vor. Er faßte einen alten Mann am Arm, der neben ihm stand, er nannte ihn Arke, und wiederholte seine vorherige Ankündigung. Doch diesmal korrigierte er sich und stellte Tirschbein unter seinem richtigen Namen vor. Arke nahm seinen Gehstock nun in die linke Hand, ging ein Stück vorwärts und streckte seine rechte Hand aus, jedoch nicht in Tirschbeins Richtung, wobei er murmelte, er erinnere sich an einen Schriftsteller dieses Namens in Cleveland, er habe historische Bücher geschrieben. Mister Rudin schob Arkes Hand, bis seine Finger Tirschbeins ausgestreckte Hand berührten. Dabei half er der Erinnerung des Alten mit einer zusätzlichen Information nach:

»Ich habe dir mal ein Buch von ihm verkauft.«

Arke öffnete den Mund und nickte zum Zeichen der Zustimmung, daß er einmal ein Buch von Tirschbein erworben hatte.

»Du hast fünf Dollar dafür bezahlt!« schrie Mister Rudin in sein Ohr.

Arkes Falten verzogen sich zu einem zerborstenen Grinsen, als habe ein Windstoß seinen eingefallenen Mund getroffen.

»Ein reiner Humanist«, fuhr Mister Rudin fort und zog Arkes Hand aus der Tirschbeins. Arke erinnerte sich offenbar an einen Schriftsteller aus Cleveland, der ein reiner Humanist gewesen war, denn er streckte wieder die Hand aus, um Tirschbein zu begrüßen. Mister Rudin zog Arkes Hand zurück und fügte noch ein Erinnerungszeichen hinzu:

»Er hat deinem Jungen Jiddisch beigebracht, noch vor dem Krieg mit Hitler, ausgelöscht sei sein Name.«

Arke schloß den Mund, und sein Gesicht erstarrte.

»Er ist tot«, sagte er.

»Wer?« fragte Mister Rudin.

»Mein Sohn«, antwortete Arke, und sein Gesicht nahm wieder den staunenden Ausdruck an.

Mister Rudin rieb seine Hände aneinander, dann raffte er sich wieder auf und rief:

»Und da steht er vor dir. Tirschbein, der Lehrer.«

»Das hätte ich mir nicht träumen lassen«, sagte Arke und schüttelte den Kopf. Er nahm den Stock wieder in die rechte Hand und ging zu seinem Platz zurück. Alle gingen zu ihren Plätzen zurück.

Nojbisch saß schon auf der Bühne, und Issler, der neben ihm saß, machte dem Publikum Zeichen, sie sollten nähertreten und sich in die ersten Reihen setzen. Tirschbein lud er ein, auf die Bühne zu kommen. Dann forderte er das Publikum auf, den Ehrengast aus Cleveland mit Beifall zu begrüßen. Er sei nach Israel gekommen, um das Ansehen der jiddischen Sprache und ihrer Literatur zu heben. Zu diesem Zweck habe Tirschbein viel Geld mitgebracht. Er erlaube sich, auch an Schlomo Bitman zu erinnern und ein paar Worte über ihn zu sagen. Auch er sei ein Schriftsteller gewesen, dem Ehre gebühre. Aus seinem Nachlaß wolle man einen Fonds zur Veröffentlichung seiner Werke gründen. Auch das monumentale Werk Nojbischs über die Vernichtung des polnischen Judentums solle so publiziert werden. Das Publikum klatschte, doch Tirschbein blieb sitzen und lehnte sich zurück an die Wand.

Er legte sich einige Blätter auf die Knie und begann zu schreiben, mit großen Buchstaben, damit er es nachher leichter lesen könnte: Lea Mars Worte, im Kibbuz – Issler und Nojbisch – Der Zigeuner und der Tanzbär – Siehe Nojbischs Brief – Man führt den Bräutigam unter Jubelrufen zur Chuppa zu einer toten Braut – Man erweist mir Ehre – Nicht die Toten preisen Gott.

Nojbisch saß bewegungslos am Tisch, sein Gesicht hinter der dunklen Brille zeigte keinen Ausdruck. Issler sprach alleine, deklamierte, redete, erzählte Witze. Er las laut den Text über dem vergrößerten Foto Nojbischs vor, das an der Rückwand der Bühne hing. Schmu'el-Josef Nojbisch – ein Jüngling von achtzig Jahren, und mit einer Handbewegung, die das ganze Publikum einschloß, fügte er hinzu, sie seien alle achtzigjährige Jünglinge. Er rezitierte ein Gedicht von einer fünfundneunzig Jahre alten Dichterin, die sich an ihren Liebsten wandte, der vor sechzig Jahren gestorben war, und zu ihm sagte: »Ich bin immer noch dein Mädchen.« Allen, die für die Zukunft des Jiddischen schwarz sähen, stehe eine herbe Enttäuschung bevor. Es habe bereits seinen Weg in die großen Universitäten der Welt gefunden.

Tirschbein steckte das Blatt in die Innentasche seines Jacketts. Zuvor hatte er eifrig noch einiges notiert: daß er sich selbst hasse, wenn Issler ihn nachmache, und daß Piuta aus dem Kibbuz Jalon, wie das Jiddische, ihren Eingang in die Universität geschafft habe. Er

stand auf, weil er vorhatte, früh nach Jerusalem zurückzukommen, doch Issler erwischte ihn noch, und
wir fuhren mit einem Taxi zu seiner Wohnung. Er
wohnte mit Nojbisch im dritten Stock eines verwahrlosten Hauses in der Hajarkonstraße. Ein düsterer Eingang, zerbrochene Briefkästen, Türen ohne Griffe,
ohne Nummern. Nojbisch fiel es schwer, die Stufen
hinaufzugehen, und Issler stützte ihn. In der Wohnung roch es muffig, obwohl die Türen zu dem langen
Balkon offenstanden. Zwischen zwei hohen Hotels hindurch sah man einen Streifen Meer und den roten
Sonnenuntergang. Issler machte die Türen zu, und es
hörte auf zu ziehen. Er bat uns, auf dem schweren Sofa
neben der Wand Platz zu nehmen, und nachdem
Tirschbein irgendwelche Erfrischungen abgelehnt
hatte, sogar ein Glas Tee, fing Issler sofort mit der
Vorstellung an. Er hatte alles schon vorbereitet: zwei
Tische, die einander gegenüber standen, und auf jedem Tisch zwei Kisten, eine mit numerierten Pappschildern, die andere leer. Nojbisch und Issler würden
die Schilder von einer Kiste in die andere räumen, und
dabei würden sie sie uns zeigen, ohne ein Wort zu
sagen. Auf Isslers Schildern stünden Fragen, auf Nojbischs Antworten. Issler bemalte sich das Gesicht mit
weißen und schwarzen Flecken, bimmelte mit einer
kleinen Glocke, und die Pantomime begann:

Issler: Wer bist du?

Nojbisch: Ich bin der Mann, der das Elend kennengelernt hat.

Issler: Der Prophet Jeremias?

Nojbisch: Ich ging zwischen den Ruinen Warschaus
umher, und die Stadt hat mich geehrt.

Issler: Du bist also der Verfasser eines Buches?

Nojbisch: Ich bin der Verfasser eines ungeschriebenen Buches, über die Vernichtung des polnischen Judentums.

Issler: Wo habe ich dich gefunden?

Nojbisch: In einem Rinnstein von Paris. Es hat geregnet, und ich habe die ganze Welt verflucht.

Issler: Warum?

Nojbisch: Weil ich geboren wurde. Der schicksalhafte Irrtum aller Zeiten.

Issler: Ist das eine Absage an dein langes Leben?

Nojbisch: Ich bin eine Mumie in einem Museum.

Issler: Und wo sind deine Toten, Dichter?

Nojbisch: Auch sie sind in Museen, in Polen.

Issler: Was hast du kommenden Generationen zu sagen?

Nojbisch: Ich breite die Karte der Museen in Polen vor ihnen aus: Museum Warschau, Museum Grabmal von Jizchak Leib Peretz. Museum Auschwitz. Museum »Friedhof ohne Grabsteine«.

Issler: Und was sagst du den jüdischen Historikern?

Nojbisch: Eine wichtige und interessante Mitteilung: Alle Mülleimer Polens stehen euch zur Verfügung, aber nur nachts. Scherben heiliger Gegenstände. Literaturfetzen. Tausend Jahre Leben in Jiddisch. Kommt und stöbert herum.

Issler: Und was ist mit der jiddischen Sprache?

Nojbisch: Wir reservieren ihr einen Platz auf allen Grabsteinen der jüdischen Friedhöfe in Polen.

Issler: Und was ist mit deinem ungeschriebenen Buch?

Nojbisch: Die Toten werden es lesen. Sie brauchen keine geschriebenen Worte.

Issler: Feiern wir den Dichter Schmu'el-Josef Nojbisch! Sagen wir ein dreifaches: Hoch, hoch, hoch.

Nojbisch: Mögest du gesegnet sein, mögest du gesegnet sein.

37 Nach dem ersten Akt standen wir auf und gingen. Issler drängte Tirschbein, sich auch noch den zweiten Akt anzusehen, in dem sie die Rollen tauschen würden – Nojbisch würde die Fragen stellen und er, Issler, antworten. Alles stehe bereits auf den Rückseiten der Papptafeln. Ein wirklicher Dichter müsse der Wahrheit in die Augen schauen, furchtlos und ohne sich zu verstecken, davon sei er überzeugt, meinte Issler. Und er riet Tirschbein erneut, endlich den Talar des Königsberger Kaspars auszuziehen und Bitmans Geld einem guten Zweck zuzuführen.

»Der jiddischen Literatur!« rief er uns nach, als wir die Treppe hinuntergingen.

Wir nahmen ein Taxi zum Busbahnhof, und von dort fuhren wir mit einem Sammeltaxi nach Jerusalem. In der Stadtmitte angekommen, setzten wir unseren Weg zu Fuß fort. Es war in den späten Abendstunden kälter und windiger geworden, und je näher wir Me'a Sche'arim kamen, um so weniger Leute trafen wir. An der Ecke der Hanaviimstraße waren die Verkehrsampeln in Betrieb, doch kein Auto fuhr, weder in die eine noch in die andere Richtung.

»Wer bin ich denn?« fragte Tirschbein und nahm sich vor, nie mehr mit Issler zu sprechen. Doch er verwarf diesen Entschluß sofort wieder, er wollte nicht in Nojbischs Fußstapfen treten, der seinen Groll seit dreiundzwanzig Jahren durchhielt. Als wir in die Jo'el-straße einbogen, wurden wir von Berele, dem Totengräber, überholt, der wie ein Betrunkener torkelte. Im Vorbeigehen warf er uns einen bösen Blick zu, und, ohne stehenzubleiben rief er zweimal:

»Schema Israel!«

Noch bevor er unseren Blicken entschwunden war, entdeckten wir David Dobson, der angerannt kam und, als wäre er ein Echo seines Freundes, zweimal rief:

»Fuck you, oh Israel!«

Am nächsten Tag beeilte ich mich, zu Tirschbein zu kommen. Ich fand ihn ruhig. Er hatte schon gefrühstückt, die Tageszeitungen gekauft und sie auf die alten Stapel gelegt, die in der Wohnung verstreut waren. Anzeigen schnitt er keine heraus. Als er mir die Tür aufgemacht hatte, nahm er mich bei der Hand und führte mich zu der Karte von Polen. Vor der Wand stand ein niedriger Tisch, darauf eine Metallschublade mit den alphabetisch geordneten Unterlagen seiner Reisen durch Polen: Name des Ortes, Thema des Vortrags, Honorar, Datum und manchmal noch zusätzliche Details.

»Meine Antwort auf diesen Mann«, sagte er, denn er hatte aufgehört, Issler bei seinem Namen zu nennen. Er deutete auf die Karte. Die Juden Polens waren nicht wie Staub auf einem Spiegel. Die Orte, die er unterstrichen hatte, würden für immer in seinem Kopf weiterleben. Er nahm eine Karte aus der Schublade und bat mich, den Namen der Stadt vorzulesen, und dann würde er mir anhand seiner Notizen von ihr erzählen.

»Biała Podlaska«, las ich.

In einer Ecke war mit einem dünnen Bleistift hinzugefügt: Avigdor Tirschbein hat sich in einen Vogel verwandelt. Das sei einer seiner Vorfahren gewesen. In der Familie wurde erzählt, daß dieser Avigdor eines Tages zum alten Markt gehen wollte. Unterwegs wurde er von dem Grafen Radziwil angehalten, der mit einem Gewehr über der Schulter herumlief und auf der Suche nach Wild war. Da er keinen einzigen Vogel zum Schießen fand, bat er Avigdor, auf einen Baum zu steigen und den Ruf eines Kuckucks nachzuahmen. Als er dann den Ruf des Vogels hörte, legte er an und schoß. Avigdor hatte mit Knochen gehandelt, und daher stammte auch sein Name, Tirschbein.

Eigentlich erinnere er sich gar nicht mehr genau an Biała Podlaska, sagte Tirschbein. Er habe die Stadt mit elf Jahren verlassen und sei nur noch selten zu Besuch dort gewesen. Doch an Białystok und seine Bewohner erinnere er sich noch sehr gut, denn dort war er aufgewachsen, im Haus seines wohlhabenden Onkels. Vorher habe er überhaupt nicht gewußt, daß es soviel Reichtum gebe. Vier Häuser um einen Innenhof. Söhne und Töchter, kleine und große, die zum Teil schon verheiratet waren, viele Enkelkinder. Dem Knaben Tirschbein wiesen sie ein Zimmer an, das er mit einem alten Mann teilte, der ihn nachts kniff. Eines Nachts nahm Tirschbein seine Zudecke und machte sich auf die Suche nach einem anderen Schlafplatz. Im Waschraum fand er einen Wäschezuber, in den er sich legte und einschlief. Von da an war der Zuber sein Bett.

In sein Buch »Gesicht in den Wolken« würde er auch den Vertrag aufnehmen, den sein wohlhabender Onkel mit seinem armen, aber gelehrten Schwager geschlossen hatte. Der Onkel würde den Schwager und seine ganze Familie versorgen, so lange sie lebten, und dafür müsse der Schwager Tag und Nacht Tora lernen; ihren Platz im zukünftigen Leben würden sie sich dann teilen, jeder die Hälfte.

Ich legte die Karte von Biała Podlaska an ihren Platz zurück und zog eine andere heraus.

»Alkisch«, sagte ich und suchte den Ort auf der Landkarte. Am fünften Februar 1934 hatte Tirschbein dort einen Vortrag über das Thema »Der Expressionismus und andere Ismen in der Kunst« gehalten. Er war eine ganze Nacht lang gefahren und mußte unterwegs oft umsteigen. Honorar: hundert Złoty zuzüglich Reisespesen. Auf der Rückseite hatte er damals notiert: Mühle im Schnee. Spaziergang auf dem zugefrorenen Fluß. Die Toten kamen aus ihren Gräbern. An irgendwelche anderen Dinge erinnerte er sich nicht mehr. Er nahm mir die Karte aus der Hand und las das Geschriebene wieder und wieder, wobei sich seine Lippen bewegten. Erregt begann er, im Zimmer auf und ab zu gehen, schüttelte immer wieder den Kopf, blieb neben dem Fenster stehen, bückte sich, um zu sehen, was auf der Straße los war, und murmelte wieder den Namen der Stadt vor sich hin.

»Da unten passiert was«, sagte er.

Ich stellte mich neben ihn. Der Himmel war bewölkt, aber es hatte aufgehört zu nieseln. Unten auf der Straße wurde etwas aufgebaut, ein hölzerner Turm oder eine Bühne. Einige Polizisten hatten den Platz abgesperrt. Ein Chassid mit einem schwarzen Hut, über den eine durchsichtige Plastiktüte gezogen war, stand auf dem Holzgerüst und gab Berele und David Dobson Anweisungen, die, hoch über dem Boden, ein Seil quer über die Straße spannten. Auf dem Seil, etwa in der Mitte, tanzte eine Krone, die aussah wie eine Glocke ohne Klöppel. Der Chassid streckte die Hand aus, um den beiden zu zeigen, wie sie die Krone genau über seinen Kopf balancieren sollten. Die durchsichtige Plastiktüte blähte sich auf.

»Straßentheater«, sagte Tirschbein spöttisch und schlug vor, wir sollten den zugefrorenen Fluß und die Mühle überspringen und zur nächsten Karte übergehen.

»Amschinow«, sagte ich und las das Datum, das Thema des Vortrags und die anderen am Rand vermerkten Details vor. Umgeben von Hügeln und Bergen. Eine Bibliothek mit zweihundert Büchern und hundertvierzig Lesern. Der Vortragssaal: ein Steinhaus, in dem der Besitzer, ein Obsthändler, Äpfel lagerte. Die junge Frau mit der Glocke: die Frau des Totengräbers.

Tirschbein nahm die Karte und drehte sie prüfend hin und her. Er schob die Brille auf die Stirn, und der Spott in seinen Augen wurde zu einem Lächeln. Als er sich streckte und einen halben Kopf größer wurde, ergriff das Lächeln auch seine vollen Lippen. Wir hatten uns Kaffee gekocht und tranken ihn nun, vor der Landkarte stehend. Tirschbein erzählte, daß er freitags in Amschinow angekommen war, noch vor Beginn des Schabbat, um nicht den Zorn der Strenggläubigen auf sich zu ziehen.

Am Samstagabend, nach Ausgang des Schabbat, hielt er dann seinen Vortrag über den nackten Körper in der Kunst und der Literatur. Die Zuhörer waren müde von ihren Spaziergängen in den Hügeln und Bergen an diesem angenehmen Schabbat im August und schliefen allmählich ein. Der säuerlich-süße Duft der reifen Äpfel, die im Saal die Wände entlang aufgehäuft waren, erhöhte noch ihre Schläfrigkeit. Eine junge Frau mit wilden Haaren direkt vor ihm schlief nicht ein. Aus lauter Langeweile lutschte sie an einer Glocke, die sie an einem dünnen Kettchen um den Hals hängen hatte. Von Zeit zu Zeit nahm sie die Glocke aus dem Mund, die dann mit einem leisen Klirren zwischen ihre apfelförmigen Brüste fiel, deren Ansatz im Ausschnitt ihres Sommerkleids zu sehen war. Tirschbein erinnerte sich auch noch an die Geschichte über die Frau des Totengräbers. An jenem Schabbat war er in Gesellschaft seiner Gastgeber auf dem Friedhof spazierengegangen und der Frau des Totengräbers vorgestellt worden. Sie trug einen langen Tallit, auf dem vorn und hinten mit großen Buchstaben »Schema Israel« gestickt war.

»Gegen Geister«, erklärte sie. Aber es waren nicht fremde Geister, vor denen sie Angst hatte, sondern ihr Ehemann. Vierzig Jahre lang hatte er die Toten von Amschinow beerdigt, und dann war ihm plötzlich aufgefallen, daß seine Altersgenossen alle bereits gestorben waren. Er stand auf und floh in die Berge. Auf einem Zettel, den er hinterließ, stand, man möge ihn nicht suchen, denn er wolle nicht in der Erde begraben werden. Er würde seine Seele dem Teufel verschreiben und nicht sterben. Drei Jahre wartete sie auf ihn, und als er dann noch immer nicht gefunden war, hüllte sie sich in einen Tallit und zog ihn Tag und Nacht nicht aus, damit sie, eine schwache Frau, ihrem Mann widerstehen könnte, falls er plötzlich in der Gestalt eines Teufels in der Tür stünde.

Tirschbein setzte seine Brille wieder auf. Der Lärm draußen wurde immer lauter, doch Tirschbein drehte den Kopf zur Landkarte und ließ seine Blicke darüber wandern. Wieder fing er an, mit Issler zu diskutieren, ohne jedoch seinen Namen zu nennen. »Das ist nicht der Weg«, sagte er zu dem »Mann«, wie er ihn nannte, der tief in ihm saß und ihn quälte. Die Erinnerung an die Pantomime lasse ihn nicht los, sagte er. An jenem Abend habe er ein heißes Bad genommen, um sein Unbehagen zu vertreiben, und im Kopf Gespräche mit anderen Menschen geführt, zum Beispiel mit D. D. und Leib Dubschin. Der Brief an ihn sei übrigens immer noch nicht fertig. Er habe ihm erzählt, daß jemand in der Fußgängerzone ein Gedicht von ihm rezitiert hatte, das von dem toten Trinker, der nicht im Grab bleiben wollte. Und D. D. habe er versprochen, endlich das Buch über ihre Liebe zu schreiben. Sie habe am Schluß doch noch Jiddisch gelernt, sagte Tirschbein, wenn auch zu einem Zweck, der ihm nicht recht war. Er deutete auf die drei Häufchen auf dem Tisch und sagte, wenn ich anfangen würde, sie zu ordnen, wüßte ich mehr. Die meisten Briefe, die er ihr von China geschrieben hatte, seien dabei, auch ihre Antwortbriefe, die sie nicht abgeschickt hatte. Als er nach New York kam, hatte er sie von einer Nachbarin D. D.s bekommen. Letzte Nacht habe er von ihr geträumt. Sie wären beide zu einem Besuch bei der Familie Esra in

Schanghai eingeladen gewesen. Als sie den Salon betraten, hätte er Issler bemerkt, der schon am Tisch saß und Geldscheine von einem Teller aß.

»Das ist nicht der Weg«, wiederholte Tirschbein, während ich die Karte Amschinow an ihren Platz zurücksteckte und eine andere nahm.

»Bendin«, verkündete ich. Tirschbein war dreimal dort gewesen, um einen Vortrag zu halten. Beim dritten Mal war die junge Dichterin Fejgele Zuker schon in Argentinien. Deshalb ging er allein in dem verzauberten Wald spazieren, und zum Friedhof begleitete ihn einer seiner Bewunderer, jener, der ihn zu dem Grab mit den Beinen von Josef, dem Hausierer, geführt hatte. Die Gemeinde hatte ihnen einen prachtvollen Grabstein errichten lassen. »Um sie zu versöhnen«, hatte Tirschbeins Begleiter gesagt, denn in dem Jahr, das dem Mord folgte, waren verdächtige Dinge in der Stadt passiert. Mitten im Winter waren Häuser abgebrannt, Säuglinge erkrankten an Blattern und erstickten. Als der Sommer kam, ertranken drei junge Männer im Fluß, einer nach dem anderen. Man sprach Gebete, und als das nicht half, sprach man davon, daß die Ankunft des Messias nahe sei. Doch die Rettung kam von einer Seite, von der man sie nicht erwartet hatte. Die Verrückte der Stadt, Fejge, die Hasenschartige, erzählte allen, die es hören wollten, die Beine des ermordeten Hausierers wären ihr im Traum erschienen und hätten verlangt, daß man ihnen einen Grabstein errichtete. Anfangs habe man sie nicht beachtet, doch dann habe man einen Grabstein machen lassen, und die seltsamen Vorkommnisse hätten aufgehört.

Tirschbein stellte seine Kaffeetasse neben mir ab,

ging ins andere Zimmer und kam mit einem Umschlag zurück, den er aus seiner Bildersammlung geholt hatte. Auf dem Umschlag stand: »Die verrückte Fejge und ihr Mann«.

Ich hielt Tirschbein seine Kaffeetasse hin, und er reichte mir das Foto, nachdem er es betrachtet hatte. Damals, an jenem Schabbat, war es ihm gelungen, die beiden zu fotografieren. Er berührte die Karte und sagte, der »Mann« habe wirklich nicht recht. Die Namen der Städte seien nicht herausgerissen worden. An jedem Ort, den er besuchte, habe er Juden getroffen. Ein solches Leben wische man nicht weg wie Staub.

Die beiden Personen auf dem Foto gingen getrennt voneinander, der Mann hinter der Frau, in sich selbst versunken, mit gesenktem Kopf. Sein Begleiter, sagte Tirschbein, habe auf sie gedeutet und gesagt, nach der Errichtung des Grabsteins habe man auch Fejge mit einem Verrückten aus der Stadt verheiratet. Die jüdische Gemeinde wollte sich von einem Gefühl der Schuld Fejge gegenüber befreien. Die Juden von Bendin hatten ihr nämlich das Leben so verbittert, bis sie den Verstand verloren hatte. In ihrer Jugend hatte sie beim Bäcker gearbeitet. Das Gerücht kam auf, sie spucke in den Teig und lasse ihre Rotze hineinrinnen. Der Bäcker widersprach, aber er war nicht stark genug, um gegen die Bosheit der Bendiner Frauen anzukommen.

Fejge wurde entlassen und fing an, in den Straßen herumzulaufen und den Leuten zu demonstrieren, wie sie ihre hasenschartige Lippe abwischte und sich die Nase putzte. Doch alles Bitten half ihr nichts. Die Kinder verspotteten sie laut und schrien ihr Sachen nach über Schleim und Spucke, bis sie den Verstand verlor. Nachdem man sie auf dem Friedhof verheiratet hatte, kaufte man dem Paar auch noch ein Pferd und einen Wagen mit einem Faß, so daß sie sich mit Wasserausfahren ihren Lebensunterhalt verdienen konnten. Der Badchen brachte ihnen einen Vers bei, den sie singen sollten, wenn sie mit dem Wasser durch die Straßen fuhren:

> *Nechemja is a manzbil*
> *Fejge is a mojd*
> *kojfische wajber waßer*
> *weln mir hobn brojt.*

Ich gab Tirschbein das Foto zurück, zusammen mit der Karte Bendin. Das Thema seines dritten Vortrags war gewesen: Die Literatur ist tot, es lebe die Literatur.

Der Lärm draußen nahm ständig zu. Leute rannten durch das Treppenhaus, liefen auf dem Dach herum. Tirschbein machte das Fenster auf und schloß es sofort wieder. Zusammen mit dem Lärm brach ein kalter Wind herein. Die Straße war schwarz von Menschen. Berittene Polizisten kreisten die Menge ein. Junge Chassidim bewachten die schmale, hohe Tribüne, auf der ein Thron stand. Über ihm schwebte leicht schwankend die an einem Seil hängende Krone. Wir zogen unsere Mäntel an und gingen hinaus aufs Dach. Frauen und Kinder hatten sich an der niedrigen Mauer parallel zur Straße versammelt.

»Was passiert hier?« fragte Tirschbein seine Nachbarin, die kleine Frau mit den sechs Töchtern und dem einen Sohn, die wir beim Kapporesschlagen getroffen hatten.

»Der Rabbi von Satmar wird verabschiedet«, antwortete sie, verärgert über die Bewacher des Rabbi, die auf der Straße herumliefen und die Frauen in die Häuser trieben. Seinen Namen, Mojschke Tajtlbojm, sprach sie mit einem leichten Spott aus und erzählte, er sei für einige Tage aus New York gekommen, habe Geld unter seinen Anhängern verteilt und kehre jetzt nach Amerika zurück. Sie selbst hätte keine Minute ihrer Zeit geopfert, um sich dieses Theater da unten anzuschauen, wenn ihre Töchter nicht unbedingt auf das Dach gewollt hätten, und auf die müsse sie schließlich aufpassen. Es sei ihr auch nicht recht, daß fremde Frauen im Haus herumliefen und auf das Dach kämen, als wäre es ihr eigenes.

Sie maulte weiter, war aber nicht mehr zu verstehen. Aus den Lautsprechern, die auf den umliegenden Dächern aufgestellt worden waren, kam Gesang. Wir gingen zum Rand des Daches. Unten auf der Straße war der Rabbi von Satmar dabei, die Tribüne zu besteigen. Seine Leibwächter mühten sich vergeblich, die Menge zurückzuhalten, und als der Rabbi die oberste Stufe erreicht hatte und seinen Fuß auf die Tribüne setzte, bewegten sich die Stufen, und der Rabbi, einen Fuß bereits auf der Tribüne, den anderen im Nichts, schwankte. Berele packte ihn von hinten und machte, zusammen mit dem Rabbi, einen Satz auf die Bühne. Der Rabbi setzte sich auf den Thron, und aus den Lautsprechern kam ein neues Lied:

»Unser König, unser Messias.«

Es fing leicht an zu regnen, und wir gingen wieder hinein. Auch in der Wohnung waren die Lautsprecher nicht zu überhören, aber Tirschbein beharrte darauf, daß wir unseren Spaziergang durch die vielen Städte und *schtetlech* Polens fortsetzten. Überall war er gewesen. Und er kehrte zu ihnen zurück, wenn er nachts in der Badewanne saß, etwas, was er sich angewöhnt hatte, seit er aus dem Kibbuz Jalon zurückgekommen war. Dann lasse er sich vom Wasser umspülen und lese die Namen der Menschen, die er gekannt hatte, auch derer, die er vielleicht nur einmal getroffen hatte, an die er sich dennoch immer wieder erinnerte. Sie waren eines schrecklichen Todes gestorben, und er sagte ihre Namen auf, als spreche er Totengebete. Die ganzen Jahre hatte er ihre Fotos aus Zeitungen ausgeschnitten. Er nahm eine Mappe vom Regal, öffnete sie und reichte mir ein Bündel ausgeschnittener Fotos. Bei einigen zerfielen die Ränder förmlich, wenn man sie berührte. Der Gesang draußen war ohrenbetäubend, und wir lasen Namen und betrachteten Fotos, während Tirschbein weitere Einzelheiten erzählte.

»Fischl Rosenschtajn – Schauspieler und Dramatiker«, las ich und betrachtete die Blume auf seinem Revers. Tirschbein hatte ihn in Bels kennengelernt, wo er zu Isslers Truppe gehört hatte. Sie spielten den Dibbuk von Anski. Er selbst war damals in Bels zu einem Vortrag eingeladen gewesen, das Thema habe er aber vergessen. Am Morgen nach dem Vortrag stand Tirschbein am Fenster seiner Herberge, da sah er draußen auf der Straße einen feierlichen Umzug von Chassidim, die ihren Rabbi zum Ufer des Flusses begleiteten, wo er ein bißchen frische Luft schnappen wollte. Zwei Chassidim liefen voraus und trieben die Leute aus dem Weg. Sie befahlen ihnen, in die Häuser zu gehen und die Fensterläden zu schließen. Ein Chassid trug einen Stuhl, damit der Rabbi, falls er unterwegs müde würde, sich hinsetzen und ausruhen könnte.

Direkt vor der Herberge wurde der Rabbi tatsächlich müde, und da erschien Issler zusammen mit dem Schauspieler Fischl Rosenschtajn. Tirschbein ging hinaus, und Issler bat ihn um Hilfe. Er wollte den Schauspieler davon abhalten, zu dem Rabbi hinzugehen, weil ihn die Chassidim zusammenschlagen würden. Fünf Tage waren seit ihrer Aufführung schon vergangen, und die Truppe war immer noch in der Stadt. Sie waren bei den Behörden angezeigt worden, deshalb durften sie bis auf weiteres die Stadt nicht verlassen. Issler war sogar eingesperrt worden, doch durch die Intervention eines Freundes aus der Hauptstadt wieder freigekommen. Der Rabbi hatte den Bann über alle ausgesprochen, die das Theater besuchten, seine Anhänger hatten die Ankündigungen zerrissen, einen jungen Schauspieler verprügelt und einer Schauspielerin die Haare abgeschnitten. Sie würden die Anwesenheit von Huren und Revolutionären in ihrer Stadt nicht erlauben, hatten sie überall verkündet. Noch während Issler sprach, befreite sich der alte Schauspieler aus seinem Griff und rannte zum Rabbi, der, umgeben von seinen Chassidim, mitten auf der Straße auf dem Stuhl saß. In seinem deutsch gefärbten Jiddisch schrie Rosenschtajn, er brauche dringend die Hilfe des Himmels. Er bekomme keine Hauptrollen mehr, seit er taub geworden war, und er habe eine Familie zu ernähren. Er fiel vor dem Rabbi auf die Knie und flehte, der Himmel möge ihm sein Gehör wiedergeben. Der Rabbi fragte ihn nach seinem Beruf, denn nach seinem Aussehen – einem schwarzen Überwurf, einem flachen, breitkrempigen Hut und einem rasierten Gesicht – hätte man ihn für einen Priester halten können.

»Ein Schauspieler, Rabbi, ein jüdischer Schauspieler«, erklärte einer der Chassidim. Der Rabbi hatte noch nie von einem solchen Beruf für Juden gehört, und der Chassid rief:

»Ein Spaßmacher, Rabbi, ein Clown.«

Der Rabbi legte die Hand auf den Kopf des Schauspielers und segnete ihn. Er möge bald von seinem armseligen Beruf befreit sein, und seine Ohren mögen ihm geöffnet werden. Fischl Rosenschtajn erhob sich, warf die Arme in die Luft und rief Issler und Tirschbein glücklich zu:

»Ich bin gesegnet! Ich bin gesegnet!«

Das nächste Bild zeigte Mosche Ja'akow Rabita aus dem Dorf Alisk, ungefähr dreißig Jahre alt, ein Schnurrbart mit gezwirbelten Spitzen. Friseur. Er hatte einen Roman mit dem Titel »Der verwandelte Ja'akow« geschrieben. Nachdem er Schriftsteller geworden war, hatte er sich einen neuen Namen zugelegt, Oderschleger. Seine Spur verlor sich in einem Konzentrationslager.

Jizchak-Levi Imber nannte sich Jonathan, eine Anspielung auf die Liebe zwischen David und Jonathan. Seine Gedichte widmete Imber den jungen Männern, die er liebte. Er war nach Amerika ausgewandert und später in sein geliebtes Polen zurückgekehrt, mehr wußte man nicht.

Dow Fruchter. Geboren in Balikow, von Beruf Steinmetz. Studierte dann an der Universität Hamburg. Hatte einen unvollendeten Roman veröffentlicht. Ermordet.

Ja'akow Poper. Rabbiner und Sozialist. Starb an einer Vergiftung, nachdem er in einem jüdischen Restaurant in New York Kuchen gegessen hatte.

Anna Margolit. Geboren in Bianow in der Nähe von Brisk. Näherin. Schrieb Gedichte wie Sappho, die griechische Dichterin der Antike. Auf ihrem Grabstein stand gemeißelt: Vorübergehender, bemitleide mich nicht, gehe weiter und schweige.

Kalman Segel. Lehrer für taubstumme Kinder. Ermordet.

Chaim Simiatizki. Betete, hungerte, schlief nachts in verschlossenen Geschäften. Seine Gedichte: Lebensquellen. Ermordet.

Mosche-Leib Halperin. Ein längliches Gesicht, dicke Brillengläser, gescheite Augen.

Tirschbein ging zum Fenster, schaute auf die Menge hinunter und rief: »Kinder Israels! Ihr habt euren Dichter vergessen. Seine Worte sind frisch, seine Sprache ist angenehm, sein Blut rot. Wer will durch die Straßen Jerusalems laufen und seinen Namen rufen: Mosche-Leib! Mosche-Leib!«

Tirschbein kam zu der Karte zurück und vervollständigte seine Aufzählung mit dem Namen seines persönlichen Freundes, Gedalja Fuks, der in einem Dorf in der Nähe von Białystok lebte. Sie hatten gemeinsam vegetarische Mahlzeiten eingenommen wie Bohnensuppe oder Borschtsch. Sie hatten sich oft umarmt und geweint. Gestorben an Einsamkeit.

Allmählich goß es in Strömen. Der Regen schlug auf das Dach, gegen die Hauswände und die Fenster, doch die Menge löste sich nicht auf. Schwarze Regenschirme wurden aufgespannt. Der Rabbi, umgeben von seinen

Leibwächtern, saß auf dem Stuhl unter der Krone, und von Zeit zu Zeit erhob er die eine Hand zum Himmel, in der anderen hielt er ein Mikrofon und verkündete immer wieder:

»Alles steht da oben geschrieben! Alles ist aufgeschrieben und besiegelt! Dort oben weiß man alles!«

Die Menge jubelte ihm zu, und aus den Lautsprechern erklang wieder der Kehrreim »Unser König, unser Messias«. Der Regen drang durch die Krone und die Schirme, die die Leibwächter für den Rabbi aufgespannt hatten.

»Ein nasser Messias«, sagte Tirschbein. Er klang enttäuscht. Auch die Fotos und die Geschichten, die er erzählt hatte, schienen ihn nicht zu befriedigen.

Er werde die Landkarte von der Wand nehmen und Issler schicken, sagte er. Oder sie ihm mitbringen, wenn er hinfahre, um den zweiten Akt der Pantomime zu sehen.

Ich blieb am Fenster stehen und wartete darauf, daß der Regen aufhörte und ich nach Hause gehen konnte. Tirschbein stellte sich neben mich. Wir betrachteten die Krone, die über der Straße schwankte, und Tirschbein erzählte von einer kleinen Stadt, in die er einmal gefahren war, erst mit dem Zug, dann mit einem Pferdewagen. Genau an diesem Tag hatte man ein Kind tot aufgefunden, und der Verdacht eines Ritualmordes war geäußert worden. Zwei Stunden hatte er auf die Entscheidung der Veranstalter gewartet, ob die Veranstaltung stattfinden sollte oder nicht, bis er vom Fenster seiner Herberge aus einen einzelnen Chassid sah, der, mit einer Tora in der Hand, auf der Straße tanzte und die Juden aufforderte, aus ihren Verstecken zu kommen. Der ermordete Junge war nämlich ein jüdisches Kind gewesen. Tirschbeins Vortrag hatte planmäßig stattgefunden.

38

Als ich am nächsten Tag gegen Mittag zu Tirschbein kam, war die Bühne schon abgebaut. Die nassen Bretter waren am Straßenrand aufgestapelt. Es hatte aufgehört zu regnen, die Straße war ruhiger, obwohl die Krone noch immer an ihrem Seil hin und her schwankte. Tirschbein hatte die Tür von innen verschlossen, und er verriegelte sie auch wieder, als ich eingetreten war. Dann ging er zurück zur Schreibmaschine, um seinen Brief an Dubschin fertig zu schreiben. Er reichte mir nur die Karte von Polen, die er von der Wand genommen hatte, und bat mich, sie in meine Tasche zu stecken, für den Fall, daß wir Issler zufällig in der Fußgängerzone träfen. Gestern habe er, nachdem ich das Haus verlassen hatte, gebadet. Er habe in der Wanne gelegen und sich an Vergessenes erinnert. Zum Beispiel an die Toten, die in Alkisch ihre Gräber verließen.

Diese Geschichte handelte von einem Rabbiner, der am Abend des Jom Kippur plötzlich entdeckte, daß mehr Betende anwesend waren, als es überhaupt Juden in der Stadt und ihrer Umgebung gab. Bald wurde ihm klar, daß auch die Toten gekommen waren, um das Kol Nidre zu hören. Er befahl ihnen, zu ihren Ruhestätten zurückzukehren, denn die Enge und Hitze in der Synagoge war kaum zu ertragen, und allen fiel das Atmen schwer. Als sie ihm nicht gehorchten, befahl er allen Anwesenden, den Tallit vom Kopf zu nehmen, und diejenigen, deren Kopf weiterhin verhüllt blieb, wurden einer nach dem anderen gezwungen, die Synagoge zu verlassen.

»Es muß eine Unterscheidung zwischen den Toten und den Lebenden geben«, sagte Tirschbein. Auch er würde aufhören, seine Toten zu fragen, wo sie wären. Ab heute würde er sich an die Lebenden wenden.

Ich fand D. D.s Briefe auf meinem Tisch. Unter dem Tisch stand ein Pappkarton, den Tirschbein aus dem anderen Zimmer geholt hatte. Darin lagen die Zeitungen, die er in den letzten Tagen gekauft und noch nicht einmal aufgeblättert hatte. Er würde auch keine Traueranzeigen mehr ausschneiden, sagte er. Auch die Mappe mit den Fotos der toten Dichter, die wir gestern angeschaut hatten, befand sich in dem Karton. Und die Morgenzeitungen, die er an diesem Tag bereits gekauft hatte. Im Regen war er zur Fußgängerzone gegangen und hatte unterwegs Berele und Dobson getroffen. Sie folgten ihm und sprachen über Bitman. Sie wollten im Lauf des Tages zu ihm kommen, hatten sie versprochen, bevor sie ihren Rabbi als Leibwächter nach Amerika begleiteten. Sie forderten Bitmans Geld und versprachen, der Rabbi würde es Tirschbein damit vergelten, daß er ihm einen Platz in der kommenden Welt sicherte.

Doch Tirschbein wollte nicht mit ihnen sprechen, nicht wegen des Regens, sondern weil sie einfach zu spät dran waren, wie er ihnen sagte. Er war in einem Haus aufgewachsen, in dem es ständig um die kommende Welt gegangen war. Sein reicher Onkel in

Białystok hatte Spione zu seinem Schwager geschickt, die prüfen sollten, ob er sich auch wirklich an ihre Abmachung hielt und ihn nicht betrog. Nach einem Jahr bekam der Schwager jedoch eine Anstellung beim Rabbinatsgericht und kündigte daraufhin den Vertrag. Alle fürchteten, der Onkel würde vor Kummer sterben, aber es war die Tante, die starb, nachdem sie der Schlag getroffen hatte. Der Onkel legte sich neben ihre Leiche und schrie, er wolle mit ihr beerdigt werden. Nach der Beerdigung verfiel er in eine tiefe Depression, und nach den Schloschim heiratete er eine Frau, die vierzig Jahre jünger war als er.

Mit dieser Episode würde er »Gesicht in den Wolken« anfangen, sagte er, und deshalb sei er dabei, seinen Schreibtisch aufzuräumen. Kants Bücher hatte er in Hartiners Blechkiste gelegt, die nun unter seinem Tisch stand. Die Manuskripte des vergessenen Dichters hatte er einzeln in Plastiktüten verstaut, um das vergilbende Papier zu schützen, und sie dann auf einem Regal in seinem Schlafraum gestapelt. Ich goß für uns beide Tee auf, und als ich ihm die Tasse brachte, hörte er einen Moment auf zu schreiben, drehte sich mit seinem Stuhl zu mir um und sagte, er würde sich freuen, wenn ich bis zum späten Abend bei ihm bleiben könnte, denn er fürchte, die beiden würden kommen, Berele und Dobson. Wenn sie nach Amerika führen, hätte er wenigstens eine Woche seine Ruhe. Und vielleicht hätte sich bis dahin das Wetter geändert, und wir könnten nach Nazareth fahren und dem alten Ehepaar, Rosa und Markus Glaser, das Erbe übergeben. Es sei wieder ein Brief von ihnen gekommen, der die

Verwandtschaft zwischen Rosa und dem verstorbenen Schlomo Bitman darlege.

»David Dobson hat seinen Pferdeschwanz abgeschnitten«, verkündete Tirschbein dann.

Die beiden tauchten an diesem Tag nicht auf. Statt dessen kam Alisa, Hartiners Schwester, um seine Bücher und Manuskripte abzuholen. Sie habe die Wohnung am Markt von Me'a Sche'arim dem Rabbi von Satmar übergeben, sagte sie, und dafür habe man ihr einen Platz in einem Heim für gläubige ältere Frauen besorgt. Die Frau des Rabbi habe ihr eine Perücke aus Amerika geschickt, in der sie, wie ihre Zimmergenossin gesagt habe, jünger und schöner aussehe als mit ihren eigenen Haaren. Als sie sich auf den Stuhl setzte, den Tirschbein ihr hinschob, legte sie die Falten ihres langen Kleides sorgfältig um ihre Knie. Sie wirkte vernünftig, ihr Gesicht war etwas voller geworden und sah besser aus. Seit ihrem Umzug in das Heim hatte sie, wie sie erzählte, keine Kopfschmerzen mehr gehabt und mußte auch nicht mehr in die Klinik. Sie hatte nun den ganzen Tag Zeit, weil sie das Haus auch kaum verließ, und deshalb wollte sie die Aufgabe fortführen, der sich ihr Bruder nach dem Tod seiner Frau gewidmet hatte, und seine Bücher umschreiben. Zipora hätte ihm nicht erlaubt, auch nur ein Wort zu ändern. Eine tyrannische Frau sei sie gewesen. Sein ganzes Leben lang habe sich ihr Bruder beschwert, daß man ihm einen Riegel vor den Mund geschoben habe. Endlos hätten sie gestritten. Immer hätte Zipora gesagt, solange sie lebe und den Unterhalt verdiene, dürfe er seine Helden nicht ändern. Wie könnte man aus einer Hure eine barmherzige Schwester machen? Ihr Bruder hätte nach Ziporas

Tod keine Elegie schreiben sollen, sondern eine Alptraumgeschichte.

Sie bat Tirschbein, die Kiste mit seinen Schriften zu holen, dann würde sie beweisen, daß sie die Wahrheit sprach. Sie wartete nicht erst, sondern bückte sich, um die Kiste hochzuheben, die sie unter dem Tisch entdeckt hatte. Tirschbein griff nach ihr, um sie davon abzuhalten, und sie zuckte vor seiner Berührung zurück. Er holte aus dem anderen Zimmer die Plastiktüten mit Hartiners Manuskripten. Ich wollte ihm helfen, doch das ließ er nicht zu. Mehrmals ging er hin und her und legte alles vor Alisa auf den Tisch. Sie war entsetzt darüber, daß man die Werke ihres Bruders aus der Kiste genommen und in Plastiktüten verpackt hatte.

»Warum?« fragte sie und schüttelte so heftig den Kopf, daß ihre Perücke verrutschte. Sie begann, in den Tüten herumzuwühlen. Wieder hielt Tirschbein sie zurück, diesmal jedoch nur mit Worten. Er hob eine Tüte hoch und deutete auf einen aufgeklebten weißen Zettel außen auf der Tüte, auf dem der Inhalt notiert war. Alles sei geordnet, und es gebe keinerlei Grund, herumzuwühlen. Jede Tüte sei beschriftet. Alisa rückte ihre Perücke zurecht und sagte, sie verabscheue besonders eine Erzählung, in der ihr Bruder ihren Vater beschrieben habe. Sie betrachtete eine Tüte nach der anderen, bis sie die richtige gefunden hatte. Auf dem Zettel stand: »Der Einsame«. Die meisten Blätter des schmalen Bändchens, das sie herauszog, hatten sich bereits gelöst, und der Titel war durchgestrichen. Darunter hatte Hartiner einen anderen Titel geschrieben, »Die Hohen Feiertage«. Sie hatte ihren Vater nicht gekannt, denn er war gestorben, als sie zwei war, aber die Vorstellung, daß ein Sohn so abfällig über seinen Vater schrieb, gefiel ihr nicht. Er hatte dessen Namen zwar von Schimon-Ber zu Simcha-Dov geändert, doch jeder wisse, wer gemeint sei. Sie fand die Stelle, nahm ein loses Blatt aus dem Büchlein und las:

»Simcha-Dov, ein frommer Jude, saß am Tisch und aß. Langsam fuhr er mit dem Holzlöffel durch die große, tiefe Porzellanschüssel, die bis zum Rand mit dampfender Bohnensuppe gefüllt war. Sein Kopf war vorgebeugt, und er blies, während seine Schnurrbartenden in die Suppe hingen, in das heiße Essen, als wolle er ihm seine Seele einhauchen. Die Schüssel war so groß, daß man wohl Stunden brauchte, um sie leer zu essen, doch nein, es dauerte keine Minute, da war sie leer, und auf ihrem Boden wurde ein blauer Vogel sichtbar.«

Alisa legte das Blatt zurück, nahm ein anderes und sagte, sie schäme sich, den letzten Satz der Geschichte zu lesen. Sie reichte es Tirschbein, damit er ihn selbst leise lesen könne. Auch mir gelang es, ihn zu lesen, bevor sie mir das Blatt aus der Hand nahm und an seinen Platz zurücklegte. Hartiner hatte beschrieben, wie Simcha-Dov mitten im Segensspruch aufstand, verschwitzt, die fleischige Nase gerötet, sein rechtes Bein hob und einen Furz fahren ließ, daß die Fensterscheiben zitterten.

»Schreibt man so über seinen Vater?« fragte Alisa.

Dann ging sie und nahm Hartiners Manuskripte in zwei großen Plastiktaschen mit. Die Elegie und Ziporas Porträt in dem vergoldeten Rahmen hatte sie zurückgelassen.

Wir setzten unsere Arbeit fort, ich sortierte die letzten Briefe von D. D., und Tirschbein schrieb weiter an seinem Brief an Leib Dubschin. Er erzählte ihm von D. D.s Ehemann, über den er in der Nacht, als er in der Badewanne lag, nachgedacht hatte. Als er einmal in Rio de Janeiro war, hatte er sich nach ihm erkundigt und erfahren, daß er nach dem Krieg beim Handel mit Drogen erwischt worden war, ins Gefängnis gekommen war und sein ganzes Vermögen verloren hatte. In den Zeitungen stand, er habe Beziehungen zu Männern. Jemand wollte ihn auch auf der Straße betteln gesehen haben, doch sein Gesicht sei nicht genau zu erkennen gewesen. D. D. hatte Tirschbein um einen Monat verpaßt. Das hatte er von der Nachbarin erfahren, bei der D. D. sein Manuskript »Salz meines Lebens« hinterlassen hatte, zusammen mit dem Bündel Briefe, die sie an ihn geschrieben, aber nicht abgeschickt hatte. Es kam ihm einfach nicht in den Sinn, sie könnte vor ihm geflohen sein. Er fragte alle Leute nach ihr. Doch auch Dubschin wußte nicht, wohin sie verschwunden war. Er durchstöberte Zeitungen in der Hoffnung, bei irgendwelchen Ankündigungen für Unterhaltung und Kunst auf ihren Namen zu stoßen. Viele Tage lang saß er in der Bibliothek und blätterte alte Zeitungen durch, und wenn er durch die Straßen ging, blieb er vor jeder Anzeigentafel stehen.

»Verrückte«, beschimpfte er sie innerlich und beschuldigte sie, sich nicht anders verhalten zu haben als alle Frauen in seinem Leben. Auch von sich selbst sagte er, er sei verrückt, weil er Stunden und Tage damit verbrachte, die Abfahrtzeiten und Reiserouten aller Schiffe herauszubekommen, die in dem Monat ihres Verschwindens abgelegt hatten. Konnte es sein, daß beide Schiffe, seines und D. D.s, an einem bestimmten Tag aneinander vorbeigefahren waren, in entgegengesetzte Richtungen? Wenn sie ihm den Namen des Schiffes und den Tag ihrer Abreise mitgeteilt hätte, hätte er alles in seiner Macht Stehende getan, um ihren Aufenthalt herauszubekommen. Aber sie notierte nie irgendwelche Daten, auch nicht in ihren Briefen. Als er diese seinen eigenen zuordnen wollte, war er gezwungen, es nach ihrem Inhalt zu tun. Auch diese Arbeit kostete viel Zeit, hatte aber zur Folge, daß das, was sie geschrieben hatte, für immer in seinem Gedächtnis blieb, die Fragen, die sie ihm stellte, und die Geheimnisse, die sie ihm verriet. Seine freundschaftlichen Gefühle ihrem Mann gegenüber verstand sie nicht, ebensowenig seine Bereitschaft, ihre Liebe mit ihm zu teilen. Warum hatte er ihr verboten, durch einen Betrug Geld aus ihrem Mann zu locken? Wäre er mit ihr zusammen in New York, hätte sie nicht unter Einsamkeit gelitten, und die Stadt wäre ihr nicht zu einem Sodom geworden. Sie wisse nicht, ob sie jemals zu ihrem Mann zurückkehre. Sie habe vor, sich für eine Tournee in Argentinien einer Tanzgruppe anzuschließen. Ein schwedischer Impresario, den sie seit ihrer Jugend kenne, habe sie eingeladen, in seinem Land aufzutreten, aber sie fürchte ein Fiasko, denn sie hatte schon lange nicht mehr auf der Bühne gestanden. Von Tirschbeins Freunden habe sie erfahren, daß man in Palästina versuche, eine Heimat für das jüdische Volk aufzubauen. Vielleicht würde sie auch in einen Kibbuz gehen, ein Leben in der Gemeinschaft führen und sich nie mehr einsam fühlen. Oder sie könnte nach Paris zurückfahren und ihre alten Eltern pflegen. Nie mehr würde sie auf der Bühne stehen, doch immer würde sie sich an ihre kurze gemeinsame Vergangenheit erinnern, denn sie habe nicht aufgehört, ihn zu lieben.

Sie erinnerte ihn daran, wie er einmal die ganze Nacht neben ihr gesessen hatte, als sie sich den Fuß verrenkt hatte und nicht einschlafen konnte. Und als sie endlich gegen Morgen eindämmerte, räumte er das Zimmer auf. Das war damals, als sie, weil ihr Geld zu Ende ging, das Hotel verlassen und sich eine winzige Wohnung mieten mußten. Als sie aufwachte, sah sie, daß ihre Kleider in den Schrank geräumt waren. Außerdem waren ihre Schuhe geputzt, das Geschirr gespült und der Boden sauber. Sie selbst, schrieb sie, sei nie eine gute Hausfrau gewesen und habe sich auch um nichts mehr kümmern müssen, nachdem sie einen reichen Mann geheiratet hatte, in Brasilien habe es dafür Personal gegeben. Die Zimmer dort waren gepflegt und hell, doch in ihrem Herzen sei es immer dunkler geworden. Ihr Mann war damit einverstanden gewesen, daß sie für ein Jahr nach Paris zurückkehrte. Sie hoffte, dort wieder auf der Bühne zu stehen. Doch Paris hatte sich verändert. Irgend etwas war in ihr gestorben. Es ging nicht um die Männer, die fehlten ihr nachts nicht, doch sie ließen leere Vormittage zurück. Tirschbein war ihre Rettung gewesen.

Als er damals in der Cafeteria saß und sie hinter ihn trat, habe sie gar nicht vorgehabt, ihn zu berühren. Nach ihrer Beschreibung hatte sie nur ein Insekt auf seiner Schulter entdeckt und wollte es wegnehmen, wobei sie unabsichtlich mit dem Fingernagel seinen Nacken berührt hatte. Und er hatte mit soviel Wärme und einer leichten Traurigkeit in den Augen reagiert. Sie war immer überzeugt gewesen, Liebe sei grausam.

Bei Tirschbein hatte sie gelernt, daß Liebe auch etwas mit wirklicher Freundschaft zu tun hatte. Seine Liebe zu ihr hatte ihr das Lachen zurückgebracht, und seine Worte hatten die Melancholie aus ihrem Herzen vertrieben. Sie wolle ihm ein Geheimnis verraten: Falls er noch immer die Locke in dem Papier aufbewahre, in die sie gewickelt war, solle er das Papier doch einmal gegen das Licht halten, dann würde er die Spuren eines mit Wasser geschriebenen jiddischen Satzes entdecken. Dank Sara Jurberg, der Dichterin aus Brisk, habe sie Jiddisch gelernt, denn die vielen Zitate in Tirschbeins Briefen hätten sie geärgert. Nicht Tirschbeins Drängen, sondern ihre Eifersucht auf die Dichterin hätten sie überzeugt. Als er einen ganzen Brief von ihr abgeschrieben hatte, fing D. D. an, Jiddisch zu lernen. Vielleicht würde sie ihm noch ein Geheimnis anvertrauen, schließlich hätten sie ja ausgemacht, keine Geheimnisse voreinander zu haben. Sie hatte mit Sara Jurberg korrespondiert. Hatte er nicht selbst gewünscht, daß sie sich trafen? Er wollte doch mit ihr nach Brisk fahren und seine vollendete Schwester-Braut der Frau vorstellen, die sich als die falsche herausgestellt hatte. Sie, D. D., habe Sara Jurberg geschrieben, nachdem sie ihren Brief gelesen hatte. Und noch ein Geheimnis wolle sie bekennen: Sara Jurberg habe ihr geraten, das Paket zu öffnen, das er ihr zu treuen Händen übergeben hatte, das »Salz meines Lebens«. Als sie das tat, fand sie kein Manuskript, sondern die Abschriften der Liebesbriefe von der Dichterin. Sie habe sie alle gelesen. Beide, sie und Sara Jurberg, wollten wissen, warum er sie aufgehoben hatte. Was sie ihm in der Zukunft nützen sollten.

»Eure Liebe war ohnehin nur eine Liebe auf Papier«,

schrieb D. D. in einem ihrer letzten Briefe und fragte, ob die Kraft einer solchen Liebe stärker sei.

Tirschbein antwortete ihr in seinen Tagebüchern. Zuerst schrieb er die Initialen ihres Namens, dann immer wieder die Frage: »Wo bist du?« Dann hörte er auf zu fragen, sondern schrieb nur noch jeden Tag ihre Initialen, immer wieder, mit großen und kleinen Buchstaben, in langen Reihen oder übereinander. Ganze Seiten voll. Auf der ersten Seite, die er schrieb, nachdem er aufgehört hatte, ihre Initialen zu malen, stand ein Traum: Zusammen mit D. D. begleitete er Leib Dubschin auf seinem letzten Weg. Weil zuwenig Männer anwesend waren, nahmen sie auch D. D., um den Minjan zu vervollständigen, und sie sagte den Kaddisch. Sie sah so schön aus, schlank, groß, mit einem breitkrempigen grünen Hut. Als sie sich nach dem Amen zu ihm umdrehte, um ihn in ihrem gemeinsamen Schmerz zu umarmen, traten ihm Tränen in die Augen, und zu seinem Schrecken stellte er fest, daß sie Sara Jurberg war. Sie flüsterte ihm leise zu, er solle endlich aufhören, aus ihrer Liebesnacht mit dem Verstorbenen eine Affäre zu machen. Es sei ein Fiasko gewesen, und weitere Nächte habe es nicht gegeben.

Tirschbein erhob sich von seinem Stuhl, streckte die Hand aus und nahm die chinesische Dose vom Regal. Dann drehte er sich zu mir um und sagte, er wolle Dubschin den Inhalt der Dose beschreiben und damit den Brief beenden. Zuerst beschrieb er die Dose selbst, deren Höhe, Länge und Tiefe eine Handbreit nicht überstieg. Ihr Deckel war aus grünem Porzellan, und darauf war eine Pagode gemalt, eine hohe Palme und ein Vogel, der in die untergehende Sonne fliegt. Dann berichtete Tirschbein noch, was auf dem Papier gestanden hatte, in das D. D. damals die Locke eingewickelt hatte:

»Ich bin deine Zwillingsschwester.«

39 Ich legte den Brief an Leib Dubschin zu dem gesamten Material, das für das Buch bestimmt war, und räumte meinen Tisch auf, denn auch ich hatte meine Arbeit, das Ordnen und Katalogisieren des Archivs, beendet. Gemeinsam öffneten wir Mappen, suchten die ausgeschnittenen Nachrufe heraus und legten sie in den Karton mit den Zeitungen. Im Frühling, sagte Tirschbein, würden wir ihn in den Hof schleppen und alles verbrennen, wie man Chamez verbrennt.

Wir warteten darauf, daß sich das Wetter besserte, damit wir nach Nazareth fahren könnten. Inzwischen wurde es in Jerusalem immer kälter, und auch der Wind ließ nicht nach. Es regnete in Strömen. Eines Morgens fiel Schnee, der gegen Abend wieder geschmolzen war. Tirschbein sehnte sich nach dem Meer. Er überlegte, ob er sich eine Wohnung in der Nähe vom Strand mieten solle, wie Itzik Issler. Dieser hatte sich seit der Feier im Schriftstellerhaus nicht mehr sehen lassen. An einem verregneten Morgen, als ich zur Arbeit kam, fand ich neben Tirschbeins Tür ein Paket, das Issler geschickt hatte. Doch Tirschbein hatte es nicht eilig, es zu öffnen, er war mit Dobson und Berele beschäftigt, die seiner Berechnung nach schon aus Amerika zurückgekehrt sein mußten. Jedenfalls glaubte er, sie in einem neuen Auto gesehen zu haben, das Dobson steuerte. Und wieder hatte er von Bitman geträumt. Im Traum war Tirschbein neben dem jungen Mädchen mit der Gitarre in der Fußgängerzone stehengeblieben und hatte sie gefragt, warum ihr Gitarrenkasten geschlossen sei. Hatte sie aufgehört, Geld zu sammeln? Sie sagte ihm, er solle den Deckel aufmachen. In dem Gitarrenkasten lag der tote Bitman, zusammengekrümmt wie ein Säugling.

Tirschbeins Ängste stiegen noch, als ich das Paket öffnete. Issler schickte den zweiten Akt der Pantomime, den er von den Pappschildern abgeschrieben hatte. Tirschbein weigerte sich, das Manuskript zu lesen, und verbot auch mir, es zu tun. Er überflog die alte Zeitung, in die die Blätter gewickelt waren. Eine ganze Seite war dem Andenken Ze'ev Jabotinskys gewidmet, unter der Überschrift »Warschau 1936«. Auch der Untertitel war groß gedruckt, ein Zitat aus einer Rede Jabotinskys: »Ich möchte die Juden von Nalewki und Schnipischuk vor dem Untergang retten, der ihnen in Osteuropa droht.« Tirschbein vertiefte sich in den Artikel, sein Blick sprang von einem Absatz zum nächsten, und ich fuhr allein fort, Todesanzeigen aus den Mappen zu holen. In einigen Mappen fand ich weder Briefe noch irgendwelche Unterlagen, nur eine Todesanzeige, manchmal mit Foto, manchmal ohne, die im Lauf der Zeit vergilbt war und zerfiel, wenn ich sie in die Hand nahm. Ein aus einer Zeitung ausgeschnittenes Foto war fast schwarz, und außer dem Namen, der darunterstand, war nichts zu erkennen. Aus der Mappe Dora Levinsons nahm ich die Anzeige ihrer

Ermordung und legte sie ebenfalls in den Karton, auf den Tirschbein geschrieben hatte: Haus des Friedens.

»Mein Name wird erwähnt«, sagte er und bat mich, ich solle ihm die Mappe mit seiner Korrespondenz mit Ze'ev Jabotinsky reichen. Ein Journalist namens Schofman erinnerte sich an Warschau und erzählte, wie Jabotinsky in aller Öffentlichkeit die polnischen Juden vor einer drohenden Ausrottung gewarnt hatte. Im geschmückten Saal des Hotels Bristol hatten sich ungefähr zweihundert Schriftsteller versammelt, Juden und Nichtjuden. Jabotinsky unterbrach plötzlich seine auf russisch gehaltene Rede und rief dem jungen Journalisten und Schriftsteller Noach Naftali Tirschbein auf jiddisch zu, er solle mit seinen Zwischenrufen aufhören, er würde seine dummen Fragen ohnehin nicht beantworten:

Hakt nischt kejn tschajnik!« sagte er.

In Jabotinskys Mappe befanden sich nur Zeitungsausschnitte, unter ihnen auch der, in den Issler den zweiten Akt seiner Pantomime gewickelt hatte. Als ich Tirschbein die Mappe brachte, stand er am Fenster und schaute hinaus in den Regen.

»Sie haben vergessen, die Krone abzunehmen«, sagte er.

Auch als ich am nächsten Morgen zu ihm kam, stand er am Fenster und schaute hinaus in den Regen und auf die über der Straße schwankende Krone. An den Wänden hingen die Zeitungsartikel über Jabotinsky. Ein Foto von ihm, wie er in einem dunklen Zimmer stand, vor einem hellen, vergitterten Fenster, bedeckte Immanuel Kants Porträt. An der Wand gegenüber, wo früher die Karte von Polen gehangen hatte, hing nun eine ganze Seite aus dem »Ma'ariv«, über die sich in ganzer Breite die Schlagzeile hinzog: »Polen hat die diplomatischen Beziehungen mit Israel abgebrochen.«

Auf meinem Schreibtisch fand ich die Seiten mit dem zweiten Akt von Isslers Pantomime. Wieder bat Tirschbein mich, die Seiten nicht zu lesen. Er selbst habe da und dort einen Blick darauf geworfen und gefunden, es handle sich nur um eine vulgäre Parodie, die gegen ihn, Tirschbein, gerichtet sei, mit gereimten Fragen und Antworten. Tirschbein als Noach, der Gerechte, der nun betrunken das jüdische Volk beschimpfte, die Hose runterzog und allen zurief: »Leckt mich!«

Er würde es nie über sich bringen, ein Manuskript, und seien es auch nur ein paar Seiten, wegzuwerfen, sonst hätte er Isslers Geschreibsel in den Karton zum Verbrennen geworfen. Ich solle die Seiten in Isslers Mappe legen, und wenn ich Lust hätte, etwas Heißes zu trinken, solle ich mir was machen, er habe nämlich beschlossen, heute zu fasten. Er müsse sühnen, weil er Spuren von Neid in seinem Herzen entdeckt habe. Auf wen? Er schämte sich, das zuzugeben, sogar in seinem Tagebuch hätte er den Namen des Mannes nicht erwähnt, den er beneidete: einen Mann, den er damals als Faschisten bezeichnete, einen streitsüchtigen falschen Propheten, Ze'ev Jabotinsky.

»Eine persönliche Beleidigung«, sagte er, deshalb habe er die Zeitungen an die Wände gehängt, um seine Seelenqualen zu vergrößern. Deshalb habe er auch Immanuel Kants Porträt bedeckt, damit er erkenne, wie die Welt aussah.

Ich legte Isslers Manuskript in die Mappe und suchte weiter nach alten Todesanzeigen. Tirschbein setzte sich an die Schreibmaschine, um ein neues Testament zu tippen. Er öffnete die Mappe mit den Testamenten, blätterte darin herum und sagte, daß alle, die er darum bitten könnte, seinen letzten Willen durchzuführen, die Welt verlassen hätten. Er kenne keine zwei Menschen, die jünger wären als er und die er bitten könnte, nach seinem Tod seine Wünsche zu erfüllen. Eine Zeitlang hätte er seine – allerdings schwache – Hoffnung auf David Dobson gesetzt, doch diese Hoffnungen seien ihm vergangen, als er ihn mit seinem Freund herumziehen sah, diesem Totengräber. Deshalb wandte er sich nun mit der Bitte an mich, ich solle mit meiner Unterschrift auf seinem letzten Testament bestätigen, daß ich nach seinem Tod seine Wünsche erfüllen würde. Er benötigte mich nicht länger, denn alles, was er an Briefen und Unterlagen über die vierzig Jahre seines Lebens in Amerika habe, könne er mit zwei Worten zusammenfassen:

»Eine Wüste.«

Er wolle sich noch einen Tag gönnen, um wieder zu Kräften zu kommen, dann würde er die Reise nach Nazareth nicht mehr verschieben, egal, wie das Wetter wäre. Und dann wäre er frei, sein Buch »Gesicht in den Wolken« zu schreiben.

Das Wetter wurde etwas besser, und an manchen Stellen schien die Sonne durch die Wolken. Wir fuhren los, allerdings nicht nach Nazareth, sondern zum Kibbuz Jalon. Von Lea Mar war ein kurzer, eiliger Brief gekommen, in dem sie ihre Weigerung, das Erbe anzunehmen, widerrief. Ihr Freund hatte eingegriffen. Sie hatte ihm alles erzählt, und er sah in dem Geld eine wunderbare Möglichkeit, sich einen alten Traum zu

erfüllen: Er wollte ein Institut gründen, in dem junge
Leute die reine Lehre des Sozialismus studieren konnten, in Theorie und Praxis. Der Mann, er hieß Usi
Samir, erwartete uns mit Lea Mar am Haupteingang
zum Kibbuz. Er war etwa siebzig, muskulös und braun-
gebrannt, trug auch im Winter kurze Jeans und biblische Sandalen, und die Ärmel seines Hemdes waren
hochgekrempelt. Er hatte einen auffallend hervorste-
henden Kehlkopf, und wegen seiner Größe und Ma-
gerkeit war sein Rücken leicht gebogen. Er sprach mit
einer leisen, angenehmen Stimme, und seine Augen
strahlten Aufrichtigkeit aus. Mit Lea Mar war eine Veränderung vorgegangen. Sie sah so aus, wie Tirschbein
es sich vorgestellt hatte, bevor wir sie kennengelernt
hatten, und sie verhielt sich auch so: eine kleine, nach
innen gekehrte und verängstigte Frau. Ohne etwas zu
sagen, unterschrieb sie alle Dokumente und bemühte
sich, an diesem und dem folgenden Tag so wenig wie
möglich aufzufallen. Es war ihr Freund Usi Samir, der
das Wort führte. Auf einer Sondersitzung des Sekreta-
riats, die bis in den späten Abend dauerte, legte Usi
Samir lang und breit seine Idee von dem Institut dar,
das er »Haus der Moral« nennen wollte. Er erzählte
von seinem älteren Bruder, der von den Nazis umgebracht worden war und vor dem Krieg Moraltheorie an
einer Jeschiwa in Niworodka in Polen studiert hatte. Es
handelte sich um eine chassidische Bewegung, die nach
Einfachheit im Leben strebte: Überfluß vermeiden,
mit wenigem auskommen, Reinheit der Seele, Liebe
zur Menschheit. Hier, im Kibbuz Jalon, würden junge
Leute mit Hilfe von Bitmans Geld die Lehren Israel
Salanters studieren, der 1883 in Königsberg gestorben

war. Das Gemeinschaftsleben im Kibbuz habe sich verzerrt, und das Institut würde den Grundstein für eine Erneuerung bilden.

Auch diesmal hatte uns Lea Mar für die Nacht in Piutas Wohnung untergebracht, in der sich nichts verändert hatte. Diesmal nahm Tirschbein den alten Kalender mit den Bildern französischer Maler und Dostojewskis Buch »Aufzeichnungen aus einem Totenhause« mit. Wir kamen nach Mitternacht in Jerusalem an, und als unser Taxi in die Jo'elstraße einbog, bemerkten wir den Geruch nach Verbranntem. Als wir zum Dach hinaufgestiegen waren, fanden wir Tirschbeins Wohnung nicht mehr vor. Wir stocherten in feuchter Asche und stießen auf Reste von Gegenständen. In weit entfernten Siedlungen an den Berghängen leuchteten Straßenlaternen, aber in unserer Umgebung war es dunkel. Wir gingen wieder hinunter auf die menschenleere Straße. Hinter den heruntergelassenen Rolläden im Erdgeschoß entdeckten wir Licht. Wir klopften an die Tür, aber niemand machte uns auf. Tirschbein weigerte sich, bei mir zu übernachten. Er fand ein Zimmer in einem Hotel der Innenstadt.

40

Bei Morgengrauen war ich auf dem Dach. Tirschbein war schon da. Er saß auf einem niedrigen Hocker in einiger Entfernung von seiner verbrannten Wohnung. Über den Hocker hatte er das Handtuch gebreitet, das er nach Jalon mitgenommen hatte. Dieses kleine Sitzmöbel hatte er bereits damals entdeckt, als das Dach voller Frauen und Kinder war, die bei der Krönung des Satmarer Rabbi zuschauen wollten.

»Auch die Krone ist verschwunden«, sagte er leise. Er hatte den rechten Arm auf sein Knie gestützt, der Kopf ruhte in seiner rechten Hand. Der Wind strich über das leere Dach, über die umliegenden Dächer und die Baumwipfel. Über den fernen dumpfen Geräuschen hing Stille, die nur ab und zu von Vogelgezwitscher unterbrochen wurde. Ein nebliger Wind schlug uns ins Gesicht. Von der Wohnung war die Metalltür übriggeblieben, sie hing schief in den beiden verkohlten Pfosten des Eingangs. Auch die eiserne Badewanne war noch da, samt ihren Löwenfüßen. Sie war vollkommen verrußt, und auf ihrem Boden stand schwärzliches Wasser. In der Wanne lag die Metallkiste, in der Tirschbein Immanuel Kants Werke aufbewahrt hatte, nachdem Hartiners Manuskripte daraus entfernt worden waren. Auch einige Tasten der Schreibmaschine ragten aus dem schwarzen Wasser. Wegen dieser tiefen Badewanne, hatte Tirschbein einmal gesagt, habe er die Wohnung auf dem Dach genommen.

Ich hörte, wie er »langsam, langsam« vor sich hinflüsterte. Plötzlich bückte er sich, öffnete den Koffer zu seinen Füßen, wühlte darin herum und zog den Pyjama heraus, den er mit nach Jalon genommen hatte, die chinesische Dose und die anderen Dinge: die Zusammenfassung der Lehren Immanuel Kants, den alten Kalender, das Buch Dostojewskis. Er breitete alle Gegenstände auf seinem Schoß aus und schaute sich suchend um.

»Wo ist die Karte von Polen?« fragte er.

Ich öffnete meine Tasche und nahm sie heraus. Er

hatte gesagt, ich solle sie bei Gelegenheit Issler geben. Er legte sie in seinen Koffer, zusammen mit den anderen Gegenständen, die er vorher herausgenommen hatte, und machte ihn zu. Als er den Kopf hob, blieb sein Blick an der verbogenen Tür hängen. Dort stand David Dobson, einen großen Militärsack in der Hand. Er trug chassidische Kleidung und eine schwarze Kipa auf dem Kopf. Er kam zu Tirschbein und sagte auf hebräisch mit amerikanischem Akzent, man müsse den Segen für die Errettung aus einer Gefahr sprechen. Alle hätten Angst gehabt, daß Tirschbein, als das Feuer ausbrach, in der Wohnung gewesen wäre. Er, Dobson, hätte den Sack mitgebracht, um Überreste aus der Asche zu sammeln. Am Vortag hatte er alles in der Badewanne zusammengetragen. Zu viele Menschen hätten sich nach dem Brand auf dem Dach herumgetrieben. Das Gerücht wäre aufgekommen, daß auf dem Dach ein reicher Amerikaner gewohnt hätte, und die Leute wären gekommen, um vielleicht etwas zu finden.

Das Feuer war in der Nacht ausgebrochen, die wir in Jalon verbracht hatten. Die Nachbarn hatten sich schon immer über den Hausbesitzer geärgert, der diese Wohnung ohne behördliche Erlaubnis auf das Dach gebaut und zusätzlich die Wände und das Dach mit Pech bestrichen hatte. Dobson selbst war in der Brandnacht in Tel Aviv, sein Freund Berele hatte sich ein neues Auto gekauft. Bei ihrer Rückkehr war schon alles vorbei gewesen. Die Nachbarn hatten ihre Sachen wieder in ihre Wohnungen getragen, und von den Feuerwehrleuten war nichts mehr zu sehen gewesen. Die Polizei hatte den Verdacht geäußert, es könne sich um Brand-

stiftung handeln. Sie suchten nach Tirschbein und be-
fragten alle Nachbarn. Einer sagte aus, er habe zwei
fremde Männer bemerkt, die bei Beginn der Dunkelheit auf das Dach gegangen seien. Sie hätten eine
fremde Sprache miteinander gesprochen. Auch er,
Dobson, war befragt worden.

Tirschbein nahm den Koffer von den Knien und
stellte ihn vorsichtig neben seine Füße, aber er ließ ihn
nicht aus der Hand. Er nickte und sagte, er verdächtige
niemanden, und niemand habe irgendeinen Grund
gehabt, ihm zu schaden. Er habe keine Feinde. Er griff
in seine Tasche, zog seinen Paß heraus und sagte:

»Ich bin amerikanischer Bürger.«

Dobson drückte mir den Militärsack in die Hand und
ging hinunter in sein Kellerzimmer, um etwas Heißes
zu trinken zu holen. Er hatte uns eingeladen, mitzu-
kommen, aber Tirschbein hatte sich geweigert. Er saß
immer noch da und hielt mit der einen Hand den
Koffer fest, mit der anderen seinen Paß. Ich öffnete
den langen Reißverschluß des Armeesacks und begann, alle möglichen Gegenstände hineinzustopfen,
die ich in der Asche fand. Die Schere, mit der er immer
die Todesanzeigen ausgeschnitten hatte, einen Brief-
öffner, die beiden eisernen Papiergewichte. Ich hatte
nichts, womit ich den Ruß von diesen Dingen abwischen konnte, deshalb schob ich sie, schmutzig wie sie
waren, in den Sack. Ich fand die Metallschublade, in
der sich die Karten mit den Ortsnamen befunden hatten, die Tirschbein besucht hatte, bevor er Polen verlassen hatte, um nach China zu fahren. Ein feuchter Block
klebte an ihrem Rand. Als ich ihn untersuchte, hatte ich
ein Päckchen Karten in der Hand, die nur an den

Rändern verbrannt waren. Ich stopfte sie, naß und verklebt, in den Sack.

Dobson kam mit einem Tablett mit Kaffee und Kuchen zurück, außerdem brachte er eine Kanne heißes Wasser und ein Handtuch. Tirschbein hatte noch immer seinen Paß in der Hand. Wieder hielt er ihn Dobson hin und bat ihn, nicht die Polizei zu rufen. Dann steckte er den Paß wieder ein und betrachtete das Tablett, das Dobson auf Hartiners Blechkiste stellte, die er zuvor aus der Badewanne geholt hatte. Nun nahm Dobson mir den Sack aus der Hand und steckte die Gegenstände hinein, die er am Tag zuvor in der Badewanne gesammelt hatte. Er hatte sich verändert, als sei er gewachsen und dicker geworden. Auch in seinem Leben gebe es Neuigkeiten, sagte er. Am Hof des Rabbi, in New York, habe man das Loch in seinem Ohr behandelt. Eine kleine Operation, und das Loch war verschwunden. Er trat mit dem Sack näher, damit wir es uns genau anschauen konnten. Man habe ihm auch eine Braut aus einer orthodoxen Familie besorgt. Sie sei nicht mehr ganz jung und verlasse das Haus nicht. Die Hochzeit würde hier stattfinden, in Jerusalem, und das Datum stehe schon fest. Er habe auch schon eine Wohnung gemietet, sagte er und lud Tirschbein zur Chuppa ein.

»Auch Issler?« fragte Tirschbein. Den Kuchen rührte er nicht an. Er hielt die Tasse mit beiden Händen und trank langsam. Dobson ließ den Sack fallen und starrte Tirschbein mit offenem Mund an.

»Haben Sie keine Nachrichten gehört?« rief er und rannte mit dem Hinweis, er würde gleich wiederkommen, die Treppe hinunter.

Tirschbein stellte die Tasse auf die Metallkiste, nahm seinen Koffer in die Hand und bat mich, den Sack mit den Überresten der verbrannten Sachen zu nehmen und schnell mit ihm hinunterzugehen. Er wollte nichts Neues über Issler hören. Wer könnte wissen, um was es diesmal ging. Außerdem habe er keine Lust, einen jiddischen Schauspieler zu verdächtigen, der sein Leben der Kunst gewidmet hatte. Er stapfte durch die feuchte Asche auf die krumme Tür zu, und wenn ich ihn nicht gehalten hätte, wäre er hingefallen. Vorsichtig gingen wir weiter und blieben an der anderen Seite des Daches stehen. Tirschbein schaute auf die Straße hinunter und sagte, er hätte vergessen, Dobson zu fragen, wohin die Krone verschwunden sei. Inzwischen war auch Dobson zurückgekommen. Die Feuerwehrleute hätten sie kaputtgemacht, sagte er, sie hätte sie beim Löschen behindert. Dann hielt er uns die Zeitung vom Vortag hin. Über einem Foto Isslers stand: »Straßenschauspieler ermordet«. Und unter einem unscharfen Foto Nojbischs stand: »Der Mordverdächtige«. Tirschbein hielt mir die Zeitung hin und bat mich, ihm den Artikel vorzulesen, doch dann lehnte er es gleich wieder ab. Er habe Lust, sich zu erbrechen, sagte er. Dobson bot an, uns mit Bereles Auto zu fahren, das ihm so lange zur Verfügung stehe, bis sein Freund den Führerschein gemacht habe. Er nahm den Sack, und wir gingen die Treppe hinunter.

»Zu mir nach Hause«, sagte ich zu Dobson, doch unterwegs bogen wir in eine enge Gasse ein, die Jehuditstraße hieß, dann in eine noch engere, ohne Namen, eine Sackgasse, und Dobson sagte, er wolle Tirschbein seine neue Wohnung zeigen. Sie roch nach frischer

Farbe. In einem Zimmer standen zwei Betten, mit einem breiten Gang dazwischen, im Zimmer daneben gab es einen Tisch und zwei Stühle. In der Küche sahen wir ein bißchen Geschirr. Dobson stellte den Sack, das Tablett und die Tassen ab und sagte, hier würde Tirschbein wohnen, bis er etwas Neues gefunden hätte.

»Im Namen meines Großvaters Leib Dubschin«, sagte er, legte die Hausschlüssel auf den Tisch und verschwand.

Tirschbein setzte sich auf ein Bett, schloß die Augen, öffnete sie wieder, wiegte sich ein paarmal hin und her, dann streckte er sich aus und schlief ein.

Ich ging in das andere Zimmer, zog den Rolladen hoch, stellte einen Stuhl ans Fenster und machte mich daran, die Nachricht über Itzik Isslers Tod zu lesen. Nojbisch habe seinen Mitbewohner mit seinen Händen erwürgt, berichtete der Reporter. Dann hätte er die Leiche auf einen Stuhl mit hoher Lehne gesetzt, sie daran festgebunden und den Stuhl auf den Balkon gestellt, mit Blick auf das Meer. Danach hätte er sich selbst an einem ähnlichen Stuhl, der neben dem des Toten stand, festgebunden, auch er mit dem Gesicht zum Meer. So hatte man sie am Nachmittag gefunden. Ein Nachbar gab an, er hätte sie schon morgens bemerkt, aber keinen Verdacht geschöpft, denn die beiden wären immer allein und etwas verschroben gewesen. Am Abend zuvor hatte er gesehen, wie sie spätabends mit einem Taxi zurückgekommen waren. Issler sah auf dem Foto jung aus. Nojbisch hatten sie ohne seine dunkle Brille fotografiert. Nach Auskunft des Arztes litt er schon lange an Depressionen und war nicht zurechnungsfähig.

Tirschbein kam ins Zimmer. Er war verschlafen und wußte für einen Moment nicht, wie er in die Wohnung gekommen war. Dann ging er ins Bad, wusch sich das Gesicht und zog das Handtuch aus dem Koffer. Als er feststellte, daß es schmutzig war, trocknete er sich mit seinem Pyjama ab und sagte, er sei hungrig. Dann nahm er sein Tagebuch und notierte auf die Seite des heutigen Tages ein großes Fragezeichen.

»Ich habe aufgehört zu existieren«, sagte er, dann gingen wir essen.

Wir waren bis abends zusammen. Er war müde und ging früh schlafen.

41

Am Morgen erwartete er mich schon und wollte, daß wir zusammen in die Stadt fuhren, um irgendwo etwas zu essen. Er deutete auf die Karte von Polen, die wieder an der Wand hing. Gegenüber hing ein Bild von Gauguin, das er aus Piutas altem Kalender gerissen hatte, ein Selbstbildnis des Malers mit dem Titel: »Ich, der verwundete Gott«. Auf dem Tisch lagen die angesengten Karten, die übriggeblieben waren.

»Damit sie trocknen«, sagte er.

Es waren die Karten mit dem Buchstaben T, und auf jeder von ihnen stand in winziger Schrift eine kurze Geschichte über Tod und Tote. Die Juden in der Stadt Lemberg hatten einmal weiße Leichenhemden angezogen und sich hinter der Friedhofsmauer versteckt. Als die Bauern kamen, um die Synagoge anzuzünden, stiegen die vermeintlichen Toten auf die Friedhofsmauer und jagten die erschrockenen Angreifer in die Flucht.

Es gab auch eine Geschichte über eine lahme Witwe aus Biała Podlaska, eine entfernte Verwandte Tirschbeins. Als sie starb, begrub man sie versehentlich ohne ihre Krücken. Der Rabbi wurde konsultiert, und dieser, gestützt auf die Beschreibung der Ankunft des Messias im Buch Sohar, entschied, das Grab müsse noch einmal geöffnet und die Krücken hineingelegt werden.

Dann fand sich noch eine Geschichte über zwei Hexen in der Stadt Melawe. Sie gaben zu, Fehlgeburten bei Kühen in der Umgebung verursacht und mit dem Teufel Verkehr gehabt zu haben, der in der Gestalt eines deutschen Jägers zu ihnen gekommen sei. Die Hexen wurden aufgehängt, ihre Leichen hinter der Friedhofsmauer begraben.

Auf einer anderen Karte stand die Geschichte einer Schwangeren, die plötzlich starb, ohne daß das Kind aus ihrer Gebärmutter zu holen war. Es war unmöglich, sie mit dem Ungeborenen zu beerdigen, aus Furcht, es könne ein Sohn sein, den man getrennt hätte beerdigen müssen. Die tote Frau ließ das Kind nicht los, obwohl man alles mögliche versuchte. Zwei Tage lang legte man ihren Körper in kochendes Wasser, man sprach Gebete, doch nichts half, und schließlich zündete man schwarze Kerzen an. Doch erst als der Rabbi den Sefer Tora geöffnet und einen Bann über sie gesprochen hatte, gab sie das Kind frei.

Als Tirschbein sah, wie ich die Karten durchblätterte, sagte er, die Toten von Alkisch wären wieder aus ihren Gräbern gekommen und hätten die Synagoge betreten. Er höre Stimmen in der leeren Wohnung, er würde hier nicht lange bleiben.

Zwei Tage später verließ er die Wohnung. Er nahm seinen Koffer und den Armeesack mit den Resten des Brandes und zog in das Hotel Ram neben dem Busbahnhof. Aber auch dort hörte er Stimmen in seinem Zimmer. Dreimal wechselte er das Hotel, und in jedem Zimmer hörte er Stimmen. Zwei Wochen lang blieb ich bis spätabends bei ihm. Wir liefen durch die Straßen, fuhren mit Autobussen. Auf einer Fahrt trafen wir Mister Rudin aus Tel Aviv, der erzählte, daß sich nach Isslers Tod eine bedrückte Stimmung unter den Schriftstellern ausgebreitet habe. Die Ärzte sagten, es gebe keinerlei Hoffnung, daß Nojbisch wieder gesund würde. Von seinem angekündigten Manuskript über das polnische Judentum hatte man nichts gefunden, keine einzige Seite. Isslers Manuskripte hätte der Hausbesitzer mit der Begründung konfisziert, daß Issler ein ganzes Jahr lang keine Miete bezahlt hätte. Der Hausbesitzer hatte sich an den Schriftstellerverband gewandt mit der Bitte, Isslers Manuskripte zu schätzen, und wollte nicht glauben, daß sie keinerlei Wert besaßen. Als wir uns von Mister Rudin verabschiedeten und den Autobus verließen, sagte Tirschbein, Issler selbst hätte den Wert des Jiddischen schon einmal eingeschätzt, damals, als wir ihn auf der Fußgängerzone zum ersten Mal trafen: elf kleine Münzen, noch nicht mal eine Spanne breit. Tirschbein schwieg, dann sagte er, er müsse den Mund halten. Isslers Leiche sei noch nicht verfault, und schon habe er sich in seinem Kopf niedergelassen und spreche aus seinem Mund.

Eines Tages gingen wir auch zu dem Dach, auf dem

Tirschbeins Wohnung gestanden hatte. Nichts erinnerte mehr an den Brand, nur der Hocker der Nachbarin lag noch herum. An einem Schabbatabend überquerten wir die Kreuzung Straußstraße und Hanaviimstraße, und Tirschbein blieb einige Minuten schweigend vor der Kirche und der Synagoge stehen. Am Tor der Kirche hing die Ankündigung eines Vortrags, den ein gewisser Dr. Hans Heller über das Thema »Wissenschaftliche Untersuchung der Irrlehre Darwins« halten würde. In den beiden Geschäften auf der anderen Straßenseite hatte sich nichts geändert. Die Klagemauer erhob sich noch immer hinter dem Strand, und der Jude schrie aus der Tiefe: »Bis wann?«

Während Tirschbein schweigend dastand, erschien der Chassid mit dem Tuch, mit dem man am Schabbatabend die Chalot bedeckt. Er warf einen Blick auf die Ampel, die von Rot auf Grün sprang, ohne daß ein einziges Auto um die Ecke gebogen wäre, und sang mit derselben eintönigen Stimme, mit der er Gebete sprach: »Schabbes, Schabbes, Schabbes.«

Eines Abends hatten wir ihn aus dem Krankenhaus Bikur Cholim kommen sehen, zusammen mit Berele und David Dobson, die einen mit einem Gebetsschal bedeckten Körper auf einer Trage heraustrugen und schnell wie Diebe die Hanaviimstraße hinuntereilten. Der Chassid war ihnen, Gebete singend, nachgelaufen.

Jeden Tag malte Tirschbein ein neues Fragezeichen in sein Tagebuch. Nach zwei Wochen beschloß er, sich zusammenzureißen und ein neues Testament zu schreiben, das neunundzwanzigste. Dafür brauche er Ruhe und Ausgeglichenheit, und deshalb müsse er zuerst eine Wohnung finden, in der er keine fremden Stimmen hörte. Er bat mich, ihn am nächsten Tag nicht aufzusuchen, er müsse einige Tage allein sein.

Als ich nach zwei Tagen zu ihm ging, war er schon nicht mehr im Hotel. Der Portier gab mir einen Brief, den er für mich hinterlassen hatte, und erzählte, Tirschbein habe am Tag zuvor das Hotel verlassen, in der einen Hand einen kleinen Koffer, in der anderen einen Armeesack, der irgendwie verbrannt roch. Eine neue Adresse habe er nicht hinterlassen.

Ich ging zur Fußgängerzone, bestellte mir bei Atara eine Tasse Kaffee, setzte mich draußen an einen Tisch und öffnete den Brief. Auf der Straße waren kaum Leute. Der Zeitungsverkäufer saß auf seinem üblichen Platz, die Zeitungsstapel hatte er in Nylonpapier gewikkelt, denn es blies ein feuchter Wind, und der Himmel war bewölkt. Eine neue Bettlerin mit einem lahmen Bein saß auf dem Bürgersteig und klapperte mit ihren Aluminiumkrücken. Zwei neue Sänger – er groß, mit einem gepflegten Bart, sie hochschwanger – sangen englische Volkslieder. Ihre etwa dreijährige Tochter spielte mit den wenigen Münzen, die Passanten auf das große Tablett warfen. Ein Saxophonspieler näherte sich mir und spielte ein altes Wiegenlied, über einen jüdischen König, der eine Königin hatte, und die Königin hatte einen Garten, und in dem Garten wuchs ein Baum, auf dem ein Vogel ein Nest baute. Das Lied erzählt, daß der König starb, die Königin den Verstand verlor, der Baum vertrocknete und der Vogel in ein fremdes Land flog. Der Musikant hob sein Instrument höher, und mit schluchzenden Tönen wiederholte er den Refrain.

Beim letzten Mal, als er das spielte, hatte Issler das Lied auf jiddisch deklamiert:

>>*Amol is gewejn a maße,*
di maße is gor nit frejlech,
die maße hejbt sich anet
mit a jidischn melech.
Lulinke majn fejgele,
lulinke majn kind,
ongeworen asa libe –
wej is mir on wind!<<

In seinem Brief bat Tirschbein, ich solle ihn nicht suchen. Nachts im Traum hätte er an einer Wegkreuzung gestanden. Alle Wege hätten ins Land des Feindes geführt. Er hätte den Koffer abgestellt, sich auf den Armeesack mit den Resten seiner Habe gesetzt und die Vorübergehenden gefragt:

>>Wer bin ich, und wohin gehe ich?<<

Niemand wäre stehengeblieben. Die Leute hätten nur genickt und wären weitergegangen. Bis Itzik Issler gekommen wäre. Dieser wäre auf den Hocker gestiegen, den er aus seinem Koffer geholt hätte, und hätte ihm mit einem düsteren Gesicht geantwortet:

>>Du, Noach Naftali Tirschbein, Freund der Menschheit, bist im Land des Feindes.<<

Diese Szene, schrieb Tirschbein, würde er auch in seinen Roman aufnehmen. Er habe die Hoffnung noch nicht verloren, denn noch immer besitze er ein Kompendium der Lehre Immanuel Kants, die Karte von Polen und die chinesische Dose mit den Glücksbringern, dem Stück Pergament, dem angesengten Brief, dem wunderbaren Gedicht der Dichterin von Brisk und der Locke von D. D.s Schamhaaren. Er würde die Geschichte ihrer Liebe schreiben, und er würde mit dem Ende beginnen, mit ihrem letzten Treffen, als er auf dem Weg nach Israel war. In New York, im Lincoln Center, hätten sie sich angeschaut, und beide wären über den Anblick des anderen erschrocken. Sie trug ein langes, graues Kleid, und die Farbe ihres Gesichts glich der ihres Kleides. Als er sie zum ersten Mal lachen hörte, wußte er, daß er sie in einem früheren Leben schon einmal getroffen hatte. In jedem späteren Leben würde er nun nicht aufhören, ihren Namen zu rufen, bis sie wiederkäme und bis er ihr Gesicht in den Wolken sähe und ihr Lachen hörte.

Glossar

Achaschwerosch   Xerxes, König von Persien, 5. Jhd. v. der Zeitrechnung, als Achaschwerosch (Ahasver) Gestalt der biblischen Esther-Geschichte.

Achtzehn   ist eine mystische Zahl, deren Buchstabenwert dem hebräischen Wort »Leben« entspricht.

A meschigene sojne (jidd.)   eine verrückte Hure.

Aschkenas (pl. Aschkenasim)   in der Bibel Name eines nördlichen Volkes, später: Juden aus Deutschland bzw. Juden in Mittel- und Osteuropa, Abkömmlinge der Aschkenasim. Adjektiv: aschkenasisch.

Avrech (hebr.)   junger Mann, Jeschiwa-Student.

Ba'al Schem tow (hebr.: Herr des [guten – göttlichen] Namens), Beiname des Israel ben Elieser, Stifter des Chassidismus, der ab ca. 1740 in Medshibosh (Ukraine) wirkte.

Badchen (von hebr. badchan)   Spaßmacher bei Hochzeiten u. ä.

Beigl (pl. Bejgelech, jidd.)   ein Gebäckstück.

Chala (hebr.)   traditioneller Brotkuchen für Schabbat.

Challa (pl.: Challot)   Weißbrot, meist in Zopfform, zu Schabbat.

Chamez (hebr.: Gesäuertes)   Speisen, die aus Brotmehl hergestellt wurden, wenn der Teig nicht unmittelbar nach der Zubereitung gebacken wurde, das heißt, in Gärung übergegangen ist. An Pessach ist Chamez verboten, und deshalb werden zuvor alle Reste davon gesammelt und verbrannt.

Chasan (hebr.)   Kantor, Vorbeter.

Chassid (pl. Chassidim)   Anhänger des Chassidismus, einer religiös-mystischen Bewegung im Judentum, entstanden Mitte des 18. Jhd. in der Ukraine, Begründer: Israel ben Elieser, genannt Ba'al Schem tow.

Ch'hob di erd in dr'erd (jidd.)   wörtl. Ich habe die Erde in der Erde, sinngemäß: Mir geht es sehr schlecht in der Erde (lign in dr'erd: leiden).

Chmjelnizki, Bogdan (ca. 1595–1657)   Kosakenhetman, wurde bei seiner Erhebung gegen den polnischen Adel (1648) Urheber der blutigsten Judenverfolgungen der ostjüdischen Geschichte. Blutbad zu Nemirow, das zugleich den Niedergang der polnischen Juden auslöste.

Chuppa (Trauhimmel)   Baldachin, unter dem Bräutigam und Braut zusammengegeben werden.

Chewre-Kaddische (hebr. heilige Gemeinschaft)   Beerdigungsbrüderschaft

Du frumer schmok! (jidd.)   du frommer Schwanz!

El male rachamim (hebr.: Gott voll Erbarmen)   Gebet, in dem der

356

Name des Verstorbenen genannt wird und das an den Jahrzeit-Tagen gebetet wird und das mit den Worten »El male rachamim« beginnt.

Etrog (pl. Etrogim)   Paradiesapfel, eine der vier Pflanzen im Suk-koth-Feststrauß.

Glußt sich mir wejnen geschmaker fun harzn (jidd.)   Ich habe Lust, köstlich von Herzen zu weinen.

Haggada (hebr.: Geschichte)   die Geschichte des Auszugs der Juden aus Ägypten, wird am ersten und zweiten Abend von Pessach bei einem Festmahl vorgelesen.

hakn a tschajnik (jidd.)   Unsinn reden (wörtl.: eine Teekanne zerschlagen).

Immanuel (hebr.)   Gott ist mit uns

Immanu-Isch: (Wortspiel)   Der Mensch ist mit uns
(fehlerhaftes Jiddisch) Gebt einem Kranken eine milde Gabe. Ich habe kein Essen.

Jermijahu   Prophet Jeremias

Jeschiwa   talmudische Hochschule, rabbinisches Lehrhaus.

Jom Kippur, Jom ha-Kippurim (hebr.: Tag der Sühne/Sühnungen) Versöhnungstag, ein Tag der Reue, der mit Gebet und Fasten begangen wird.

J. L. Peretz, auch Perez (1851–1915)   bedeutender Dramatiker, Erzähler und Lyriker; einer der großen Klassiker der modernen jiddischen Literatur.

Kaddisch (aram.: Heiliger)   Waisengebet der Söhne bei der Beerdigung der Eltern, wird das ganze Trauerjahr hindurch gesprochen, danach am Jahrzeittag.

Kappara (hebr.: Sühneopfer) (jidd. Aussprache Kappore)   ein Brauch, der sich in der nachtalmudischen Zeit für den Tag vor Jom Kippur herausgebildet hat: Ein Huhn wird als Sühneopfer dreimal über das Haupt geschwungen, und dazu wird ein Spruch gesagt, der (ähnlich wie beim Widder für Asasel im alten Heiligtum) ausdrückt, daß das Tier die Sünden des Menschen übernehmen und dann geopfert werden soll. Das Huhn wird geschlachtet, eventuell verschenkt, oder es wird sein Geldwert an Bedürftige verteilt.

Kiddusch (hebr.: Heiligung)   Einweihung des Schabbats bzw. Festtags.

Knejdlech, Mazzenknejdl (jidd.)   kleine Knödel aus Mazzenmehl, die zur Festtagssuppe an Pessach gehören. Gemeint ist hier etwa: Lassen wir das umständliche Gerede, das heißt die Vorleserei, kommen wir zur Hauptsache (zum Essen).

Kol Nidre (aram.: alle Gelübde)   Gebet, das am Vorabend des Jom Kippur gesprochen wird.

Lechajim (hebr.: zum Leben)   Trinkspruch

Lulaw (pl. Lulawim)   Palmzweig, eine der vier Pflanzen, die am Sukkothfest gesegnet werden.

Machsor raba (hebr.)   großes Gebetbuch

Mesusa (Türpfosten)   Bezeichnung der Inschrift am rechten Türpfosten; auf Pergament geschrieben, in einer Metall- oder Holzhülse. Mesusa-Gebot wird aus der wörtlichen Auffassung von D 6,9 hergeleitet.

Minjan   Mindestzahl von zehn (männlichen) Betern, die für den Gemeindegottesdienst vorgeschrieben ist.

M'ken schojn warfen schtejner? (jidd.)   kann man schon Steine werfen?

Pessach (hebr.: Überschreiten)   Überschreitungsfest, daß zur Erinnerung an den Auszug der Juden aus Ägypten gefeiert wird.

Petljura, Simon Wassiljewitsch (1879–1926)   1918 oberster Hetman des ukrainischen Heeres, veranstaltete während der Bürgerkriege 1918/20 Pogrome, die zu den größten der modernen jüdischen Geschichte gehören (etwa 30 000 Tote in 327 Orten); vom Sohn eines Opfers, dem Uhrmacher Schwarzbard, 1926 in Paris erschossen.

Po lin (hebr.)   etwa   Hier laßt euch nieder. Wortspiel mit Polin (hebr.): Polen.

Pogrome 1648/49 vgl. Chmjelnizki

Rambam, eigentl.   Mose   ben   Maimon,   auch   Maimonides (1135–1204)   bedeutendster jüdischer Philosoph des Mittelalters.

Rebbe (von hebr. Rav: Herr)   meist mit dem Ort, an dem er lebte, zusammen genannt, Ehrentitel für einen führenden Rabbiner der chassidischen Bewegung.

Rebbezn (jidd.)   Frau des Rabbiners

Rosch ha-Schana (Anfang des Jahres)   Neujahrsfest

Schabbatjahr   von der Religion vorgeschriebenes Ruhejahr, in dem das Land brachliegen muß und seine Früchte nicht gegessen werden dürfen.

Schajtel (jidd.)   Perücke, die eine verheiratete Frau zu tragen hat, weil sie ihre eigenen Haare nicht in der Öffentlichkeit zeigen darf (früher war unter dem Schajtel tatsächlich eine Glatze verborgen).

Schalom Asch, auch: Scholem Asch   1880–1957; bedeutender Schriftsteller und Dramatiker, der erst in hebräischer, dann in jiddischer Sprache schrieb.

Schel-Rosch   das auf der Stirn getragene Phylakterion.

Schofar   Widderhorn, krummes Blasinstrument aus dem Horn eines Widders, wird am Rosch ha-Schana und am Jom Kippur geblasen.

Sefardim (von hebr. Sefarad, Spanien)   Bezeichnung für die Juden aus Spanien und Portugal, die im 14. und 15. Jahrhundert über Europa, Nordafrika, Lateinamerika und den Orient zerstreut wurden.

Slichot   Bußgebete

Sof (von hebr.)   Ende, Schluß

Sohar (hebr.: Leuchte)   Hauptwerk der Kabbala, entstanden Ende 13. Jahrhundert.

Sohloschim (hebr.: dreißig)   dreißig Trauertage nach Beendigung der Schiwa.

Tallit   Gebetmantel, viereckiges Tuch zum Umschlagen mit Quasten, sog. Schaufäden (Zizit, pl. Ziziot) an den vier Ecken. Wird heute von männlichen Personen beim Morgengebet getragen. Daneben ist es noch Sitte, einen kleinen Tallit (auch Arba Kanfot genannt) unter der Kleidung zu tragen.

Tatte, hecher di kapore   Vater, [halte] die Kappore höher!

Tatte! S'is doch a nekejve! (jidd.)   Vater, es ist ein Weibchen!

Tatte! Ch'sej nischt (jidd.)   Vater, ich sehe nichts.

Tfiln (von hebr.: tefillin: Phylakterien, Gebetsriemen)   zwei schwarze Lederkapseln, die beim wochentäglichen Morgengebet mit schwarzen Lederriemen am linken Arm (*schal-jad*) und an der Stirn (*schel-rosch*) festgebunden werden. Beide Kapseln enthalten, auf Pergament geschrieben, die Bibelverse Ex 13,1–10; Dtn 6,4–9; 11,13–21.

Zaddik (hebr. Gerechter)   der Fromme, Vollkommene, Wundertäter im Chassidismus.

Zizit (pl. Ziziot)   Schaufäden (vgl. Tallit)

Zoreß (von hebr.: Zarot)   Not, Bedrängnis, Sorge. Die Übersetzung des Gebets wäre etwa: Vertreibe die Nacht, die über uns liegt. / Führe uns hinaus ins Licht. / Lasse auf unsere Herzen / den Widerschein eines hellen Strahls fallen. / Beende unser Unglück. / Schenke uns einen Tag der Hoffnung. / Israel kann sich nicht mehr beugen / unter der Masse der Bedrängnis.

Jossel Birstein, 1920 in Biała Podlaska in Polen geboren, verließ im Alter von 17 Jahren Polen mit einem Emigrantenschiff, das nach vielen Wirren schließlich in Australien anlegte. 1950 emigrierte er nach Israel. Birstein war zunächst Schafhirte im Kibbuz Gvat, später Bankangestellter in Kirjat Tiwan. Er lebt heute als Schriftsteller in Jerusalem und schreibt in hebräischer wie in jiddischer Sprache. Er hat bislang sechs Romane und einen Erzählband veröffentlicht. *Gesicht in den Wolken* ist sein erstes Buch, das auf deutsch erscheint.